NIEWINNY

DAVID
BALDACCI

NIEWINNY

przełożył Jerzy Malinowski

Tytuł oryginału *The Innocent*

Przekład Jerzy Malinowski

Redakcja Elżbieta Ptaszyńska-Sadowska
Korekta Marta Stochmiałek, Filip Modrzejewski, Małgorzata Denys
Redakcja techniczna Anna Gajewska

Projekt okładki i stron tytułowych Izabella Marcinowska
Ilustracja na I stronie okładki © Roy Bishop / Arcangel Images

Skład i łamanie TYPO Marek Ugorowski
Druk i oprawa Interdruk, Warszawa

Książkę wydrukowano
na papierze Lumo 70 g/m^2, wol. 1.8,
dostarczonym przez panta sp. z o.o.

Grupa Wydawnicza Foksal Sp. z o.o.
00-372 Warszawa, ul. Foksal 17
tel. 22 828 98 08, 22 894 60 54

ISBN 978-83-280-0971-4

Wydanie I
Warszawa

Mitchowi Hoffmanowi, mojemu wydawcy,
a co ważniejsze: przyjacielowi.

1

Will Robie uważnie przyjrzał się wszystkim pasażerom krótkiego lotu z Dublina do Edynburga i śmiało mógł powiedzieć, że szesnastu z nich to Szkoci wracający do kraju, a pięćdziesięciu trzech to turyści.

Robie nie był ani Szkotem, ani turystą.

Podróż zajęła czterdzieści siedem minut; samolot najpierw leciał nad Morzem Irlandzkim, a potem nad rozległą połacią Szkocji. Kolejne piętnaście minut z jego życia zabrała podróż taksówką z lotniska. Nie zatrzymał się ani w hotelu Balmoral, ani w Scotsman, ani żadnym innym wspaniałym miejscu tego starego miasta. Zajął pokój na trzecim piętrze budynku z odrapaną fasadą, dziewięć minut spacerem od centrum. Miał swój klucz, a pokój na jedną noc opłacono gotówką. Wniósł do pokoju swoją niewielką walizkę i usiadł na łóżku. Zaskrzypiało pod jego ciężarem i ugięło się o jakieś dziesięć centymetrów.

Coś za coś: niska cena, ale skrzypiące i uginające się łóżko.

Robie miał sto osiemdziesiąt trzy centymetry wzrostu i ważył całe dziewięćdziesiąt kilogramów. Nie był szczególnie muskularny, polegał raczej na swojej szybkości i wytrzymałości niż na sile. W przeszłości miał złamany nos – wynik błędu, który popełnił. Nigdy go nie zoperował, ponieważ nie chciał nigdy zapomnieć tego błędu. Miał jeden sztuczny ząb, z tyłu szczęki. W wyniku tego samego błędu co złamany nos.

Miał naturalnie ciemne włosy, miał ich dużo, były o centymetr dłuższe od typowej fryzury amerykańskich *marines*. Miał wyraźne rysy twarzy, ale ponieważ starał się nigdy nie nawiązywać z nikim kontaktu wzrokowego, trudno było je zapamiętać.

Na ramieniu i na plecach miał tatuaż. Jeden przedstawiał ząb rekina ludojada. Drugi – czerwoną kreskę przypominającą wyglądem błyskawicę. Oba skutecznie maskowały stare blizny. I oba wiele dla niego znaczyły. Uszkodzona skóra była sporym wyzwaniem dla artysty robiącego tatuaże, ale ostateczny efekt okazał się zadowalający.

Robie miał trzydzieści dziewięć lat, a nazajutrz miał przekroczyć czterdziestkę. Nie przyleciał jednak do Szkocji świętować. Przyleciał tu do pracy. Z trzystu sześćdziesięciu pięciu dni w roku mniej więcej połowę spędzał na pracy i podróżowaniu do miejsc, gdzie przychodziło mu wykonywać swoją robotę.

Robie dokładnie obejrzał pokój. Był mały, skromny, leżał w strategicznym punkcie. Robie nie wymagał dużo. Rzeczy miał mało, a potrzeby jeszcze mniejsze.

Wstał, podszedł do okna, przytknął twarz do zimnej szyby. Niebo było posępne. To częste w Szkocji. Prawdziwie słoneczny dzień zawsze witano w Edynburgu z wdzięcznością, a jednocześnie z zaskoczeniem.

Daleko, gdzieś po lewej stronie, znajdował się Holyrood Palace, oficjalna szkocka rezydencja królowej. Stąd nie było go widać. Po prawej leżał edynburski zamek. Jego starego zniszczonego gmachu też stąd nie widział, ale wiedział dokładnie, gdzie jest.

Spojrzał na zegarek. Miał całe osiem godzin do wyjścia.

Kilka godzin później obudził go jego zegar wewnętrzny. Robie opuścił pokój i ruszył w kierunku Princes Street. Minął stojący w samym centrum miasta majestatyczny gmach hotelu Balmoral.

Zamówił lekki posiłek i wypił szklankę wody, nie zwracając uwagi na szeroki wybór porterów za barem. Jedząc, wpatrywał się w ulicznego artystę, który za oknem żonglował rzeźnickimi nożami na jednokołowym rowerku i przyciągał uwagę tłumu zabawnymi historyjkami, ubarwionymi szkockim akcentem. Był tam też facet przebrany za niewidzialnego człowieka, robiący przechodniom zdjęcia po dwa funty sztuka.

Po posiłku ruszył w stronę edynburskiego zamku. Widział go już z daleka i szedł ku niemu niespiesznym krokiem. Zamek był ogromny i imponujący. Nigdy nie został zdobyty siłą, tylko podstępem.

Wdrapał się na sam szczyt zamku, skąd roztaczała się panorama ponurej szkockiej stolicy. Przeciągnął dłonią po lufie armaty, która nigdy już nie wystrzeli. Obrócił się w lewo i zobaczył bezkres morza, które przed wiekami uczyniło z Edynburga ważny port handlowy. Przeciągnął się. Usłyszał chrzęst, a potem trzask w stawie lewego ramienia.

Czterdziestka.

Jutro.

Musiał tylko tego jutra doczekać.

Spojrzał na zegarek.

Jeszcze trzy godziny.

Wyszedł z zamku i ruszył przed siebie boczną uliczką.

Nagły zimny prysznic deszczu przeczekał przy kawie pod markizą jakiejś kawiarenki.

Później, kiedy zapadł całkowity zmrok, minął tablicę zapraszającą do zwiedzania podziemi Edynburga – tylko dorośli, tylko z przewodnikiem. Zbliżała się pora. Robie odtwarzał w pamięci każdy krok, każdy zakręt, każdy ruch, który będzie musiał wykonać.

Żeby przeżyć.

Robił tak za każdym razem i za każdym razem musiał wierzyć, że to wystarczy.

Will Robie nie chciał umrzeć w Edynburgu.

Chwilę później minął jakiegoś mężczyznę, który skinął głową. To było lekkie skłonienie głowy, nic więcej. Mężczyzna zniknął, a Robie skręcił w wejście, w którym tamten przed chwilą stał. Zamknął za sobą drzwi i ruszył przed siebie, przyspieszając kroku. Miał buty na gumowej podeszwie. Nie czyniły żadnego hałasu na kamiennej posadzce. Dwieście metrów dalej natknął się na drzwi po prawej stronie. Wszedł do pomieszczenia za nimi. Na wieszaku wisiała stara peleryna mnicha. Założył ją i narzucił kaptur na głowę. Były tu też inne rzeczy dla niego. Wszystkie potrzebne.

Rękawiczki.

Noktowizor.

Magnetofon.

Pistolet Glock z tłumikiem.

I nóż.

Czekał, co pięć minut spoglądając na zegarek. Jego zegarek był zsynchronizowany co do sekundy z zegarkiem kogoś innego.

Otworzył kolejne drzwi. Dotarł do kraty w podłodze, uniósł ją i po żelaznych uchwytach umocowanych w ścianie z kamienia zszedł na dół. Bezgłośnie zeskoczył na posadzkę i ruszył w lewo, licząc kroki. Nad nim był Edynburg. A przynajmniej jego „nowa" część.

On był teraz w podziemnym Edynburgu, zamieszkanym przez duchy i odwiedzanym przez turystów. Podziemia ciągnęły się pod South Bridge i starą częścią miasta, między innymi pod Mary King's Close. Przemierzał szybko mroczne korytarze z cegły i kamienia. Dzięki noktowizorowi widział wszystko z doskonałą wyrazistością. Na ścianach znajdowały się w równych odstępach elektryczne lampy. Mimo to w podziemiach było ciemno.

Miał wrażenie, że słyszy wokół siebie głosy umarłych. Według miejscowych podań w siedemnastym wieku w mieście wybuchła zaraza, która szczególnie ciężko dotknęła jego ubogie dzielnice – takie jak Mary King's Close. Aby zapobiec rozprzestrzenianiu się zarazy, ogrodzono murem ten obszar, zamykając w nim na zawsze jego mieszkańców. Robie nie był pewny, czy to prawda, ale nie byłby zaskoczony, gdyby rzeczywiście tak zrobiono. Tak czasem reaguje cywilizacja w obliczu zagrożenia – nieważne, czy realnego, czy tylko wyobrażonego. Po prostu ogrodzili ich murem. My przeciwko nim. Przetrwają najlepiej przystosowani. Ty umierasz, ale ja będę żył.

Zerknął na zegarek.

Jeszcze dziesięć minut.

Zwolnił, idąc teraz w takim tempie, żeby dotrzeć na miejsce kilka minut przed czasem. Tak na wszelki wypadek.

Usłyszał ich, zanim zdążył zobaczyć.

Było ich pięciu, nie licząc przewodnika. Ten człowiek ze swoją świtą.

Będą uzbrojeni. Będą czujni. Bo ochroniarze wiedzą, że to idealne miejsce na zasadzkę.

Mają rację.

Zejście tutaj było szczytem głupoty ze strony tego człowieka.

Było.

Marchewka musiała być wyjątkowo duża.

Była.

Była ogromna i całkowicie zmyślona. A mimo to zszedł tutaj, ponieważ nie zdawał sobie z tego sprawy. To kazało Robiemu się zastanowić, na ile rzeczywiście niebezpieczny jest ten człowiek. Ale to nie jego zmartwienie.

Pozostały cztery minuty.

2

Robie minął ostatni zakręt. Usłyszał przewodnika odtwarzającego z pamięci tajemniczym głosem swoją gadkę. Melodramat lepiej się sprzedaje, pomyślał Robie. I rzeczywiście, niepowtarzalność tego głosu miała znaczenie dla dzisiejszego planu.

Wycieczka zbliżała się do zakrętu w prawo.

Robie też, tylko z przeciwnego kierunku.

Czas był tak ściśle wyliczony, że nie pozostawał żaden margines błędu.

Robie liczył kroki. Wiedział, że przewodnik robi to samo. Sprawdzali wcześniej nawet długość swoich kroków, żeby wszystko idealnie się zgrało. Siedem sekund później przewodnik – tego samego wzrostu i budowy ciała co Robie, ubrany w identyczną pelerynę – idący pięć kroków przed resztą, wyszedł zza zakrętu. W dłoni trzymał latarkę. To jedno różniło go od Robiego. Robie musiał mieć z oczywistych powodów obie ręce wolne. Przewodnik obrócił się w lewo i zniknął w wykutej w skale szczelinie, prowadzącej do innego pomieszczenia z drugim wyjściem.

W tym samym momencie Robie obrócił się plecami do grupy mężczyzn, którzy chwilę później wyłonili się zza zakrętu. Jedną ręką sięgnął pod pelerynę do przyczepionego do paska magnetofonu i włączył go. Rozległ się głos przewodnika kontynuującego dramatycznym tonem swoją opowieść, którą na moment przerwał, kryjąc się w szczelinie muru.

Robie nie lubił stać tyłem do kogokolwiek, ale nie było innego sposobu, żeby plan mógł się powieść. Mężczyźni za nim mieli latarki. Zauważyliby, że nie jest przewodnikiem. Że to nie on mówi. Z magnetofonu płynęło ględzenie. Robie ruszył naprzód.

Zwolnił. Mężczyźni zbliżyli się. Światło ich latarek błądziło po jego plecach. Słyszał ich zbiorowy oddech. Czuł ich zapach. Potu, wody kolońskiej, czosnku, który musiał być w ich posiłku. Ostatnim posiłku.

Albo moim, w zależności od tego, jak potoczą się wydarzenia.

Już pora. Odwrócił się.

Głębokie pchnięcie noża dosięgło pierwszego z nich. Gość upadł na posadzkę, łapiąc się za uszkodzone wnętrzności. Drugiemu Robie strzelił w twarz. Stłumiony odgłos wystrzału zabrzmiał jak ciche plaśnięcie. Odbił się echem od kamiennych ścian i zmieszał z krzykiem konającego.

Pozostali natychmiast zareagowali. Ale nie byli profesjonalistami. Może poradziliby sobie z kimś słabym i kiepsko wyszkolonym. Robie nie był ani słaby, ani kiepsko wyszkolony. Pozostało trzech, lecz tylko dwóch mogło sprawić jakiś kłopot.

Robie rzucił nożem prosto w pierś trzeciego ochroniarza, który upadł na ziemię z sercem rozpłatanym niemal na pół. Stojący za nim kolega strzelił, ale Robie zdążył już się przesunąć, używając trzeciego z mężczyzn jako tarczy. Pocisk trafił w kamienną ścianę i rozpadł się na dwie części. Jedna pozostała w ścianie, a druga odbiła się rykoszetem i utkwiła w murze naprzeciwko. Mężczyzna wystrzelił drugi i trzeci raz, ale nadmiar adrenaliny sprawił, że stracił zdolności motoryczne i chybił. Zdesperowany zaczął strzelać na oślep, opróżniając cały magazynek. Pociski odbijały się od twardej skały. Jeden z nich odbił się rykoszetem i trafił w głowę pierwszego z mężczyzn. Nie zabił go jednak, ponieważ tamten zdążył się już wykrwawić na śmierć, a nie można umrzeć drugi raz. Piąty mężczyzna rzucił się na ziemię z rękami nad głową.

Widząc to, Robie też padł na ziemię i strzelił w środek czoła mężczyźnie numer cztery. Tak ich nazwał. Liczbami. Byli anonimowi. Anonimowych ludzi łatwiej się zabija.

Pozostał już tylko mężczyzna numer pięć.

Ten piąty był jedynym powodem, dla którego Robie przyleciał dziś do Edynburga. Pozostali byli celem drugorzędnym, ich śmierć nie miała znaczenia dla powodzenia wielkiego planu.

Numer piąty podniósł się i cofnął, kiedy i Robie stanął na nogi. Ten nie miał broni. Nie widział potrzeby, by nosić broń. Uważał to za niegodne siebie. Teraz na pewno żałował swojej decyzji.

Błagał. Skomlał. Chciał zapłacić. Każde pieniądze. Ale kiedy zobaczył wycelowaną w siebie lufę pistoletu, zaczął grozić. Jaką to jest ważną personą. Jak potężnych ma przyjaciół. Co może zrobić z Robiem. Jak bardzo Robie będzie tego żałował. On i jego rodzina.

Robie nie słuchał tego. Słyszał to już nie raz.

Strzelił dwukrotnie.

W prawą i lewą półkulę mózgu. Taki strzał jest zawsze śmiertelny. Dzisiaj też był.

Numer piąty runął twarzą na posadzkę i z ostatnim tchnieniem wyrzucił z siebie przekleństwo skierowane do Robiego, którego ten nie dosłyszał.

Robie odwrócił się i zniknął w tej samej szczelinie w ścianie, przez którą wcześniej przeszedł przewodnik.

Nie zginął w Szkocji. Czuł za to wdzięczność.

Robie spał twardo po zabiciu pięciu mężczyzn.

Obudził się o szóstej. Zjadł śniadanie i wypił kawę w lokalu za rogiem.

Później poszedł na stację Waverly obok hotelu Balmoral i wsiadł do pociągu do Londynu. Ponad cztery godziny później dotarł na stację King's Cross i taksówką pojechał na Heathrow. Złapał popołudniowy lot nr 777 linii British Airways. Czołowy wiatr był słaby i po siedmiu godzinach samolot wylądował na lotnisku Dulles. W Szkocji było pochmurno i przenikliwie zimno. W Wirginii gorąco i sucho. Słońce dawno już zaczęło zniżać się ku horyzontowi na zachodzie. W wyniku panującego za dnia upału na niebie powstały chmury, ale nie zanosiło się na burzę, bo w powietrzu nie czuć było wilgoci. Matka Natura mogła co najwyżej przybrać groźną minę.

Przed budynkiem terminalu czekał na niego samochód. Na tabliczce za szybą nie było żadnego nazwiska.

Czarny SUV.

Rządowe tablice.

Wsiadł, zapiął pasy i wziął do ręki leżący na fotelu egzemplarz „Washington Post". Nie wydał kierowcy żadnego polecenia. Kierowca wiedział, dokąd jechać.

Ruch na Dulles Toll Road był zaskakująco mały.

Telefon Robiego zawibrował. Spojrzał na wyświetlacz.

Jedno słowo: „Gratulacje".

Schował telefon do kieszeni marynarki.

„Gratulacje" nie były jego zdaniem właściwym słowem. Równie nieodpowiednim byłoby „dziękuję". Sam nie wiedział, co byłoby właściwym określeniem na zabicie pięciu ludzi.

Może nie ma takiego słowa. Może po prostu wystarczy milczenie.

Dotarł do budynku przy Chain Bridge Road w północnej Wirginii. Nie będzie żadnej odprawy. Lepiej nie zostawiać żadnych śladów. W razie jakiegokolwiek śledztwa nikt nie odnajdzie dokumentów, które nie istnieją.

Gdyby jednak coś poszło nie tak, Robie nie mógł liczyć na oficjalne wsparcie.

Wszedł do biura, które oficjalnie nie było jego biurem, ale którego czasami używał. Mimo późnej pory wciąż pracowali tu ludzie. Nie odezwali się do Robiego. Nawet na niego nie spojrzeli. Wiedział, że nie mają pojęcia, czym się zajmuje, lecz i oni wiedzieli, że nie powinni się z nim zadawać.

Usiadł za biurkiem, wcisnął kilka klawiszy na klawiaturze komputera, wysłał kilka maili i wyjrzał przez okno, które tak naprawdę wcale nim nie było. Było tylko skrzynką symulującą światło słoneczne, ponieważ przez prawdziwe okno ktoś mógłby zajrzeć do środka.

Godzinę później pojawił się pucołowaty mężczyzna o ziemistej cerze, w wymiętym garniturze. Nie przywitali się. Pucołowaty położył na biurku przed Robiem pendrive'a. A potem obrócił się na pięcie i odszedł. Robie spojrzał na mały srebrny przedmiot. Kolejne zlecenie już czekało. W ostatnich latach miał coraz więcej roboty.

Schował pendrive'a do kieszeni i wyszedł z biura. Tym razem sam usiadł za kierownicą audi zaparkowanego w przylegającym do budynku garażu. Wreszcie poczuł się komfortowo. Audi było jego, miał je od czterech lat. Przejechał przez punkt kontrolny. Strażnik nawet na niego nie spojrzał.

Niewidzialny człowiek z Edynburga.

Kiedy znalazł się na ulicy, zmienił bieg i przyspieszył.

Jego telefon znów zawibrował. Spojrzał na wyświetlacz. Wszystkiego najlepszego z okazji urodzin.

Wcale się nie ucieszył. Rzucił tylko telefon na fotel pasażera i dodał gazu.

Nie będzie tortu ani świeczek.

Jadąc, myślał o podziemnym tunelu w Edynburgu. Czterech zabitych mężczyzn było ochroniarzami. Twardymi, bezwzględnymi ludźmi, którzy w ciągu ostatnich pięciu lat zabili rzekomo ponad pięćdziesiąt osób, w tym dzieci. Piąty mężczyzna, z dwoma otworami w głowie, nazywał się Carlos Rivera. Handlował heroiną i żywym towarem – nastolatkami zmuszanymi do prostytucji. Był nieprawdopodobnie bogaty, a do Szkocji przyjechał na urlop. Robie wiedział jednak, że w rzeczywistości Rivera ma wziąć w Edynburgu udział w spotkaniu na wysokim szczeblu z rosyjskim carem świata przestępczego. Chodziło o doprowadzenie do połączenia ich interesów. Nawet kryminaliści zaczęli się globalizować.

Robie otrzymał rozkaz zabicia Rivery, ale nie z powodu handlu narkotykami czy żywym towarem. Rivera musiał umrzeć, ponieważ Stany Zjednoczone dowiedziały się, że planuje dokonać zamachu stanu w Meksyku z pomocą kilku generałów tamtejszej armii. Powstały w wyniku takiego zamachu rząd nie byłby przyjazny Ameryce, należało więc temu zapobiec. Spotkanie z rosyjskim carem było pułapką, przynętą. Nie było żadnego cara ani spotkania. Wplątani w spisek meksykańscy generałowie też zginęli, zabici przez ludzi takich jak Robie.

Kiedy Robie dotarł do domu, najpierw przez dwie godziny włóczył się po pogrążonych w mroku ulicach. Szedł wzdłuż rzeki i patrzył na światła na drugim, znajdującym się już w Wirginii, brzegu. Po gładkiej tafli Potomacu sunęła policyjna łódź patrolowa.

Spojrzał na bure bezksiężycowe niebo – tort bez świeczek.

Wszystkiego najlepszego z okazji urodzin.

3

Była trzecia nad ranem.

Will Robie nie spał od dwóch godzin. Misja, której szczegóły znajdowały się na pendrivie, wymagała podróży dalej niż do Edynburga. Celem był kolejny dobrze chroniony mężczyzna, który miał więcej pieniędzy niż moralności. Robie pracował nad tym zadaniem przez blisko miesiąc. Mnóstwo szczegółów do dopracowania, a margines błędu jeszcze mniejszy niż w wypadku Rivery. Przygotowania były żmudne i dały mu w kość. Nie mógł spać. Stracił też apetyt.

Ale teraz próbował się odprężyć. Siedział w niewielkiej kuchni w swoim mieszkaniu. Znajdowało się ono w zamożnej dzielnicy pełnej wspaniałych budowli. Jego budynek był inny. Stary, niewyszukany architektonicznie, z głośnymi rurami, dziwnymi zapachami i tandetną wykładziną na podłodze. Jego mieszkańcy też byli inni – ciężko pracowali, w większości dopiero wchodzili w dorosłe życie. Każdego ranka ruszali wcześnie do pracy w rozsianych po całym mieście kancelariach prawniczych, biurach rachunkowych i koncernach inwestycyjnych.

Niektórzy wybrali karierę w sektorze publicznym i metrem, autobusem, na rowerze albo nawet piechotą zmierzali do wielkich budynków rządowych w rodzaju FBI, IRS czy Rezerwy Federalnej.

Robie nie znał żadnego z lokatorów, choć od czasu do czasu widywał wszystkich. Dostał natomiast na ich temat szczegółowe informacje. Wszyscy trzymali się z dala od innych, zajęci własną karierą i swoimi ambicjami. Robie też trzymał się z boku. Przygotowywał się do kolejnego zadania. W pocie czoła dopracowywał szczegóły, ponieważ to był jedyny sposób, by przeżyć.

Wstał i wyjrzał przez okno na ulicę, którą przejechał tylko jeden samochód. Robie od lat podróżował po całym świecie. I wszędzie, gdzie się znalazł, ktoś ginął. Nie potrafił już spamiętać nazwisk tych wszystkich ludzi, których życie zakończył. Nie obchodzili go, kiedy ich zabijał, i nie obchodzili go teraz.

Człowiek, który zajmował wcześniej stanowisko Robiego, działał w czasach wyjątkowo pracowitych dla jego tajnej agencji. Shane Connors zlikwidował blisko trzydzieści procent więcej celów niż Robie w takim samym okresie. Był dobrym i rzetelnym mentorem dla człowieka, który miał go zastąpić. Po „przejściu na emeryturę" trafił za biurko. Przez ostatnie pięć lat Robie miał z nim rzadki kontakt. Ale niewielu jest ludzi, których Robie szanowałby równie mocno jak jego. Myśląc o Connorsie, zaczął się zastanawiać nad własną emeryturą. Jeszcze kilka lat i przyjdzie ten moment.

Jeśli go doczekam.

Praca Robiego była zajęciem dla młodego człowieka. Czterdziestoletni już Robie wiedział, że nie będzie w stanie jej wykonywać przez kolejnych kilkanaście lat. Jego skuteczność będzie coraz mniejsza. W końcu któryś z celów okaże się lepszy od niego.

A wtedy zginie.

Wrócił myślami do siedzącego za biurkiem Shane'a Connorsa.

To też była śmierć, tylko innego rodzaju.

Podszedł do frontowych drzwi i wyjrzał przez wizjer. Choć nie znał osobiście nikogo z sąsiadów, to nie znaczyło, że nie jest ich ciekawy. Był bardzo ciekawy. Choć trudno było wytłumaczyć dlaczego.

Prowadzili normalne życie.

Robie – nie.

Patrzenie na ich codzienność pozwalało mu zachować kontakt z rzeczywistością.

Kiedyś zaczął się nawet zastanawiać, czy nie nawiązać bliższej znajomości z którymś z sąsiadów. Byłoby to nie tylko doskonałą przykrywką dla niego, ale też pomogłoby mu przygotować się na dzień, kiedy przestanie robić to, co robi. Kiedy będzie mógł prowadzić w miarę normalne życie.

Szybko jednak wrócił myślami do zbliżającej się misji.

Kolejna podróż.

Kolejne zabójstwo.

To będzie trudna misja, ale przecież wszystkie takie były.

Mógł łatwo zginąć.

Ale takie prawdopodobieństwo zawsze istniało.

To był dziwaczny sposób na życie, zdawał sobie z tego sprawę.

Ale to był jego sposób.

4

Costa del Sol było tego dnia godne swojej nazwy.

Robie miał na głowie kapelusz z wąskim rondem w kolorze słomkowym, biały T-shirt, niebieską marynarkę, wytarte dżinsy i sandały. Na opalonej twarzy widać było trzydniowy zarost. Był na wakacjach, a przynajmniej takie sprawiał wrażenie.

Wsiadł na pokład promu potężnych rozmiarów, przemierzającego Cieśninę Gibraltarską. Spojrzał za siebie na góry wznoszące się nad urwistym hiszpańskim brzegiem. Zestawienie skalistych szczytów z błękitem Morza Śródziemnego było urzekające. Przez kilka chwil podziwiał widoki, a potem odwrócił głowę i natychmiast o nich zapomniał. Coś innego zaprzątało teraz jego myśli.

Szybkobieżny prom płynął do Maroka. Kołysząc się i kiwając, opuścił port w Tarifie i skierował się w stronę Tangeru. Kiedy nabrał prędkości i wypłynął na otwarte wody, kołysanie ustało. Wnętrze promu wypełniały samochody, autokary i ciężarówki z naczepami. Resztę pokładu zajmowały tłumy pasażerów – jedzących, grających w gry wideo, kupujących w sklepach wolnocłowych olbrzymie ilości tańszych papierosów i perfum.

Robie siedział w fotelu i podziwiał widoki, a przynajmniej udawał, że to robi. Cieśnina miała tylko dziewięć mil szerokości i podróż zajmowała mniej więcej czterdzieści minut. Niezbyt dużo czasu na podziwianie czegokolwiek. Robie na zmianę zajmował się wpatrywaniem się w wody Morza Śródziemnego i obserwowaniem współpasażerów. Większość z nich to turyści, którzy chcieli móc się pochwalić, że byli w Afryce, chociaż Robie dobrze wiedział, że Maroko niewiele ma wspólnego z powszechnym wyobrażeniem ludzi o Afryce.

Zszedł z promu w Tangerze. Na tłum turystów czekały autobusy, taksówki i przewodnicy. Robie minął ich wszystkich i opuścił port na piechotę. Znalazł się na głównej ulicy miasta, gdzie natychmiast został osaczony przez ulicznych handlarzy, żebraków i sklepikarzy. Dzieci ciągnęły go za poły marynarki, prosząc o pieniądze. Spuścił wzrok i ani razu się nie zatrzymał.

Przeszedł przez zatłoczony bazar z przyprawami. W jednym z narożników o mało nie wszedł na starszą kobietę, sprawiającą wrażenie śpiącej, która miała kilka bochenków chleba na sprzedaż. To pewnie jest całe jej życie, pomyślał Robie. Ten kąt na bazarze, tych parę bochenków chleba. Jej ubranie było brudne, skóra też. Była pulchna, a jednocześnie niedożywiona. Pochylił się i włożył jej do ręki kilka monet. Sękate palce natychmiast się zacisnęły.

Podziękowała mu w swoim języku. Odpowiedział „nie ma za co" w swoim. Oboje jakoś się zrozumieli.

Poszedł dalej, przyspieszając kroku, pokonując każde napotkane schody po dwa, trzy stopnie naraz. Minął zaklinaczy węży, którzy owijali egzotycznie kolorowe, pozbawione zębów jadowych gady wokół szyi opalonych turystów. Zabierali je dopiero, kiedy w ich dłoni znalazło się pięć euro zapłaty.

Niezły chwyt, pomyślał Robie.

Celem jego wędrówki był pokój nad restauracją oferującą autentyczne miejscowe potrawy. To pułapka na turystów, Robie dobrze o tym wiedział. Jedzenie w niej było jak wszędzie, piwo ciepłe, a obsługa niemrawa. Przewodnicy kierowali tam niczego niepodejrzewających ludzi, a sami udawali się w inne miejsce, gdzie mogli zjeść porządny posiłek.

Wszedł po schodach, otworzył otrzymanym wcześniej kluczem drzwi pokoju i zamknął je za sobą. Rozejrzał się. Łóżko, krzesło, okno. Wszystko, czego potrzebował.

Rzucił kapelusz na posłanie, wyjrzał przez okno i zerknął na zegarek. Była jedenasta miejscowego czasu.

Pendrive już dawno został zniszczony. Plan był dopracowany, a wszystkie ruchy przećwiczone jeszcze w Stanach, w scenografii będącej wierną kopią miejsca, gdzie miał przeprowadzić akcję. Teraz pozostawało tylko czekać i to była najtrudniejsza część zadania.

Usiadł na łóżku i rozmasował sobie kark po długiej podróży samolotem i promem. Tym razem jego cel nie był takim idiotą jak Rivera. To człowiek ostrożny, profesjonalista, który nie będzie strzelał na oślep. Tym razem będzie trudniej, a przynajmniej powinno być.

Robie nie zabrał ze sobą z Hiszpanii niczego, ponieważ wsiadając na prom, musiał przejść przez kontrolę celną. A broń znaleziona w jego bagażu przez hiszpańską policję byłaby co najmniej problematyczna. Na szczęście wszystko, czego potrzebował, czekało na niego w Tangerze.

Zdjął marynarkę, położył się na plecach na łóżku i pozwolił uśpić się panującemu na zewnątrz upałowi. Zamknął oczy, wiedząc, że otworzy je ponownie za cztery godziny. Kiedy zasypiał, gwar ulicy stopniowo przycichał. Obudził się po blisko czterech godzinach, o najgorętszej porze dnia. Otarł pot z twarzy, podszedł do okna i wyjrzał na ulicę. Wielkie autokary turystyczne z trudem manewrowały po ulicach nieprzystosowanych do ruchu tak wielkich pojazdów. Chodniki były pełne ludzi, zarówno miejscowych, jak i turystów.

Odczekał kolejną godzinę i wyszedł z pokoju. Znalazłszy się na ulicy, skierował się szybkim krokiem na wschód. Kilka sekund później wtopił się w zgiełk i zamęt starego miasta. Musiał zabrać to, co będzie mu potrzebne, i ruszać dalej. Wszystko było przeznaczone wyłącznie do wypełnienia misji. Odwiedził w swoim życiu trzydzieści siedem krajów i nigdy nie przywiózł sobie żadnej pamiątki.

Siedem godzin później zrobiło się już całkiem ciemno. Robie zbliżył się do wielkiego, surowego budynku od zachodu. Na plecach niósł wzmocnioną skrzynkę i plecak z wodą, pojemnikiem na mocz i zapasem jedzenia. Nie zamierzał wychodzić stąd przez najbliższe trzy dni. Rozejrzał się, wciągając w nozdrza zapachy kraju trzeciego świata. W powietrzu czuć było także zapowiedź deszczu. Ale to go nie martwiło. Zadanie miał wykonać pod dachem.

Spojrzał na zegarek i usłyszał narastający odgłos jakiegoś pojazdu. Przykucnął za stertą beczek. Nadjechała ciężarówka i zatrzymała się tuż obok niego. Podbiegł do niej od tyłu. Trzy długie susy i był już pod nią, chwytając się wystającej spod podwozia metalowej belki. Ciężarówka ruszyła i zatrzymała się po chwili. Rozległ się długi, przeraźliwy zgrzyt metalu ocierającego o metal. Ruszyła ponownie z gwałtownym szarpnięciem, a Robie o mało nie wypuścił belki z rąk.

Piętnaście metrów dalej ciężarówka znów przystanęła. Otworzyły się drzwi, czyjeś stopy dotknęły ziemi. Drzwi z powrotem zamknęły się z hukiem. Kroki się oddaliły. Rozległ się kolejny metaliczny zgrzyt. A potem nastała cisza, jeśli nie liczyć odgłosu kroków patrolu, pilnującego od co najmniej trzech dni całego terenu.

Robie wydostał się spod ciężarówki i biegiem ruszył przed siebie w momencie, gdy umilkł zgrzyt metalu. Obiekt był od kilku dni zamknięty na głucho, a teraz nadarzyła się jedyna okazja, żeby dostać się do środka. Misja, przynajmniej ta jej część, została wypełniona.

Wbiegał po schodach po trzy stopnie naraz, a skrzynka boleśnie obijała mu plecy.

To była walka z czasem.

Dotarł na szczyt schodów, uwiesił się na dźwigarze i przekładając dłonie, przemieścił się do wybranego wcześniej miejsca. Rozhuśtał się w lewo, potem w prawo i wreszcie skoczył.

Wylądował niemal bezgłośnie na metalowej posadzce i szybko przebiegł odległość dwudziestu pięciu metrów dzielącą go od najciemniejszego kąta budynku.

Miał jeszcze w zapasie pięć sekund.

Światła zgasły i włączył się alarm. Całe wnętrze przecięły wiązki niewidocznej dla oka energii. Gdyby natrafiły na jakąkolwiek żywą istotę, natychmiast zaczęłyby wyć syreny. A intruz zostałby zabity. Takie to było miejsce.

Robie obrócił się na plecy, z twarzą zwróconą ku sufitowi.

Trzy dni, czyli siedemdziesiąt dwie godziny czekania.

Zdawało się, że całym swoim jestestwem odlicza czas.

5

Nadeszła pora.

Pojawiły się dywaniki modlitewne. Kolana zetknęły się z ziemią, wszystkie głowy skierowały się na wschód, a potem pochyliły się, by spocząć obok kolan. Otworzyły się usta i popłynął znajomy zaśpiew.

Mekka znajdowała się dwa i pół tysiąca mil morskich stąd, jakieś pięć godzin podróży samolotem.

Ale dla ludzi na dywanikach była znacznie bliżej.

Modlitwy odmówione, obowiązki religijne wypełnione, dywaniki zrolowane i schowane. Allach już też odstawiony na bok, gdzieś w najgłębsze zakamarki umysłu wyznawców.

Jeszcze zbyt wcześnie na posiłek. Ale nie za wcześnie na drinka.

Były w Tangerze lokale, które otwierały swoje podwoje dla wszystkich – muzułmańskich abstynentów i nie tylko.

Do jednego z takich lokali zmierzało ponad dwudziestu mężczyzn. Nie szli piechotą. Jechali w kawalkadzie czterech hummerów. Hummery były opancerzone według standardów amerykańskiej armii i chroniły przed wszelkiego rodzaju zwyczajnymi pociskami i większością pocisków rakietowych. Podobnie jak turystyczne autokary, również te pojazdy wydawały się za duże na wąskie uliczki Tangeru. Główny pasażer znajdował się w trzecim hummerze, osłanianym z przodu i z tyłu przez pozostałe.

Nazwisko tego człowieka brzmiało Khalid bin Talal. Był saudyjskim księciem. Kuzynem króla. Już choćby z racji pokrewieństwa obdarzano go szacunkiem w niemal wszystkich zakątkach świata muzułmańskiego i chrześcijańskiego.

W Tangerze pojawiał się nieczęsto. Dzisiaj przyjechał tu w interesach. Nad ranem miał odlecieć swoim prywatnym odrzutowcem, który kosztował dobrze ponad sto milionów dolarów. Kwota zwalająca z nóg niemal każdego, ale to tylko mniej niż jeden procent jego całego majątku. Saudyjczycy byli sprzymierzeńcami Zachodu w ogóle, a Amerykanów w szczególności, przynajmniej na pozór. Płynący nieprzerwanie strumień ropy zacieśniał tę przyjaźń. Świat szybko się zmienia i ludzie z pustynnego kraju, gdzie mało co rosło, mogli sobie pozwolić na samolot za dziewięciocyfrową kwotę.

A jednak ten saudyjski książę nie był wcale takim przyjacielem. Talal nienawidził Zachodu. A najbardziej nienawidził Amerykanów. Otwarte występowanie przeciwko światowemu supermocarstwu było z jego strony ryzykownym posunięciem.

Talal był podejrzewany o porwanie, torturowanie i zamordowanie czterech amerykańskich żołnierzy uprowadzonych z nocnego klubu w Londynie. Niczego nie można było dowieść, i dlatego książę nie poniósł żadnych konsekwencji. Podejrzewano go także o wsparcie finansowe trzech ataków terrorystycznych w dwóch różnych krajach, w wyniku których zginęło ponad sto osób, w tym dziesiątki Amerykanów. I znowu niczego nie dowiedziono, więc nie było żadnych reperkusji.

Wszystko to jednak sprawiło, że Talal znalazł się w końcu na liście. A umieszczenie go na niej nastąpiło z pełnym błogosławieństwem saudyjskich władz. Talal stał się po prostu zbyt ambitny i sprawiał za dużo kłopotów, by pozwolono mu żyć.

Ludzie, których ściągnął tutaj na spotkanie, też nie przepadali za Zachodem ani tym bardziej za Amerykanami. Mieli dużo wspólnego z Talalem. Marzył im się świat, w którym przewodniej roli nie odgrywałyby wreszcie gwiazdy i paski. Zamierzano wspólnie omówić sposoby, jak do powstania takiego świata doprowadzić. Sam fakt spotkania był pilnie strzeżoną tajemnicą.

Ich błędem było to, że pozwolili, by ten sekret przestał być sekretem.

Do klubu wchodziło się przez metalowe drzwi z szyfrowym zamkiem. Szef ochrony Talala wprowadził na klawiaturze dziesięciocyfrowy, zmieniany codziennie kod. Grube na piętnaście centymetrów otwierane hydraulicznie drzwi zatrzasnęły się za nimi z hukiem. W strategicznych punktach znajdowały się pancerne osłony. Całe wnętrze było otoczone kordonem uzbrojonych strażników.

Książę i jego świta usiedli przy dużym okrągłym stole na ukrytym za zasłonami podwyższeniu z drewna tekowego. Oczy księcia nieustannie się poruszały, bacznie obserwując wszystko dookoła. Udało mu się przeżyć dwie próby zamachu na swoje życie, jedną dokonaną przez kuzyna, a drugą przez Francuzów. Kuzyn już nie żył, podobnie jak najlepszy francuski zawodowy morderca.

Talal nie ufał nikomu. Zdawał sobie sprawę, że po niepowodzeniu Francuzów teraz Amerykanie będą deptać mu po piętach. Jego ochroniarze byli dokładnie prześwietleni i lojalni i nie pozwalali nikomu zbliżyć się do księcia. Wśród książęcej świty próżno by szukać jakiegoś białego, czarnego czy Latynosa. Talal był uzbrojony. I dobrze strzelał. Nawet we wnętrzach nie zdejmował okularów przeciwsłonecznych. Nikt nie wiedział, w jakim kierunku patrzy. Szkła okularów też zostały odpowiednio zaprojektowane. Ich właściwości powiększające pozwalały dostrzec to, co gołym okiem było niewidoczne. Brakowało mu tylko oczu z tyłu głowy.

Pojawił się kelner, ale nie z napojami, a tylko z serwetkami. Książę przyniósł własne kieliszki i alkohol. Nie zamierzał dać się otruć. Nalał sobie bombay sapphire i dodał toniku. Pociągnął łyk i przewrócił oczami, zajęty myślami o zbliżającym się spotkaniu. Był przygotowany na każdą ewentualność.

Nie mógł tylko nic poradzić na przerost prostaty.

Wściekłość budził fakt, że nawet jego bogactwo nie mogło tu nic pomóc. Nikt się przecież za niego nie wysika.

Jego ludzie upewnili się, że w łazience nie ma żadnych wrogów ani materiałów wybuchowych i prowadzą do niej tylko jedne drzwi. Jeden z nich przetarł umywalkę, sedes i całą kabinę antybakteryjnym sprejem. Członek rodziny królewskiej, miliarder, nieczęsto bywa w takiej toalecie.

Talal wszedł do wyczyszczonej kabiny, zamknął za sobą drzwi i przez chusteczkę zasunął zasuwkę. Przed pojawieniem się tutaj pozbył się swoich tradycyjnych szat. Nosił teraz szyty na miarę garnitur, który kosztował dziesięć tysięcy funtów brytyjskich. Miał takich garniturów pięćdziesiąt, nie pamiętał tylko, w której z licznych posiadłości rozsianych po świecie się znajdowały. Nigdy, nawet jako młody człowiek, nie latał rejsowymi samolotami. W każdym ze swoich domów trzymał służbę. Kiedy zatrzymywał się w hotelu, musiał to być hotel najlepszy. Wynajmował wtedy całe piętra, żeby wchodząc do swojego pokoju, nie być narażonym na widok przypadkowego człowieka. Zawsze przemieszczał się kolumną samochodów albo śmigłowcem. Ludzie tak bogaci jak on nie stoją w korkach. Żył oderwany od rzeczywistości, w niewyobrażalnym luksusie. Wszystko to wydawało mu się zupełnie naturalne, ponieważ nie czuł się taką samą istotą ludzką jak inni.

Jestem lepszy. Znacznie lepszy.

Mimo to również on musiał rozpiąć rozporek, żeby, jak każdy inny mężczyzna – bogaty czy biedny – załatwić osobistą potrzebę. Wpatrywał się w ścianę przed sobą, w wymalowane tam graffiti i wulgarne słowa. W końcu, zniesmaczony, odwrócił wzrok. Był święcie przekonany, że to wszystko wpływ Zachodu. W tamtym świecie kobiety mogły prowadzić samochód, głosować, pracować poza domem i ubierać się jak dziwki. To działało niszczycielsko na resztę. Nawet w jego kraju pozwolono, by kobiety głosowały i robiły rzeczy, które powinni robić tylko mężczyźni. Król był szalony, a co gorsza, stał się marionetką w rękach Zachodu.

Nacisnął spłuczkę podeszwą buta, zapiął spodnie i odsunął zasuwkę na drzwiach kabiny. Myjąc ręce, spojrzał na swoje odbicie w lustrze. Spoglądał na niego pięćdziesięcioletni mężczyzna – z siwą brodą i sporym brzuszkiem. Według magazynu „Forbes" jego majątek był wart ponad dwanaście miliardów dolarów, co czyniło go sześćdziesiątym pierwszym na liście najbogatszych ludzi świata. Czerpał zyski z wydobycia ropy, które dzięki głowie do interesów i międzynarodowym koneksjom pomnażał, inwestując w różne dochodowe przedsięwzięcia. Jego nazwisko figurowało na liście między nazwiskiem rosyjskiego oligarchy, stosującego po upadku Związku Radzieckiego gangsterskie metody w celu przejęcia za bezcen mienia państwowego, a nazwiskiem dwudziestokilkuletniego króla nowoczesnych technologii, którego firma nie przyniosła nigdy grosza dochodu.

Wyszedł z łazienki i otoczony szczelnym wianuszkiem ochroniarzy wrócił do stolika. Podpatrzył tę technikę ochrony u agentów amerykańskiej Secret Service. Towarzyszył mu też zawsze jego osobisty lekarz, zupełnie jak w przypadku amerykańskiego prezydenta. Dlaczego nie naśladować najpotężniejszych?, myślał sobie.

We własnym mniemaniu Talal był równie ważny, jak prezydent USA. Chętnie zastąpiłby go jako de facto lidera wolnego świata. Tyle że świat pod jego przywództwem nie byłby już tak wolny, zwłaszcza dla kobiet.

Po wypiciu drinków udali się na wieczorny posiłek w restauracji wynajętej w całości, żeby księciu nie zakłócało spokoju towarzystwo obcych. Po kolacji książę przebrał się w tradycyjny strój i wrócił do swojego odrzutowca, trzymanego w bezpiecznym hangarze przy lotnisku za miastem. Kolumna hummerów wjechała przez otwarte drzwi do hangaru i zatrzymała się przed olbrzymią maszyną. Podczas gdy większość samolotów była pomalowana na biało, jego był cały czarny. Książę lubił ten kolor. Jego zdaniem był męski, władczy i miał w sobie pierwiastek drapieżności.

Jak on sam.

Zanim wysiadł z hummera, drzwi hangaru zamknęły się.

Żaden strzelec wyborowy nie weźmie go na cel z dużej odległości.

Wspiął się po schodkach i lekko zasapany dotarł do ich szczytu.

Wrota hangaru miały otworzyć się dopiero wtedy, kiedy samolot będzie gotowy do startu.

Spotkanie odbędzie się na pokładzie samolotu, stojącego na ziemi, i potrwa około godziny. Prowadzić je będzie książę.

Zawsze panował nad sytuacją.

Ale to miało się wkrótce skończyć.

6

U podnóża schodów prowadzących do wnętrza samolotu stało dwóch strażników. Reszta ochroniarzy znajdowała się na pokładzie, szczelnie otaczając główny cel potencjalnego ataku. Drzwi w kadłubie były zamknięte i zaryglowane. Samolot przypominał skarbiec. Drogocenny skarbiec. Ale jak każdy skarbiec, i ten miał swoje słabe punkty.

Książę siedział w środkowej części kabiny przy stoliku. Całe wnętrze samolotu zaprojektował sam. Blisko siedemset pięćdziesiąt metrów kwadratowych powierzchni wypełniały marmury, egzotyczne drewno, orientalne dywany oraz znakomite obrazy i rzeźby starych mistrzów, które Talal mógł podziwiać na wysokości ponad dwunastu kilometrów, lecąc z prędkością ponad ośmiuset kilometrów na godzinę. Był człowiekiem, który potrafił wydawać pieniądze i cieszyć się swoim bogactwem.

Powiódł wzrokiem wokół stołu. Siedziało przy nim dwóch gości. Jeden Rosjanin, drugi Palestyńczyk. Dziwna para, ale intrygująca dla księcia.

Goście zadeklarowali, że za odpowiednią cenę mogą dokonać czegoś, co praktycznie dla każdego, nawet dla księcia, wydawałoby się niemożliwe.

Książę odchrząknął.

– Jesteście pewni, że zdołacie to zrobić? – W jego głosie pobrzmiewało niedowierzanie.

Rosjanin, potężnie zbudowany mężczyzna z długą brodą i łysą czaszką, przez co jego sylwetka traciła proporcje, skinął niespiesznie, ale zdecydowanie, głową.

– Jestem ciekaw, jak to możliwe – odezwał się książę. – Mówiono mi, że nawet nie warto próbować.

– Każdy łańcuch jest tak mocny jak jego najsłabsze ogniwo – wtrącił Palestyńczyk. Był to drobny mężczyzna, ale z brodą jeszcze bujniejszą niż ta Rosjanina. Wyglądali jak holownik i lotniskowiec, lecz nie ulegało wątpliwości, że to właśnie mniejszy jest w owej parze szefem.

– A co jest tym najsłabszym ogniwem?

– Pewna osoba. Znajdująca się blisko człowieka, który nas interesuje. I ta osoba jest nasza.

– Nie wyobrażam sobie w ogóle, jak to możliwe – powtórzył książę.

– To jest nie tylko możliwe. To fakt.

– A jeśli nawet, to co z dostępem do broni?

– Charakter pracy tej osoby daje jej dostęp do potrzebnej nam broni.

– Jak wam się udało zwerbować tę osobę?

– Szczegóły są nieistotne.

– Dla mnie są. Ta osoba musi być gotowa umrzeć. Nie ma innego sposobu.

Palestyńczyk skinął głową.

– Ten warunek jest spełniony.

– Jak to? Ludzie z Zachodu nie decydują się na takie rzeczy.

– Nie powiedziałem, że ta osoba jest z Zachodu.

– Wtyczka?

– Od dziesięcioleci.

– Dlaczego?

– A dlaczego coś robimy? Ponieważ wierzymy w określone rzeczy. I musimy uczynić wszystko, żeby tę wiarę potwierdzać.

Książę rozparł się wygodniej w fotelu. Sprawiał wrażenie zaintrygowanego.

– Plany są gotowe – tłumaczył Palestyńczyk. – Ale jak sobie książę zdaje sprawę, coś takiego wymaga poważnych funduszy. Zwłaszcza później. Nasza osoba jest na razie bezpieczna. Jednak to się może wkrótce zmienić. Nie brakuje wścibskich oczu i uszu. Im dłużej będziemy czekać, tym większe ryzyko niepowodzenia całej misji.

Książę przeciągnął palcami po rzeźbionej powierzchni drewnianego stołu i wyjrzał przez okno. Okna w samolocie były wyjątkowo duże, ponieważ jego właściciel uwielbiał widoki ze znacznej wysokości.

Poddźwiękowy pocisk trafił go prosto w czoło, rozbryzgując mózg. Jego ciało runęło na oparcie skórzanego fotela i powoli się osunęło. Wspaniałe wnętrze samolotu pokrywała teraz warstwa krwi i odłamków kości.

Rosjanin skoczył na równe nogi, ale nie miał broni. Została mu odebrana przy wejściu. Palestyńczyk siedział jak sparaliżowany.

Ochroniarze zareagowali natychmiast.

– Tam! – Jeden z nich wskazał roztrzaskane okno samolotu. Rzucili się do drzwi.

Dwaj ochroniarze stojący przy schodkach samolotu unieśli broń i zaczęli strzelać w kierunku, skąd padł śmiertelny strzał.

Grad pocisków zasypał okolice miejsca, w którym znajdował się Robie. Wycelował i odpowiedział ogniem. Pierwszy z mężczyzn padł trafiony w głowę. Drugi chwilę później, z kulą w sercu.

Ze swojej wysoko położonej pozycji Robie wycelował w drzwi w kadłubie. Pięć pocisków posłanych w sam ich środek uszkodziło mechanizm otwierający. Robie obrócił się i kolejnym strzałem roztrzaskał szybę kokpitu, a wraz z nią urządzenia sterujące samolotem. Wielki ptak na pewien czas został uziemiony. Zadanie ułatwiał fakt, że materiały kuloodporne są zbyt grube i zbyt ciężkie, by stosować je w samolotach, które dlatego są wartymi sto milionów dolarów skarbcami z ogromną piętą Achillesa.

Skończył się czas zabijania.

Teraz kolej na najtrudniejszą część misji.

Odwrót.

Przeszedł po dźwigarze do ściany na drugim końcu hangaru. Otworzył okno, doczepił linę do krążka, który zamocował poprzedniej nocy, i zjechał po niej wzdłuż ściany. Kiedy jego stopy dotknęły asfaltu, puścił się pędem na wschód, jak najdalej od hangaru i martwego księcia. Wspiął się na ogrodzenie i zeskoczył po drugiej stronie. Za plecami słyszał krzyki. Ciemności przecięły snopy światła. Rozległy się strzały, ale wszystkie niecelne. Wiedział jednak, że za chwilę to może się zmienić.

Podjechał samochód. Robie wrzucił swój sprzęt na tylne siedzenie i wskoczył do środka, a pojazd ruszył z miejsca, nim on zdążył zamknąć drzwi. Nie patrzył na kierowcę ani kierowca nie patrzył na niego. Przejechali zaledwie kilka mil i zatrzymali się na przedmieściach Tangeru. Robie wysiadł, ruszył aleją, przeszedł jakieś sto pięćdziesiąt metrów i skręcił w małe podwórko. Stał na nim niebieski fiat. Usiadł za kierownicą, spod osłony przeciwsłonecznej wyjął kluczyk i włożył go do stacyjki. Uruchomił silnik i wyjechał z podwórka. Pięć minut później zbliżał się do centrum Tangeru. Przeciął miasto i zaparkował w porcie. Otworzył tylne drzwi i z bagażnika wziął niewielką torbę, w której znajdowały się ubrania i inne niezbędne w podróży rzeczy, a także dokumenty i trochę lokalnej waluty.

Nie wsiadł na szybki prom, którym tu przypłynął, tylko na powolny prom płynący z Tangeru do Barcelony. Podróż z Barcelony do Tangeru zajmowała dwadzieścia cztery godziny, a w drugą stronę – trzy godziny dłużej.

Jego pracodawca wykupił mu trzyosobową rodzinną kajutę zamiast zwykłego miejsca w fotelu. Poszedł do swojej kabiny, odstawił torbę, zamknął drzwi i położył się na łóżku. Kilka minut później prom odbił od nabrzeża.

Dla Robiego to było logiczne. Nikt nie będzie się spodziewał, że morderca ucieknie łodzią, której dotarcie do miejsca przeznaczenia zajmuje ponad dobę. Sprawdzą lotniska, szybkie promy, autostrady i dworce kolejowe, ale nie niemrawą starą łajbę, pokonującą kilkaset mil w poprzek Morza Śródziemnego przez dwadzieścia siedem godzin. Ponieważ dochodziła północ, na miejsce dotrze praktycznie za dwa dni.

W hangarze Robie miał sprzęt do podsłuchiwania na dużą odległość, dzięki czemu słyszał rozmowę księcia z dwoma mężczyznami w samolocie. Dostęp do broni. Dziesiątki lat jako wtyczka. Znaczne fundusze później. Należało to wyjaśnić. Ale to już nie jego zadanie. On swoje zrobił. Złoży raport, a sprawą zajmą się inni. Był pewien, że nawet saudyjska rodzina królewska poczuje ulgę na wieść o śmierci czarnej owcy. W oficjalnym komunikacie rodzina potępi ten akt przemocy. Będzie domagać się rzetelnego śledztwa. Będzie udawać poruszenie, wściekać się, pojękiwać. Zacznie się wymiana not dyplomatycznych. Ale po cichu cała rodzina wzniesie toast za odpowiedzialnego za zabójstwo. Innymi słowy, wzniesie toast za Amerykanów.

To była czysta robota. Robie trzymał księcia na muszce od chwili, gdy tamten wysiadł ze swojego SUV-a. Mógł go zdjąć już wtedy, ale chciał zaczekać, aż cel i ochroniarze znajdą się we wnętrzu samolotu. Uwięzienie ochrony na pokładzie dawało mu więcej czasu na ucieczkę. Stracił księcia z oczu dosłownie na pół minuty, kiedy tamten wszedł do środka, ale potem znów go ujrzał, jak przemierza pokład i siada przy stole.

Robie wycelował w głowę, mimo że taki strzał jest trudniejszy. Jednak kiedy książę pochylił się w fotelu, Robie dostrzegł w lunecie karabinu paski pod jego ubraniem. Czyli Talal miał na sobie kamizelkę kuloodporną. Pozostawała głowa.

Oddając mocz do słoika i jedząc batony, Robie spędził trzy dni i trzy noce wysoko na platformie w oczekiwaniu na pojawienie się swojego celu w rzekomo zamkniętym na cztery spusty i bezpiecznym hangarze.

A teraz książę był martwy.

Jego plany umarły razem z nim.

Will Robie opuścił powieki i zasnął, a prom, kołysząc się łagodnie, przemierzał powoli spokojne wody Morza Śródziemnego.

7

Ta była inna.

Blisko domu.

Tak blisko, że właściwie w domu.

Od akcji w Tangerze i śmierci Khalida bin Talala minęły prawie trzy miesiące. Zrobiło się chłodniej, niebo poszarzało. Robie w tym czasie nikogo nie zabił. To nietypowo długi okres bezczynności w jego życiu, ale nie dbał o to. Chodził na spacery, czytał książki, jadał w restauracjach, odbył nawet kilka podróży, które nie wiązały się z zabijaniem kogokolwiek. Innymi słowy żył normalnie.

Ale w końcu pojawił się kolejny pendrive i Robie musiał skończyć z normalnością i ponownie sięgnąć po broń. Informacje o nowym zadaniu dostał dwa dni temu. Nie miał wiele czasu na przygotowania, lecz z informacji na pendrivie wynikało, że to misja priorytetowa. Robie nie kwestionował rozkazów.

Siedział w fotelu w swoim salonie z filiżanką kawy w ręce. Było wcześnie rano, ale on był już od kilku godzin na nogach. Im bliżej terminu nowej misji, tym gorzej sypiał. Zawsze miał tego rodzaju problem – i nie była to kwestia nerwów, tylko potrzeby odpowiedniego przygotowania się. Kiedy nie spał, bez przerwy dopracowywał plan, znajdował i korygował błędy. We śnie nie mógłby tego robić.

W czasie przestoju wrócił do pomysłu nawiązania bliższych kontaktów towarzyskich i nawet przyjął zaproszenie na nieformalne przyjęcie, urządzane przez jednego z sąsiadów z trzeciego piętra. Obecnych było zaledwie niewiele ponad dziesięcioro gości, z których część mieszkała w tym samym budynku. Sąsiad przedstawił Robiego kilkorgu swoich przyjaciół. Uwagę Robiego od razu zwróciła jedna z młodych kobiet.

Wynajmowała tu mieszkanie od niedawna i codziennie o czwartej rano odbywała na rowerze podróż do Białego Domu. Robie wiedział, gdzie pracuje, z informacji uzyskanych od agencji. A o tym, że wychodzi wcześnie do pracy, wiedział, ponieważ często obserwował ją przez judasza.

Była o wiele młodsza od niego i, jak zdążył zauważyć, urocza i inteligentna. Kilka razy nawiązali kontakt wzrokowy. Robie wyczuł, że jest tak samo samotna jak on. Wyczuł też, że jeśli ją zagadnie, nie będzie miała nic przeciwko temu. Była ubrana w krótką czarną spódnicę i białą bluzkę. Włosy związała w koński ogon. W dłoni trzymała szklaneczkę z drinkiem i co jakiś czas zerkała w kierunku Robiego, uśmiechała się, a potem wracała do rozmowy z osobą, której on nie znał.

Kilka razy rozważał pomysł, żeby do niej podejść. Ale w końcu opuścił przyjęcie, nie zrobiwszy tego. Kiedy wychodził, obejrzał się na nią. Śmiała się z czyjegoś komentarza i nie patrzyła w jego kierunku. Może i lepiej, pomyślał. Bo jaki miałoby to cel?

Robie podniósł się i wyjrzał przez okno.

Przyszła już jesień. Liście w parku zaczęły żółknąć. Wieczory zrobiły się chłodne. Letnia wilgoć wciąż utrzymywała się w powietrzu, ale już nie tak intensywna. Obecna pogoda nie była wcale najgorsza jak na miasto wybudowane na bagnach – które w opinii niektórych wciąż pozostawało bagnem, a szczególnie w tej części, w której zagnieździli się politycy.

Robie zrobił rozpoznanie w najkrótszym możliwym czasie. Próby, trudniejsze w tej sytuacji, wciąż jeszcze przeprowadzał.

Mimo to i tak nie podobało mu się to zlecenie.

Tyle że nie do niego należała ocena.

Lokalizacja sprawiała, że po akcji nie mógł wsiąść do samolotu czy pociągu. Ale i cel był inny. W złym tego słowa znaczeniu.

Czasami ścigał ludzi uważanych za globalne zagrożenie, jak Rivera czy Talal, a czasami rozwiązywał po prostu jakiś problem.

Można było doczepiać różne etykiety, lecz w gruncie rzeczy wszystko sprowadzało się do tego samego. Jego pracodawca decydował, kto spośród żywych stanie się celem. A potem zwracano się do ludzi takich jak Robie, żeby to życie skrócić.

Usprawiedliwieniem miało być, że świat dzięki temu stanie się lepszy.

To było jak rzucenie najpotężniejszej armii świata przeciwko jakiemuś szaleńcowi na Bliskim Wschodzie. Sukces militarny gwarantowany od samego początku. Trudno tylko przewidzieć, co nastąpi po zwycięstwie. Może chaos, przed którym nie ma ucieczki.

Wpadnięcie we własne sidła.

Polityka agencji, dla której Robie pracował, dotycząca agentów schwytanych w czasie akcji, była jasna. Żadnego przyznawania się, że on kiedykolwiek pracował na rzecz Stanów Zjednoczonych. Żadnych działań zmierzających do ocalenia mu życia. Zupełne przeciwieństwo mantry amerykańskich *marines*. W świecie Robiego każdy był pozostawiony samemu sobie.

Dlatego w wypadku każdej misji Robie przygotowywał plan awaryjny, znany tylko jemu, na wypadek gdyby coś poszło nie tak. Nigdy dotąd nie musiał z niego skorzystać, ponieważ żadna jego misja nie zakończyła się niepowodzeniem. Na razie. Ale jutro mogło się zdarzyć coś nieoczekiwanego.

Nauczył go tego Shane Connors. Powiedział mu, że musiał skorzystać z takiego planu raz, w Libii, kiedy operacja, nie z jego winy, się nie powiodła.

„Jesteś jedyną osobą, na którą możesz liczyć, Will", oznajmił mu Connors. Robie pamiętał tę radę przez wszystkie lata pracy dla agencji. I nigdy jej nie zapomni.

Przyjrzał się swojemu mieszkaniu. Mieszkał tu od czterech lat i lubił je. W odległości paru kroków znajdowało się kilka restauracji. Okolica była ciekawa, z wieloma nietypowymi, nienależącymi do żadnej sieci handlowej sklepami. Robie często jadał na mieście. Lubił usiąść przy stoliku i patrzeć na mijających go ludzi. W pewien sposób studiował ludzkie zachowania. Dlatego wciąż jeszcze żył. Potrafił czytać w myślach innych już po kilku sekundach obserwowania człowieka. To nie był żaden wrodzony talent. To umiejętność, którą, podobnie jak większość umiejętności, zdobył z czasem.

W piwnicy budynku, w którym mieszkał, znajdowała się niewielka siłownia, gdzie mógł się porozciągać, poprawić muskulaturę i zdolności motoryczne, przećwiczyć techniki wymagające treningu. Był jedynym, który kiedykolwiek korzystał z tej siłowni. Aby trenować z bronią czy innymi narzędziami typowymi dla jego fachu, szedł gdzie indziej.

Czterdziestka na karku nie ułatwiała zadania.

Zgiął szyję w przód i w tył i usłyszał przynoszący ulgę trzask.

Z korytarza dobiegł go odgłos otwieranych i zamykanych drzwi. Podszedł do judasza i patrzył na kobietę prowadzącą rower. To była kobieta z przyjęcia, ta pracująca w Białym Domu. Czasem jechała do pracy w dżinsach, a potem pewnie się przebierała w bardziej formalny strój. Zawsze rano pierwsza wychodziła z budynku, chyba że z jakichś powodów uprzedził ją Robie.

A. Lambert.

Takie nazwisko widniało na skrzynce pocztowej na dole. Wiedział, że A oznacza Anne. Dowiedział się tego z raportu na jej temat.

Na jego skrzynce widniało tylko Robie. Bez inicjału. Nie miał pojęcia, czy ktoś zwrócił na to uwagę. Pewnie nie.

Kobieta dobiegała trzydziestki, była wysoka, szczupła i miała długie blond włosy. Zaraz po tym jak się wprowadziła, widział ją raz w szortach. Zauważył, że ma trochę iksowate nogi, ale za to śliczną twarz z pieprzykiem pod prawą brwią. Pewnego razu słyszał, jak w korytarzu dyskutuje z innym mieszkańcem domu, który nie wspierał obecnej administracji. Jej odpowiedzi były zdecydowane i przemyślane. Robie był pod wrażeniem.

W myślach zaczął się do niej zwracać jako do „A".

Kiedy kobieta zniknęła wraz z rowerem w windzie, Robie odsunął się od drzwi i podszedł do okna wychodzącego na ulicę. Minutę później wyłoniła się z budynku, założyła plecak, wsiadła na rower i ruszyła. Obserwował ją do chwili, gdy skręciła za róg i z oczu zniknęły mu odblaskowe paski na jej plecaku i kasku.

Następny przystanek: 1600 Pennsylvania Avenue.

Była czwarta trzydzieści rano.

Odwrócił się plecami do okna i skupił się z powrotem na oglądaniu swojego mieszkania. Nie było w nim niczego, co przeszukującej je osobie dałoby jakąś wskazówkę, czym on się zajmuje. Miał oficjalne zatrudnienie, wsparte dokumentami, na wypadek gdyby ktoś pytał. Ale mimo to jego mieszkanie było nijakie i po jego zawartości trudno było się domyślić osobistych zainteresowań lokatora. Wolał to niż wymyślanie przeszłości przez innych, rozstawianie w mieszkaniu fotografii osób, których nawet nie znał, a które miały udawać jego krewnych czy przyjaciół. Standardową procedurą jest też umieszczanie rekwizytów mających wskazywać na zainteresowania lokatora – rakiety tenisowej, nart, kolekcji znaczków czy instrumentu muzycznego. Z wszystkiego tego zrezygnował. U niego stało łóżko, kilka krzeseł, było parę książek, które akurat czytał, lampy, stoły, miejsce do jedzenia, miejsce do kąpieli i toaleta.

Sięgnął do drążka zawieszonego w drzwiach prowadzących do sypialni i szybko podciągnął się dwadzieścia razy. Dobrze było poczuć pracę mięśni, ćwiczyć właściwie bez wysiłku. W biegu potrafił prześcignąć większość dwudziestokilkulatków. Jego siła i zdolności motoryczne były wciąż bez zarzutu. A jednak ma czterdziestkę i na pewno nie jest już taki jak kiedyś. Liczył na to, że większe doświadczenie zrekompensuje mniejsze możliwości fizyczne organizmu.

Położył się do łóżka, nie przykrywając się niczym. W mieszkaniu było zimno. Musiał się przespać.

Następna noc będzie pracowita.

I inna.

8

Robie znajdował się w siłowni w podziemiach budynku. Dochodziła już dwudziesta pierwsza, ale pomieszczenie było dostępne dla mieszkańców dwadzieścia cztery godziny na dobę. Wystarczyło mieć elektroniczną kartę otwierającą drzwi. Zwyczaje Robiego pod jednym względem nigdy się nie zmieniły - nigdy nie wykonywał tego samego ćwiczenia dwa razy z rzędu. Nie koncentrował się na sile czy wytrzymałości, na elastyczności czy równowadze, na koordynacji czy zwinności. Koncentrował się na wszystkich tych elementach. Każde wykonywane przez niego ćwiczenie wymagało przynajmniej dwóch, a czasem wszystkich sprawności.

Zawisł głową w dół na drążku. Potem robił brzuszki, a następnie, trzymając piłkę lekarską, ćwiczył mięśnie skośne. Amerykańska armia opracowała doskonały plan treningowy związany z tym, co żołnierz robi na polu walki i jakich mięśni wówczas używa.

Robie podchwycił pomysł i pracował nad tymi mięśniami i umiejętnościami, które pozwalały mu przetrwać. Wypady w bok i w przód, gwałtowne zrywy, wyskoki. Ćwiczył synergicznie. Górną i dolną część ciała jednocześnie. Do granic wytrzymałości. Miał wspaniale wyrzeźbioną sylwetkę, ale nigdy nie zdejmował koszuli. Nikt nie widział go chwalącego się kaloryferem na brzuchu, chyba że wymagała tego misja.

Po półgodzinnych ćwiczeniach jogi był zlany potem. Kiedy wykonywał *iron cross* na kółkach, otworzyły się drzwi siłowni.

Patrzyła na niego A. Lambert.

Nie uśmiechnęła się ani nawet go nie pozdrowiła. Zamknęła za sobą drzwi, poszła w kąt sali i usiadła ze skrzyżowanymi nogami na macie do ćwiczeń. Robie utrzymał się w pozycji wiszącej jeszcze przez trzydzieści sekund, ale nie po to, żeby zrobić na niej wrażenie, bo ona nawet na niego nie patrzyła. Wytrzymał tyle, ponieważ chciał zmusić swoje ciało do uległości. Inaczej ćwiczenia byłyby stratą czasu.

W końcu zeskoczył lekko na podłogę. Chwycił ręcznik i wytarł twarz.

– Jest pan chyba jedynym, który korzysta z tej sali.

Opuścił ręcznik i zauważył, że kobieta mu się teraz przygląda.

Miała na sobie dżinsy i biały T-shirt. Koszulka i spodnie były obcisłe. Nie było miejsca na ukrycie broni. Robie to właśnie zawsze sprawdzał w pierwszej kolejności, nieważne, czy miał do czynienia z kobietą, czy mężczyzną, osobą młodą lub starą.

– Pani też tu przyszła – powiedział.

– Nie po to, żeby ćwiczyć – odparła.

– W takim razie po co?

– Miałam ciężki dzień w pracy. Chciałam ochłonąć.

Powiódł wzrokiem po małym, kiepsko oświetlonym pomieszczeniu. Czuć w nim było potem i pleśnią.

– Są przyjemniejsze miejsca, gdzie można ochłonąć – zauważył.

– Nie spodziewałam się tu kogoś zastać – odparła.

– Może prócz mnie. Sama pani powiedziała, że wie, iż korzystam z siłowni.

– Powiedziałam tak dlatego, że zobaczyłam tu pana dzisiaj – wyjaśniła. – Nigdy wcześniej tu pana nie widziałam. Zresztą nikogo – dodała.

– A więc ciężki dzień w pracy. A gdzie pani pracuje? – zapytał, choć znał odpowiedź.

– W Białym Domu.

– To robi wrażenie.

– Bywają dni, kiedy nie robi. A pan?

– Zajmuję się inwestycjami.

– Pracuje pan w jednej z korporacji?

– Nie, na własną rękę. Od zawsze.

Robie zarzucił sobie ręcznik na ramiona.

– Cóż, chyba zostawię panią, żeby pani ochłonęła – powiedział, choć wcale nie miał ochoty jeszcze wychodzić. Ona być może to wyczuła. Wstała.

– Mam na imię Annie. Annie Lambert.

– Miło mi, Annie Lambert.

Uścisnęli sobie dłonie. Miała długie, giętkie i wyjątkowo silne palce.

– A ty się jakoś nazywasz? – zapytała.

– Robie.

– To imię czy nazwisko?

– Nazwisko. Jest na skrzynce pocztowej.

– A imię?

– Will.

– Trudno z ciebie coś wydobyć. – Uśmiechnęła się.

Odwzajemnił uśmiech.

– Nie jestem najbardziej towarzyskim facetem na świecie.

– Ale wczoraj widziałam cię na przyjęciu na trzecim piętrze.

– Byłem tam trochę wbrew sobie. Mojito piłem po raz pierwszy od bardzo długiego czasu.

– Ja też.

– Może powinniśmy się kiedyś wybrać na drinka. – Robie nie miał pojęcia, dlaczego z jego ust padła taka propozycja.

– Okej – rzuciła swobodnie Annie. – To brzmi interesująco.

– Dobranoc – powiedział Robie. – Odpoczywaj spokojnie.

Zamknął za sobą drzwi i wjechał windą na swoje piętro. Natychmiast zadzwonił. Nie chciał tego robić, ale o kontakcie tego rodzaju należało zameldować. Nie przypuszczał, żeby trzeba było się martwić z powodu rozmowy z Annie Lambert, ale reguły są jasne. Annie Lambert zostanie sprawdzona dokładniej. Jeśli wyjdzie na jaw coś ważnego, Robie zostanie o tym powiadomiony, a jednocześnie zostaną podjęte odpowiednie działania.

Siedząc w kuchni, Robie zastanawiał się, czy w ogóle powinien był dzwonić. Nie potrafił już na nic patrzeć normalnie. Ktoś mu przyjazny jest zarazem potencjalnym zagrożeniem. Musiał złożyć meldunek. Musiał zawiadomić o spotkaniu z kobietą, która chciała „ochłonąć" i powiedziała mu „cześć".

Żyję w świecie, który w najmniejszym stopniu nie jest już normalny. Jeżeli w ogóle kiedykolwiek był. Ale nie zawsze tak będzie. Poza tym agencja nie zakazała wypicia z kimś drinka.

Więc może mógłby. Czasem. Wyszedł z budynku i skierował kroki na drugą stronę ulicy. Ze stojącego tam wieżowca jego dom był doskonale widoczny. I o to chodziło. Na czwartym piętrze jest puste mieszkanie. Robie miał klucz do niego, wszedł do środka i ruszył od razu do narożnika frontowego pokoju. Znajdowała się tam luneta, uważana za jedną z najlepszych na świecie. Uruchomił ją i skierował w stronę swojego budynku. Pokręcił tarczami, aż wreszcie ukazał mu się ostry obraz określonej części gmachu.

Jego piętro, trzecie drzwi w korytarzu. Światła były zapalone, trzy czwarte mieszkania tonęło w mroku. Czekał. Dziesięć minut. Dwadzieścia. Był cierpliwy.

Drzwi mieszkania Annie Lambert otworzyły się i zamknęły. Robie przesuwał lunetę, podążając za kobietą. Zatrzymała się w kuchni, otworzyła lodówkę i wyjęła dietetyczną colę. Przez lunetę mógł przeczytać, co jest napisane na etykiecie. Ruchem biodra zamknęła drzwi lodówki. Napełniła szklankę do połowy napojem i uzupełniła rumem wyjętym z szafki nad kuchenką.

Ruszyła korytarzykiem. Nim dotarła do sypialni, rozpięła dżinsy, zdjęła je i rzuciła do kosza z brudną bielizną. Postawiła szklankę na podłodze i ściągnęła przez głowę bluzkę. Miała różową bieliznę. Nie nosiła stringów, majtki całkowicie zakrywały jej pośladki.

Robie już tego nie zobaczył. Wyłączył lunetę, kiedy zaczęła rozpinać spodnie. Ten sprzęt kosztował blisko pięćdziesiąt tysięcy. Nie zamierzał używać go do żałosnego podglądania.

Wrócił do swojego budynku i wjechał windą na ostatnie piętro.

Zamknięte na klucz drzwi prowadziły na dach. Pokonanie zamka nie sprawiło mu żadnych trudności. Jeszcze kilka stopni schodów i znalazł się na dachu. Zbliżył się do skraju i spojrzał na miasto.

Przed nim rozciągał się Waszyngton.

W nocy miasto wyglądało cudownie. Oświetlone nastrojowym światłem pomniki wydawały się wyjątkowo okazałe. Zdaniem Robiego Waszyngton to jedyne miasto w Stanach Zjednoczonych, które mogło rywalizować z największymi metropoliami Europy pod względem przepychu oficjalnych budowli.

Było to też miasto pełne tajemnic.

Jedną z takich tajemnic jest Robie i ludzie jemu podobni.

Robie usiadł, opierając się plecami o ścianę, i zadarł głowę.

A. Lambert stała się oficjalnie Annie Lambert. Wiedzieć to z raportów a usłyszeć od niej osobiście to nie to samo.

A złożył na nią raport za nic więcej pewnie, jak tylko za okazanie mu sympatii. Ciężki dzień w pracy. Musiała ochłonąć.

Potrafił to zrozumieć. On też miewał ciężkie dni w pracy. Mógł wykorzystać siłownię do ochłonięcia.

Ale to się nigdy nie zdarzy.

Wziął prysznic i przebrał się w czyste ubranie. Przygotował broń. Pora pójść do pracy.

9

Kolejna rodzina zastępcza, w której nie chce być. Która to już? Piąta? Szósta? Dziesiąta? Jakie to ma znaczenie.

Słuchała wrzasków dochodzących z dołu mieszkania, które przez ostatnie trzy tygodnie nazywała domem. Mężczyzna i kobieta wydzierający się na siebie byli jej zastępczymi rodzicami. To więcej niż ponury żart, pomyślała. To prawdziwy kryminał. Oni są kryminalistami. Przez ich dom przewinął się cały sznur dzieci, a oni kazali im zajmować się kradzieżami kieszonkowymi i handlować narkotykami.

Ona odmówiła okradania ludzi i handlowania prochami. Dlatego to będzie jej ostatni wieczór tutaj. Spakowała już do plecaka swój skromny dobytek. Razem z nią, w jednej sypialni, mieszkało jeszcze dwoje przygarniętych dzieci. Były młodsze i zostawiała je tutaj z bólem serca.

Posadziła je na łóżku i powiedziała:

– Pomogę wam, dzieciaki. Zawiadomię opiekę społeczną o tym, co się tu dzieje. Okej? Na pewno przyjdą i zabiorą was stąd.

– Nie możesz zabrać nas ze sobą, Julie? – zapytała zapłakana dziewczynka.

– Chciałabym, ale nie mogę. Ale wyciągnę was stąd, obiecuję.

– Nie uwierzą ci – bąknął chłopiec.

– Owszem, uwierzą. Mam dowód.

Uściskała mocno oboje, otworzyła okno, zsunęła się po rynnie na płaski dach przylegającej do domu wiaty na samochód, a potem po słupku wspierającym wiatę na ziemię i zniknęła w ciemnościach.

W głowie miała tylko jedną myśl.

Idę do domu.

Dom był piętrowym bliźniakiem, jeszcze mniejszym niż ten, z którego właśnie uciekła. Jechała metrem, potem autobusem, ostatni odcinek drogi pokonała pieszo. Po drodze zahaczyła o wielki rządowy budynek z cegły, wspięła się po prowadzących do niego schodach i do szpary na listy w drzwiach wrzuciła kopertę. Koperta była zaadresowana do kobiety odpowiedzialnej za umieszczenie jej i dwojga tamtych dzieciaków w rodzinie zastępczej. Była miłą panią, chciała dobrze, ale miała na głowie mnóstwo dzieci, których nikt nie pragnął. W kopercie znajdowała się karta pamięci ze zdjęciami przedstawiającymi parę rodziców zastępczych znęcających się nad powierzonymi im dziećmi, zmuszających je do nielegalnych czynów, a także siedzących na kanapie, kompletnie naćpanych, z fajkami do palenia cracku i stosem tabletek. Jeśli to nie pomoże, pomyślała, to nie pomoże już nic.

Do domu dotarła godzinę później. Nie weszła frontowymi drzwiami. Zrobiła tak, jak zawsze, kiedy wracała o tak późnej porze. Użyła ukrytego w bucie klucza i otworzyła tylne drzwi. Spróbowała zapalić światło, ale bez skutku. Nie zdziwiło jej to. To oznaczało tylko tyle, że prąd został wyłączony, ponieważ nie opłacono rachunku. Obmacując ściany i korzystając z wpadającego przez okna światła księżyca, dotarła do swojej sypialni na piętrze.

Jej pokój się nie zmienił. Była to nora, ale jej nora. Wszędzie walały się nuty, książki, ubrania i gazety. W kącie stała gitara. Na podłodze leżał materac, który służył jej za łóżko, ale teraz był ledwo widoczny pod całym tym bałaganem. Wytłumaczyła sobie, że rodzice nie posprzątali w jej pokoju, ponieważ wiedzieli, że wróci.

Jej rodzice mieli problemy. Mnóstwo problemów.

Przez większość ludzi mogli być uważani za żałosnych zaćpanych nieudaczników.

Ale byli jej rodzicami. Kochali ją.

A ona kochała ich.

Chciała się nimi opiekować.

W wieku czternastu lat często to ona była mamą i tatą, a jej rodzice dziećmi. Czuła się za nich odpowiedzialna, nie odwrotnie. Ale to nic nie szkodzi.

Wiedziała, że pewnie już śpią. Oby nie naćpani.

Prawdę mówiąc, sprawy układały się coraz lepiej. Ojciec pracował przy załadunku, i to już przez całe dwa miesiące. Matka była kelnerką w jadłodajni, gdzie dwudolarowy napiwek stanowił raczej wyjątek niż normę. To prawda, że jej mama i tata to wychodzący z uzależnienia narkomani, ale codziennie rano wstawali i szli do pracy. Tyle że ich problemy z narkotykami i od czasu do czasu pobyt w więzieniu skłaniał niekiedy miasto do uznania ich za niezdolnych do opieki rodzicielskiej.

I stąd jej pobyty w rodzinach zastępczych.

Ale już nigdy więcej. Nareszcie znów jest w domu.

W kieszeni kurtki namacała palcami kawałek papieru. To liścik od mamy. Został przysłany do szkoły i trafił do sekretariatu. Jej rodzice zamierzali wyprowadzić się stąd i zacząć wszystko od nowa. Chcieli oczywiście, żeby ich jedyne dziecko pojechało z nimi. Julie już dawno nie była tak podekscytowana.

Poszła do ich sypialni po drugiej stronie korytarza, lecz pokój był pusty. Ich łóżko wyglądało tak samo jak jej – zwyczajny materac rozłożony na podłodze. Tu nie panował bałagan. Matka posprzątała w sypialni. Ubrania były ułożone w koszach. Nie mieli garderoby ani szafy. Usiadła na łóżku i zdjęła ze ściany fotografię przedstawiającą ich troje. Nie widziała jej wyraźnie w ciemności, ale wiedziała, kto na niej jest.

Matka była wysoka i szczupła, ojciec niższy i jeszcze szczuplejszy. Wyglądali na chorych i byli chorzy. Lata uzależnienia od narkotyków pozostawiły trwałe ślady, które niewątpliwie skrócą im życie. Ale zawsze byli dla niej dobrzy. Nigdy jej nie maltretowali. Dbali o nią, jak tylko mogli. Żywili ją, zapewniali ciepło i bezpieczeństwo – też kiedy mogli. Nigdy nie przynosili swoich problemów do domu. Trzymali ją z dala od przykrości, których doświadczali. Doceniała to. I za każdym razem gdy trafiała do rodziny zastępczej, robili wszystko, żeby ją odzyskać.

Powiesiła fotografię z powrotem na ścianie i wyjęła z kieszeni liścik od mamy, który dostała w szkole. Przeczytała go ponownie. Instrukcje były jasne. Czuła się podekscytowana. To mógł być początek czegoś wielkiego. Tylko ich troje i zupełnie nowe życie, daleko stąd. Niepokoił ją jedynie plan awaryjny, o którym napisała mama w swoim liście, na wypadek gdyby nie udało im się spotkać. Do listu były dołączone pieniądze. Na plan awaryjny. Ale przecież nie ma powodu, żeby rodzice nie mogli się z nią spotkać. Przypuszczała, że zamierzają wyjechać rano.

Ruszyła w stronę drzwi. Chciała wrócić do swojego pokoju i spakować resztę rzeczy – to, czego nie zabrała do rodziny zastępczej.

Nagle zatrzymała się.

Usłyszała jakiejś odgłosy. Nie zaskoczyło jej to, ponieważ rodzice potrafili czasem wracać do domu o dziwnych porach.

Kolejny dźwięk wymazał z jej głowy wszystkie dotychczasowe myśli.

To był męski głos. Nie jej ojca.

Podniesiony głos. Wściekły. Pytał ojca, co on wie. Co mu powiedziano.

Usłyszała, że ojciec jęczy, jakby był ranny.

Następnie usłyszała rozpaczliwy głos matki. Proszącej nieznajomego, żeby ich zostawił w spokoju.

Julie, drżąc, podczołgała się do schodów.

Nie miała telefonu komórkowego, w przeciwnym razie zadzwoniłaby na policję. W domu nie było telefonu stacjonarnego. Rodziców nie było na to stać.

Kiedy usłyszała odgłos wystrzału, zamarła, a potem zaczęła zbiegać po schodach. Znalazła się na parterze i w ciemnościach dostrzegła opartego ścianę ojca. Jakiś mężczyzna celował do niego z pistoletu. Na piersi ojca widniała szybko powiększająca się ciemna plama. Miał poszarzałą twarz. Wymachując rękami i potrącając lampę, upadł na podłogę.

Mężczyzna z bronią odwrócił się i zauważył ją. Wycelował w nią pistolet.

– Nie! – krzyknęła matka. – Ona nic nie wie.

Choć ważyła zaledwie czterdzieści kilogramów, rzuciła się na mężczyznę i ścięła go z nóg. Pistolet wypadł mu z dłoni.

– Uciekaj, skarbie, uciekaj! – krzyknęła matka.

– Mamo! – zawołała Julie. – Mamo, co…

– Uciekaj! – zawołała ponownie matka – Szybko!

Julie odwróciła się i wbiegła po schodach na piętro w chwili, gdy mężczyzna zamachnął się i uderzył z całych sił jej matkę w głowę.

Dotarła do swojego pokoju, złapała plecak, wychyliła się przez okno i chwyciła się metalowej kraty, po której kiedyś piął się bluszcz. Schodziła tak szybko, że w końcu wypuściła z rąk kratę i upadła z wysokości dwóch metrów na ziemię. Poderwała się jednak błyskawicznie, zarzuciła plecak na ramię i popędziła przed siebie.

Kilka sekund później w domu rozległ się huk drugiego wystrzału.

Kiedy napastnik wypadł z domu, ona zniknęła już z pola widzenia.

Zatrzymał się i nasłuchiwał. Do jego uszu dobiegł odgłos kroków. Mężczyzna ruszył niespiesznie na zachód.

10

Kobieta podeszła do samochodu. Kładąc torebkę na tylnym siedzeniu swojej toyoty sedan, tuż obok fotelika dziecięcego, myślała pewnie o milionie różnych spraw. Pracowała zawodowo, zajmowała się domem i dziećmi – jak wiele innych kobiet miała mnóstwo na głowie.

Jej czarna sukienka, podobnie jak prawie cała reszta garderoby, pochodziła z dyskontu. Po długim dniu sukienka wyglądała trochę nieświeżo. Nie była zamożna, ale praca, którą wykonywała, była ważna dla kraju. A zapłatę za nią otrzymywała mniejszą, niż mogłaby dostać w sektorze prywatnym.

Miała około trzydziestu pięciu lat, metr siedemdziesiąt pięć wzrostu, a po ostatniej ciąży blisko piętnaście kilogramów nadwagi, z którą nie mogła nic zrobić z powodu braku czasu. Jedno dziecko miało trzy latka, drugie nie skończyło roku. Była w trakcie rozwodu. Dziećmi opiekowali się wspólnie, ona i jej już wkrótce eksmałżonek. Tydzień on, tydzień ona. Chciała dostać pełnię władz rodzicielskich, ale przy takim charakterze jej pracy trudno będzie to osiągnąć.

Dziś nastąpiła zmiana w jej rozkładzie dnia. Nim dotarła do domu, musiała się zatrzymać. Stanęła na poboczu. W głowie miała mętlik od natłoku spraw zawodowych i obowiązków związanych z dwójką żywotnych dzieci. Nie znajdowała czasu, żeby pomyśleć o sobie. Zdawała sobie jednak sprawę, że na tym polega macierzyństwo.

Robie zadarł głowę i spojrzał na czteropiętrowy budynek. Wyglądał podobnie jak ten, w którym sam mieszkał. Stary, zaniedbany. Tyle że jego znajdował się w spokojnej dzielnicy. A w tej części miasta szerzyła się plaga brutalnych przestępstw. Chociaż akurat okolica domu kobiety stawała się coraz bezpieczniejsza. Dawało się tu mieszkać bez strachu, że dzieci wracające ze szkoły do domu zginą w wymianie ognia dwóch walczących o dominację na ulicy gangów narkotykowych.

W budynku nie było portiera. Drzwi frontowe zamknięte – żeby wejść, należało mieć kartę. Robie ją miał. Nie było tu kamer monitoringu. Kamery kosztują. Mieszkających tu ludzi nie stać na to. Ani na portiera.

Po szefie kartelu i saudyjskim księciu Robie trafił na coś takiego. Dossier dzisiejszego celu było skąpe. Czarna kobieta, lat trzydzieści pięć. Dostał jej zdjęcie i adres. Nie powiedziano mu dokładnie, dlaczego musiała dzisiaj umrzeć, wspomniano tylko o powiązaniach z organizacją terrorystyczną. Gdyby Robie miał nadać jej jakąś etykietkę, brzmiałaby ona pewnie „obiekt sprawiający problemy" – tak czasami jego pracodawca usprawiedliwiał zabójstwo. Nie potrafił sobie jednak wyobrazić, żeby ktoś mieszkający tutaj mógł stanowić globalne zagrożenie. Tacy ludzie zwykle żyli w bardziej luksusowej okolicy albo wręcz ukrywali się przed wymiarem sprawiedliwości w jakimś kraju, który nie ma podpisanej ze Stanami Zjednoczonymi umowy o ekstradycję. Z drugiej strony członkowie komórek terrorystycznych byli szkoleni, jak wmieszać się w tłum. Najwyraźniej ona była kimś takim. W każdym razie Robie stał za nisko w hierarchii, by poznać prawdziwe powody, dla których miała zginąć.

Spojrzał na zegarek. Budynek składał się z mieszkań własnościowych, ale tylko mniej niż połowa była zamieszkana. Po krachu finansowym obciążone hipoteką nieruchomości blisko pięćdziesięciu procent obywateli zostały zajęte przez banki. Kolejne dziesięć procent ludzi straciło pracę i zostało eksmitowanych. Kobieta mieszkała na trzecim piętrze. Wynajmowała mieszkanie, ponieważ nigdy nie byłoby jej stać na kredyt hipoteczny. Na tym piętrze mieszkały oprócz niej jeszcze dwie osoby: niewidząca i niesłysząca staruszka i ochroniarz pracujący w nocy i znajdujący się teraz piętnaście mil od domu. Lokale powyżej i poniżej mieszkania kobiety stały puste.

Robie pokręcił głową, poczuł chrupnięcie w karku. Naciągnął na głowę kaptur.

Plan był ustalony. Nie ma mowy o wstrzymaniu akcji.

Spojrzał na zegarek. Obserwator widział, jak godzinę temu kobieta wchodziła sama do budynku, z torbą zakupów w jednej ręce i teczką w drugiej. Sprawiała wrażenie zmęczonej.

W takich chwilach Robie często zastanawiał się, co zrobi z resztą swojego życia. Nie sprawiało mu problemu zabijanie gnojków z karteli narkotykowych czy bogatych, megalomańskich szejków z pustyni. Tymczasem dzisiaj miał problem. Włożył odzianą w rękawiczkę dłoń do kieszeni i namacał pistolet. Zwykle dotknięcie broni dodawało mu otuchy.

Dziś było inaczej.

Powinna już leżeć w łóżku. W jej mieszkaniu było ciemno. O tej porze pewnie śpi.

Przynajmniej niczego nie poczuje. Robie postara się, żeby śmierć była natychmiastowa. A życie będzie toczyć się bez niej. W bogactwie czy nędzy, z dziejową misją czy bez, życie toczy się dalej. Ucieknie schodami przeciwpożarowymi. Wychodziły prosto na ulicę, jak w wielu innych budynkach w tej okolicy. Do domu wróci przed trzecią. To odpowiednia pora, żeby położyć się spać.

I zapomnieć o wydarzeniach tej nocy.

Gdybym tylko tak potrafił.

11

Robie przeciągnął kartę przez czytnik i drzwi otworzyły się z głośnym kliknięciem. Naciągnął kaptur niżej na czoło. Korytarze były słabo oświetlone. Jarzeniówki bzyczały i migotały. W powietrzu unosiły się zapachy gotowanych potraw. Zmieszane, nie tworzyły przyjemnej kompozycji. Liczył piętra. Na trzecim wyszedł z klatki schodowej na korytarz, który wyglądał tu tak samo jak na parterze.

Odszukał numer 404. Ślepa i głucha staruszka mieszkała na końcu po lewej, nieobecny w tej chwili ochroniarz pod numerem 411. Drzwi mieszkania 404 były zabezpieczone zasuwą, zamkniętą pewnie na noc przez lokatorkę. Robie zwrócił uwagę, że w większości drzwi znajdowały się tylko proste zamki. Jego cel dbał o bezpieczeństwo. Mimo to pokonanie zasuwy z pomocą dwóch cienkich drutów zajęło Robiemu raptem trzydzieści sekund.

Zamknął za sobą drzwi i założył noktowizyjne gogle. Omiótł wzrokiem niewielki pokój dzienny. W gniazdku elektrycznym tkwiła maleńka lampka nocna rozjaśniająca nieco mrok. Nieważne. Robie dostał plan mieszkania i pamiętał każdy istotny szczegół.

Jego palce zacisnęły się na kolbie spoczywającego w kieszeni pistoletu. Tłumik był już nakręcony na lufę. Szkoda marnować czas na takie czynności.

W jednym kącie pokoju znajdował się okrągły stolik z płyty wiórowej. A na nim leżał laptop i stos papierów. Wyglądało na to, że kobieta zabrała pracę do domu. Na niewielkiej półeczce stały książki. Nie było dywanu, na podłodze leżały wytarte chodniki.

W drugim kącie stał składany kojec dla dziecka. Na dwóch ścianach wisiały arkusze kolorowego kartonu do rysowania. A na nim widniały patyczkowate postacie dzieci i kobiety ze zmierzwionymi włosami. Napisane dziecięcym charakterem wyrazy „ja" i „mama" rozdzielał niezdarny rysunek serca. W kącie pokoju leżał też stos zabawek.

Wszystko to kazało Robiemu przystanąć.

Przyszedłem tu zabić matkę. W instrukcji nie było mowy o dzieciach.

I wtedy w słuchawce usłyszał głos:

– Powinieneś już być w sypialni.

To dzisiejszej nocy też było nietypowe. Robie został zaopatrzony w miniaturową kamerę przekazującą na żywo obraz oraz w słuchawkę, w której słyszał głos swojego oficera prowadzącego.

Przeszedł przez pokój i zatrzymał się przed zamkniętymi drzwiami sypialni.

Nasłuchiwał chwilę przez lichą sklejkę i usłyszał to, czego się spodziewał: płytki oddech i delikatne pochrapywanie.

Chwycił klamkę, otworzył drzwi i przeszedł przez próg.

Łóżko stało pod oknem. A za oknem znajdowały się schody przeciwpożarowe. Wszystko wydawało się zbyt proste, zupełnie jak na planie filmowym – przygotowanym, oświetlonym, czekającym na aktorów, którzy mieli odegrać kluczową scenę.

W sypialni było ciemno, ale on widział ją leżącą w podwójnym łóżku. Jej potężne ciało tworzyło wyraźne wybrzuszenie pod kołdrą. Szczególnie krągłe miała biodra i pośladki. Robie wiedział, że przeniesienie ciała na nosze, kiedy już zostanie uznana za zmarłą, będzie wymagało sporo wysiłku. Policjanci będą szukali jakichś śladów, ale nie znajdą niczego.

Zwykle Robie zbierał pociski. Ale dzisiaj załadował magazynek kulami dum-dum, które najpewniej zostaną w ciele. Znajdzie je lekarz sądowy podczas sekcji zwłok. Tylko że nie będą mieli broni, do której pasowałyby pociski.

Wyciągnął z kieszeni glocka i zbliżył się do łóżka. Kiedy chce się mieć pewność, że jeden strzał załatwi sprawę, trzeba wybrać odpowiednie miejsce.

Aby uniknąć zabrudzenia się rozpryśniętą krwią i tkanką, co jest nieuniknione przy strzale z przyłożenia, Robie zdecydował się dziś na egzekucję z pewnej odległości. Strzeli raz w serce i dla pewności drugi raz w aortę, grubą jak wąż ogrodowy i biegnącą pionowo do serca. Aortę zasłaniały co prawda różne rzeczy, ale kiedy wiedziało się, w które miejsce i pod jakim kątem strzelić, trafienie było skuteczne. Krwotok szybko ustanie. A jeśli pocisk przejdzie przez ciało, to utkwi w materacu.

Szybka, czysta robota.

Podszedł do łóżka i uniósł broń. Kobieta leżała płasko na plecach. Wymierzył w serce. Ale na ułamek sekundy zamiast swojego celu zobaczył zabawki, kojec, rysunek i napis „ja ♥ mama". Potrząsnął głową. Skoncentrował się ponownie. Lecz rysunek znów wdarł się do jego umysłu. Potrząsnął głową jeszcze raz. I…

Robie drgnął lekko, kiedy zauważył obok kobiety drugie, małe wybrzuszenie. I wystającą głowę z kręconymi włosami. Nie pociągnął za spust.

– Strzelaj – usłyszał w słuchawce.

12

Robie nie strzelił. Ale widocznie spowodował jakiś hałas.

Najpierw poruszyła się głowa. A po chwili mały garb pod kołdrą uniósł się.

Chłopczyk potarł oczy, ziewnął, otworzył powieki i spojrzał prosto na Robiego stojącego z pistoletem wycelowanym w jego matkę.

– Strzelaj – ponaglił go głos. – Zastrzel ją!

Robie nie strzelił.

– Mamo… – zawołał wystraszony chłopiec, nie odrywając oczu od mężczyzny.

– Strzelaj! Już!

Głos w słuchawce brzmiał histerycznie. Robie nie potrafił połączyć tego głosu z twarzą, ponieważ nigdy nie spotkał się ze swoim prowadzącym. To taka standardowa procedura agencji. Nikt nie może nikogo znać.

– Mamo…? – Chłopiec zaczął płakać.

– Dzieciaka też zastrzel – odezwał się prowadzący. – Szybko!

Robie mógł strzelić i uciec. Dwa strzały w pierś. Pocisk dum-dum dokonałby w ciele dziecka spustoszenia. Nie miałoby żadnych szans.

– Strzelaj!

Robie nie strzelił.

Kobieta zaczęła się wiercić.

– Mamo? – Chłopczyk trącał ją palcami, ale wciąż patrzył na Robiego. Po policzkach płynęły mu łzy. Zaczął się trząść.

Kobieta budziła się powoli.

– Tak, skarbie? – odezwała się zaspanym głosem. – Spokojnie, kochanie, to tylko zły sen. Z mamusią jesteś bezpieczny. Nie ma się czego bać.

– Mamo?

Pociągnął ją za koszulę nocną.

– Dobrze, już dobrze, skarbie. Mama już się budzi.

Zobaczyła Robiego. Znieruchomiała, ale tylko na chwilę. Zaraz potem skryła dziecko za swoimi plecami.

Krzyknęła.

Robie przyłożył palec do ust.

Krzyknęła ponownie.

– Zastrzel ich! – wrzasnął rozpaczliwie głos w słuchawce.

– Bądź cicho, bo strzelę – odezwał się Robie do kobiety.

Ale ona nie przestawała krzyczeć.

Strzelił w poduszkę obok niej. Wokół rozsypało się wypełnienie poduszki, a pocisk zawadził o sprężynę materaca, zmienił kurs i wbił się w podłogę pod łóżkiem.

Kobieta przestała krzyczeć.

– Zabij ją! – wrzeszczał mu do ucha prowadzący.

– Bądź cicho – powtórzył do kobiety Robie.

Szlochając, przytuliła do siebie chłopca.

– Proszę, niech pan nam nie robi krzywdy.

– Po prostu siedź cicho – powiedział Robie. Oficer prowadzący wciąż wrzeszczał mu do ucha. Gdyby był teraz w tym pokoju, Robie zastrzeliłby dupka tylko po to, żeby przestał się wydzierać.

– Niech pan bierze, co chce – mamrotała kobieta – ale proszę nie robić nam krzywdy. Proszę nie krzywdzić mojego dziecka.

Odwróciła się i jeszcze mocniej przytuliła chłopca. Uniosła go tak, że siedzieli teraz twarzą przy twarzy. Chłopiec przestał płakać, wtulony w matkę.

Nagle Robie coś sobie uświadomił i poczuł skurcz w żołądku.

Prowadzący już się nie wydzierał. W słuchawce panowała cisza.

Powinien był wcześniej to zauważyć.

Robie rzucił się naprzód.

Kobieta, sądząc, że chce ich zaatakować, znów zaczęła krzyczeć.

Szyba w oknie roztrzaskała się w drobny mak.

Robie widział, jak pocisk karabinowy przeszywa najpierw głowę chłopca, a potem matki, zabijając oboje. To był godny pozazdroszczenia strzał oddany przez snajpera o godnych pozazdroszczenia umiejętnościach. Ale Robie nie myślał o tym w tej chwili.

Kobieta, umierając, patrzyła na Robiego. Wyglądała na zaskoczoną. Teraz matka i syn leżeli obok siebie. Wciąż trzymała go w ramionach. I te ramiona zdawały się zaciskać coraz mocniej wokół ciała martwego dziecka.

Robie stał z opuszczoną bronią. Wyjrzał przez okno.

Gdzieś tam czaił się strzelec.

W pewnej chwili zadziałał instynkt i Robie rzucił się na ziemię i przeturlał się dalej od okna. Na podłodze dostrzegł coś, czego nie spodziewał się tu znaleźć.

Obok łóżka stało nosidełko. A w nim mocno spało drugie dziecko.

– Niech to szlag – mruknął Robie.

Podczołgał się na brzuchu.

Słuchawka w jego uchu ożyła.

– Uciekaj z mieszkania – polecił mu prowadzący. – Schodami przeciwpożarowymi.

– Idź do diabła – odpowiedział Robie. Wyrwał z ucha słuchawkę, odpiął kamerę i schował wszystko do kieszeni.

Przyciągnął do siebie nosidełko. Czekał na drugi strzał. Nie zamierzał jednak stać się celem. A snajper nie pociągnie za spust, póki nie będzie pewny strzału. Robie dobrze to wiedział, bo zdarzało się, że on był w takiej roli.

Odczołgał się od okna i wstał, trzymając nosidełko za plecami. To było jak podnoszenie hantli. Musiał wydostać się z budynku, ale nie tą drogą, którą planował. Spojrzał na drzwi. Chciał jeszcze coś sprawdzić, nim stąd wyjdzie.

Wyniósł nosidełko z sypialni i snopem światła miniaturowej latarki omiótł pokój dzienny. Przejrzał zawartość torebki należącej do kobiety. Postawił nosidełko na ziemi i wyjął jej prawo jazdy. Telefonem komórkowym zrobił zdjęcie. Potem sfotografował jeszcze dokument tożsamości. Rządowy dokument tożsamości.

Co jest...? O tym nie było mowy w instrukcji.

W końcu znalazł ukrytą pod stosem papierów granatową książeczkę.

Amerykański paszport.

Sfotografował wszystkie stronice z informacjami o miejscach pobytu kobiety. Odłożył z powrotem prawo jazdy, dokument tożsamości i paszport i chwycił nosidełko.

Uchylił drzwi do mieszkania i rozejrzał się w prawo oraz w lewo.

Wyszedł na korytarz i w czterech długich susach dotarł do klatki schodowej. Zbiegł piętro niżej. W głowie wirował mu plan budynku. Robie znał na pamięć wszystkie mieszkania, wszystkich lokatorów, każdą okoliczność. Ale nie uczył się tego, żeby uciekać przed swoimi.

Numer 307. Matka trojga dzieci, przypomniał sobie. Uznał, że to dobry pomysł. Pobiegł korytarzem.

Jakimś cudem maleństwo spało. Do tej pory Robie nie miał nawet okazji mu się przyjrzeć. Zrobił to teraz.

Dziecko miało kręcone włosy, podobnie jak jego zabity braciszek. Robie zdawał sobie sprawę, że nie będzie pamiętało brata. Ani matki. Życie bywa nie tylko niesprawiedliwe, ale też tragiczne.

Postawił nosidełko pod drzwiami mieszkania 307. Zapukał trzy razy. Nie obejrzał się. Jeśli ktoś wyjrzy na korytarz z innego mieszkania, zobaczy tylko jego plecy. Zapukał jeszcze raz i spojrzał na dziecko, które zaczynało się wiercić. Usłyszał, że ktoś podchodzi do drzwi, i wtedy uciekł.

Dziecko przeżyje tę noc.

Robie był natomiast niemal pewny, że jemu samemu się to nie uda.

13

Robie zbiegł po schodach na pierwsze piętro. Miał do wyboru dwie opcje.

Tył budynku odpadał. Tam czaił się snajper. Fakt, że jego oficer prowadzący chciał, żeby uciekał schodami przeciwpożarowymi, powiedział Robiemu wszystko. Gdyby był na tyle głupi i znalazł się tam, zarobiłby kulkę w głowę.

Z podobnych powodów nie wchodził w grę front budynku. Porządnie oświetlony, jedno wejście, równie dobrze mógłby sobie na czole wymalować tarczę strzelniczą, kiedy za minutę pojawi się wsparcie, żeby posprzątać cały bałagan. Pozostawały wejścia w szczycie. I to były jego dwie opcje. Przy czym Robie szybko musiał skorzystać z jednej.

Biegł, zastanawiając się: 201 czy 216. Mieszkanie numer 201 znajdowało się po lewej stronie, to drugie po prawej. Strzelec z tyłu budynku mógł przejść na lewą albo na prawą stronę, zabezpieczając tył i jeden szczyt.

Więc w prawo czy w lewo?

Prowadzący będzie strzelcowi pomagał, podpowiadając mu, gdzie jego zdaniem może być Robie. W lewo czy w prawo? Próbował sobie przypomnieć wygląd otoczenia. Budynek. Na jego tyłach alejka. Mały biurowiec, stacja benzynowa, parterowe centrum handlowe. Po drugiej stronie kolejny wysoki budynek, który wydał się Robiemu opuszczony, kiedy robił wstępne rozpoznanie terenu. Strzelec musiał być właśnie tam. A jeśli ten dom był rzeczywiście opuszczony, to snajper miał swobodę przemieszczania się i zmiany pozycji.

Więc dokąd? W lewo czy w prawo?

Jego główny cel, mieszkanie numer 404, znajdowało się bliżej lewej strony budynku. Prowadzący mógł myśleć, że Robie będzie uciekał w lewo, bo miał bliżej. Prowadzący nie wiedział jednak, że Robie zszedł na drugie piętro, żeby zostawić pod drzwiami dziecko, a potem zbiegł jeszcze niżej. Mógł natomiast przypuszczać, że Robie będzie zmuszony zbiec na sam dół, bo nie ma ze sobą sprzętu, po którym mógłby się spuścić.

Robie zastanowił się. Oczami wyobraźni widział, jak strzelec przechodzi na prawo – jego lewo – ustawia podnóżek, kalibruje lunetę i czeka na pojawienie się celu.

Ale Robie się na razie nie pojawił, mimo że liczył się czas. Strzelec mógł wziąć to pod uwagę. Wiedział, że Robie będzie próbował przewidzieć jego reakcję. Zrobić „zyg", kiedy oczekiwany był „zag". Więc w prawo, nie w lewo. To tłumaczyłoby czas, jaki minął. Ale nie podrzucenie drugiego dziecka sąsiadce.

Teraz Robie przesunął na wyimaginowanej szachownicy snajpera w prawo, czyli z jego perspektywy w lewo.

Nie było już czasu do namysłu.

Pobiegł korytarzem w lewo.

Mieszkanie numer 201 stało puste. Kolejne przejęte przez bank za długi. Zdarzało się, że drobne cuda miały swe źródło w wielkich katastrofach ekonomicznych. Dziesięć sekund później był już w środku. Wszystkie mieszkania miały taki sam rozkład. Żeby się swobodnie poruszać, Robie nie potrzebował ani światła, ani noktowizora. Wbiegł do sypialni i otworzył okno. Zawisł, trzymając się gzymsu, spojrzał w dół, ocenił, gdzie powinien upaść, i skoczył.

Trzy metry niżej przeturlał się dla zamortyzowania upadku. Mimo to czuł ból w prawej kostce. Czekał na strzał.

Ale strzał nie padł. A zatem jego rozumowanie było słuszne. Odbiegł od budynku i skrył się na chwilę za kontenerami na śmieci, przyzwyczajając zmysły do nowego otoczenia. Pięć sekund później poderwał się, przeskoczył przez ogrodzenie i pobiegł ulicą.

Chyba nie zauważyli, jak opuszcza budynek, w przeciwnym razie byłby już martwy. Ale na pewno się zorientowali, że udało mu się uciec. Grupa wsparcia będzie go szukać. Ulica po ulicy. Robie znał procedury. Tylko teraz musiał działać przeciwko nim.

Dostatecznie długo pracował w tym fachu, by wiedzieć, że to, co się zdarzyło dzisiaj, mogło się zdarzyć. Prawdopodobieństwo było nieduże, ale należało się z nim liczyć. Podobnie jak w przypadku wszystkich wcześniejszych misji Robie miał przygotowany plan awaryjny. Teraz pozostawało wprowadzić go w życie. Rada Shane'a Connorsa wreszcie się przydała.

Jesteś jedyną osobą, na którą możesz liczyć, Will.

Przeszedł dziesięć kolejnych przecznic. Cel był już blisko. Spojrzał na zegarek. Miał dwadzieścia minut, jeśli rozkład nie uległ zmianie.

Działająca od roku firma Outta Here Bus Company zagospodarowała stary dworzec autobusowy Trailways niedaleko Wzgórza Kapitolińskiego. Firma nie dysponowała dużym kapitałem założycielskim i dworzec wciąż sprawiał wrażenie zamkniętego. Autokary wyglądały tak, że właściwie nie powinny przejść rutynowego przeglądu technicznego. Zapowiadała się podróż w klasie zdecydowanie ekonomicznej.

Podając fałszywe nazwisko, Robie kupił miejscówkę w autobusie odjeżdżającym za dwadzieścia minut. Celem podróży był Nowy Jork. Za bilet zapłacił gotówką. Kiedy dotrze do Nowego Jorku, rozpocznie drugi etap planu awaryjnego, czyli opuści kraj. Zamierzał znaleźć się najdalej, jak się da, od kolegów z agencji.

Czekał przed budynkiem dworca. To nie było specjalnie bezpieczne miejsce, szczególnie o drugiej nad ranem. Ale o wiele bezpieczniejsze niż sytuacja, z której dopiero co się wyplątał. Z ulicznymi bandytami mógł sobie jakoś poradzić. Zawodowi mordercy uzbrojeni w karabiny snajperskie robili na nim dużo większe wrażenie.

Przypatrzył się pozostałym osobom czekającym na autobus, który zawiezie ich do Wielkiego Jabłka. Łącznie ze sobą naliczył trzydziestu pięciu pasażerów. Autobus mógł zabrać prawie dwa razy więcej, czyli będzie miał trochę wolnej przestrzeni dla siebie. Miejsca nie były numerowane, dlatego spróbuje zająć jakieś z dala od pozostałych podróżnych. Prawie każdy miał torbę, poduszkę i plecak. Robie nie miał nic prócz noktowizora, miniaturowej kamery i glocka w zapinanej na zamek błyskawiczny kieszeni bluzy.

Jeszcze raz przyjrzał się czekającym. Wywnioskował, że prawie wszyscy to ludzie biedni, robotnicy albo tacy, którym nie dopisało szczęście w życiu. Nietrudno było to zauważyć. Ich ubrania były stare, znoszone, płaszcze wytarte, twarze zmęczone, przygaszone. Większość ludzi, nawet niezbyt zamożnych, nie zdecydowałaby się na podróż do Nowego Jorku w środku nocy zdezelowanym autobusem z własną poduszką.

Zataczając szeroki łuk, na plac przed dworcem zajechał autobus i zatrzymał się tuż przy nich ze zgrzytem zardzewiałych hamulców. Oczekujący ustawili się w kolejkę. I wtedy Robie ją zauważył. Widział ją już wcześniej, jedną z trzydziestu pięciu pasażerów, ale teraz właśnie na niej zatrzymał spojrzenie.

Była młodziutka. Miała jakieś dwanaście lat, z trudem można by nazwać ją nastolatką. Była niewielkiego wzrostu, bardzo szczupła, ubrana w wytarte dżinsy z dziurami na kolanach, bluzkę z długim rękawem i ciemnoniebieski ocieplany bezrękawnik. Na nogach miała brudne zdarte tenisówki, a jej ciemne, przypominające strąki włosy związane były z tyłu w koński ogon. W ręce trzymała plecak, a wzrok miała wbity w ziemię. Zdawała się ciężko oddychać, a na jej dłoniach i kolanach Robie zauważył ślady brudu.

Szukał wzrokiem, ale nie znalazł niewielkiego prostokątnego wybrzuszenia w kieszeniach jej dżinsów. Przecież każdy nastolatek nosi telefon komórkowy, a szczególnie dziewczęta. Może po prostu, wbrew młodzieżowym zwyczajom, ona ma go w kieszeni bezrękawnika. Tak czy owak, to nie jego sprawa.

Rozejrzał się, lecz nie zauważył nikogo, kto mógłby być jej rodzicem.

Przesunął się w kolejce do przodu. Istniało ryzyko, że znajdą go, zanim autobus odjedzie. Zacisnął mocniej palce na trzymanej w kieszeni broni i wbił wzrok w ziemię.

Kiedy wsiadł, ruszył na tył autobusu. Był ostatnim z pasażerów, a większość zajęła miejsca bliżej kierowcy. Dotarł do ostatniego rzędu, obok toalety. Nikt tam nie siedział. Usiadł przy oknie. Sam był niewidoczny, za to przez szparę między fotelami przed sobą mógł widzieć, czy ktoś się zbliża. Szyby autobusu były przyciemnione. To uniemożliwiało strzał z zewnątrz.

Nastolatka usiadła trzy rzędy przed nim, po drugiej stronie przejścia.

Robie podniósł wzrok, kiedy w ostatniej chwili przed zamknięciem przez kierowcę drzwi wsiadł do autobusu jakiś mężczyzna. Pokazał bilet i ruszył na tył pojazdu. Zbliżając się do dziewczyny, odwrócił wzrok. To był trzydziesty szósty pasażer.

Robie wcisnął się głębiej w fotel i naciągnął mocniej kaptur na czoło. Lufę trzymanego w kieszeni pistoletu skierował w miejsce, gdzie znalazłby się mężczyzna, gdyby nadal szedł w jego kierunku. Robie podejrzewał, że w jakiś sposób dowiedzieli się o jego planie awaryjnym i przysłali człowieka, który dokończy robotę.

Tymczasem mężczyzna zatrzymał się i usiadł za dziewczyną. Robie zwolnił uścisk na kolbie pistoletu, ale nadal obserwował nowego pasażera przez szparę między fotelami.

Dziewczyna wstała i położyła swój bagaż na półce nad głową. Kiedy wspięła się na palce, by dosięgnąć półki, jej bluzka uniosła się i Robie zauważył, że ta mała ma wytatuowaną talię.

Ze zgrzytem zdezelowanej skrzyni biegów autobus ruszył, wytaczając się na ulicę, która prowadziła do międzystanowej autostrady. O tej porze po mieście jeździło niewiele samochodów. Okna budynków były ciemne. Miasto obudzi się dopiero za kilka godzin. Waszyngton nie przypominał pod tym względem Nowego Jorku. Waszyngton naprawdę spał. Za to wcześnie się budził.

Robie ponownie utkwił wzrok w mężczyźnie. Był tej samej postury co on i w tym samym wieku. Nie miał żadnego bagażu. Ubrany w czarne spodnie i szarą marynarkę. Robie spojrzał na jego dłonie. Były w rękawiczkach. Spojrzał na swoje dłonie – też w rękawiczkach – i zerknął przez okno. Nie było aż tak zimno. Zobaczył, że mężczyzna sięga do dźwigni pod fotelem, odsuwa go nieco do tyłu i sadowi się wygodnie.

Instynkt podpowiadał jednak Robiemu, że nie na długo.

Ten mężczyzna nie wsiadł do autobusu, żeby pojechać do Nowego Jorku.

14

Zawodowi mordercy to wyjątkowa grupa ludzi, rozmyślał Robie. Zawieszenie autobusu było do dupy, a przez to cała podróż też. Musieli wytrzymać dwieście mil takiej jazdy, ale nie to głównie zaprzątało myśli Robiego. Siedział, patrząc przez szparę między fotelami, i czekał.

Kiedy jest się na misji, zauważa się rzeczy, na które inni ludzie nie zwróciliby uwagi. Na przykład wejścia i wyjścia. Zawsze powinny być co najmniej dwa. Szuka się odpowiedniej pozycji strzeleckiej i miejsc, skąd może nastąpić atak. Ocenia przeciwników, zupełnie nieświadomie. Próbuje z mowy ciała odczytać zamiary. I nie pozwala nikomu się zorientować, że jest obserwowany.

Robie teraz tym właśnie był zajęty. I nie miało to absolutnie nic wspólnego z jego obecnym trudnym położeniem. Jest ścigany, to nie ulegało wątpliwości. Ale nie ulegało też wątpliwości, że ktoś poluje na tę dziewczynę. Robie wiedział już, że nie jest jedynym zawodowym mordercą w tym autobusie.

Obserwował teraz drugiego.

Wyjął z kieszeni glocka.

Dziewczyna czytała. Robie nie widział co, jakąś książkę w miękkiej oprawie. Była pochłonięta lekturą, nieświadoma niczego, co dzieje się wokół niej. To niedobrze. Młodzi ludzie stają się łatwym celem. Młodzi ludzie mają wzrok wlepiony w ekrany swoich telefonów, są zajęci wciskaniem klawiszy, wysyłaniem tak istotnych wiadomości, jak ich status na Facebooku, kolor noszonych dziś majtek, dziewczyńskie problemy, problemy z włosami, termin i miejsce najbliższej imprezy. Zwykle mają też słuchawki w uszach. Rycząca muzyka nie pozwala im niczego usłyszeć, póki nie nastąpi atak. A wtedy jest już za późno.

Są łatwym celem. I nawet o tym nie wiedzą.

Robie przymierzył się do strzału.

Mężczyzna wychylił się do przodu w swoim fotelu.

Podróż trwała dopiero kilka minut. Jechali teraz przez jeszcze bardziej zaniedbaną część miasta.

Obok dziewczyny nikt nie siedział. Nie było też nikogo w tym samym rzędzie, po drugiej stronie przejścia. Najbliżej niej była jakaś starsza kobieta, która już zdążyła zasnąć. Zresztą choć przejechali dopiero pół mili, większość pasażerów układała się do snu.

Robie wiedział, co tamten zamierza uczynić. Głowa i szyja. Skręt w prawo, skręt w lewo, tak jak uczą amerykańskich *marines*. Ponieważ celem było dziecko, nie potrzeba żadnej broni. Nie będzie krwi. Większość ludzi umiera w milczeniu. Żadnych melodramatycznych gestów. Człowiek po prostu przestaje oddychać. Jedno szarpnięcie i spokój. Nikt w pobliżu się nie zorientuje.

Mężczyzna naprężył się.

Dziewczyna uniosła książkę nieco wyżej, żeby światło umieszczonej nad głową lampki padało wprost na kartki.

Robie wychylił się w przód. Sprawdził broń. Tłumik był należycie przykręcony. Tyle że w tak niewielkiej przestrzeni jak wnętrze autobusu nie ma mowy o cichym strzale. Ale tłumaczeniami będzie się martwił później. Był już dzisiaj świadkiem śmierci dwóch osób, w tym dziecka. Nie miał ochoty widzieć śmierci trzeciej osoby.

Mężczyzna przeniósł ciężar swojego ciała na palce u nóg. Uniósł ramiona, umieszczając je w odpowiedniej pozycji.

Trach, trach, pomyślał Robie. Głowa w lewo, głowa w prawo. Trzask.

Trach, trach.

I dziewczyna będzie martwa.

Nie, nie dzisiaj.

15

Robie potrafił wyczytać wiele z pozornie drobnych i nic nieznaczących sygnałów. Jednakże tego, co się stało, zupełnie się nie spodziewał.

Mężczyzna krzyknął.

Robie też krzyczałby na jego miejscu, bo gaz pieprzowy okropnie szczypie w oczy.

Dziewczyna nadal trzymała w ręku otwartą książkę. Nawet się nie obróciła w fotelu. Zwyczajnie uniosła pojemnik z gazem nad głowę, skierowała go za siebie i rozpyliła gaz, trafiając prosto w twarz napastnika.

Mężczyzna, choć wrzeszczał i przecierał jedną ręką oczy, nie zrezygnował z ataku. Drugim ramieniem objął szyję nastolatki, ale w tej samej chwili pistolet Robiego zderzył się z jego czaszką i facet runął z hukiem na podłogę.

Dziewczyna, podobnie jak większość wyrwanych ze snu pasażerów autobusu, obejrzała się na Robiego. Następnie ich spojrzenia skierowały się na leżącego napastnika. Jakaś starsza kobieta w żółtej sukience z grubego materiału zaczęła krzyczeć. Kierowca zatrzymał autobus, zaciągnął hamulec, spojrzał przez ramię i na widok stojącego Robiego zawołał:

– Hej, ty!

Ton jego głosu i wyraz oczu podpowiedział Robiemu, że to jego uznał za źródło problemu. Potężnie zbudowany czarnoskóry około pięćdziesiątki podniósł się zza kierownicy i ruszył przejściem między fotelami w jego stronę.

Kiedy dostrzegł w dłoni Robiego broń, zatrzymał się i podniósł do góry ręce.

Starsza kobieta wciąż krzyczała, mnąc nerwowo w dłoniach sukienkę.

– Czego do diabła chcesz, człowieku?! – zawołał kierowca.

Robie spojrzał na nieprzytomnego mężczyznę na podłodze.

– On zaatakował tę dziewczynkę. Powstrzymałem go.

Spojrzał na nią, oczekując wsparcia. Ale ona nie odezwała się ani słowem.

– Może im powiesz? – Robie nie ustępował.

Nastolatka nadal milczała.

– On próbował cię zabić. A ty potraktowałaś go gazem pieprzowym.

Zanim zdążyła go powstrzymać, wyjął z jej dłoni pojemnik z gazem i uniósł go nad głową.

– Gaz pieprzowy – potwierdził.

Uwaga pasażerów skupiła się teraz na młodej pasażerce.

Jednak ona nie przejęła się specjalnie ich badawczymi spojrzeniami.

– Co tu się dzieje? – zapytał kierowca.

– Ten facet zaatakował dziewczynę – wyjaśnił cierpliwie Robie. – Ona prysnęła mu gazem pieprzowym w oczy, a ponieważ nie odpuścił, ja dokończyłem robotę.

– A dlaczego ma pan broń? – zainteresował się kierowca.

– Mam pozwolenie.

Robie usłyszał w oddali syreny.

Czyżby policja jechała do tamtych dwóch ciał w budynku?

Mężczyzna na podłodze autobusu jęknął i się poruszył. Robie przycisnął go nogą do podłogi.

– Leż! – warknął. Spojrzał na kierowcę. – Niech pan lepiej wezwie policję. – Zwrócił się teraz do dziewczyny: – Nie masz nic przeciwko temu?

Ona w odpowiedzi podniosła się z miejsca, zdjęła z półki plecak, zarzuciła go sobie na ramię i ruszyła w stronę kierowcy.

Ten wyciągnął przed siebie ramiona.

– Nie możesz wysiąść, panienko.

Dziewczyna wyjęła coś z kieszeni bezrękawnika i podsunęła kierowcy pod oczy. Robie stał za jej plecami i nie mógł zobaczyć, co to było. Ale kierowca natychmiast zrobił jej przejście i wyglądał na przerażonego. Starsza kobieta znów zaczęła krzyczeć.

Robie przyklęknął i unieruchomił leżącego mężczyznę, związując mu na plecach paskiem od spodni ręce i nogi razem. Następnie podążył za dziewczyną. Mijając kierowcę, powiedział:

– Dzwoń po gliny.

– Kim jesteś?! – zawołał za Robiem czarnoskóry.

Robie nie odpowiedział. Nie mógł przecież powiedzieć mu prawdy.

Dziewczyna otworzyła na siłę drzwi i wyszła z autobusu. Robie dogonił ją już na ulicy.

– Co mu pokazałaś? – zapytał.

Odwróciła się i wyciągnęła w jego stronę rękę, w której spoczywał granat.

Robie nie mrugnął nawet okiem.

– Jest z plastiku.

– Ale on chyba o tym nie wiedział.

To były pierwsze słowa, jakie wypowiedziała. Miała głos niższy, niż Robie się spodziewał. Bardziej dojrzały. Oddalili się od autobusu.

– Kim ty jesteś? – zapytał Robie.

Dziewczyna szła dalej. Dźwięk syren zbliżał się, a potem ucichł.

– Dlaczego ten facet chciał cię zabić?

Przyspieszyła kroku, zostawiając go w tyle.

Przeszli na drugą stronę ulicy. Przecisnęła się między dwoma zaparkowanymi samochodami. Robie dogonił ją i chwycił za ramię.

– Hej, mówię do ciebie!

Nie otrzymał odpowiedzi.

W tej samej chwili podmuch eksplozji powalił ich na ziemię.

16

Robie pierwszy doszedł do siebie. Nie miał pojęcia, ile czasu leżał ogłuszony, ale to nie mogło trwać długo. Nie było policji, nie było pierwszych gapiów. Był tylko on i autobus, którego tak naprawdę nie było. Spojrzał na trawiony płomieniami metalowy szkielet, będący do niedawna całkiem sporym środkiem transportu, i domyślił się, że podobnie jak w wypadku samolotu spadającego na ziemię z dużej wysokości tu też nikt nie ocalał.

O tak późnej porze ta część Waszyngtonu jest zupełnie wyludniona, a w pobliżu nie było żadnych ludzkich siedzib. Jedynymi osobami, które pojawiły się, żeby zobaczyć, co się stało, byli bezdomni.

Robie widział, jak jakiś starszy mężczyzna w postrzępionych dżinsach i koszuli, która od życia na ulicy zdążyła całkowicie sczernieć, wyczołgał się na chodnik ze swojego kartonowego domu z foliowymi torbami zastępującymi drzwi. Spojrzał na płonący wrak, który jeszcze przed chwilą był pełnym pasażerów autobusem, i otwierając usta z szeregiem zepsutych zębów, zawołał:

– Niech to szlag, ma ktoś coś na grilla?!

Robie podniósł się powoli. Był poobijany i poturbowany, jutro będzie pewnie jeszcze bardziej obolały. Rozejrzał się, szukając dziewczyny, i znalazł ją trzy metry od miejsca, gdzie sam upadł.

Leżała obok zaparkowanego saturna z wybitą w wyniku eksplozji boczną szybą. Podbiegł do niej i ostrożnie przewrócił ją na plecy. Zbadał puls, a kiedy go poczuł, odetchnął z ulgą. Obejrzał ją dokładnie. Nigdzie żadnej krwi, jedynie drobne zadrapania na twarzy, w miejscach, gdzie skóra zetknęła się z szorstkim chodnikiem. Będzie żyła.

Chwilę później dziewczyna otworzyła oczy.

Robie spojrzał na granat, który wciąż ściskała w dłoni.

– Prawdziwy zostawiłaś w autobusie?

Usiadła powoli, wpatrując się w szczątki pojazdu.

Robie spodziewał się, że taki widok wywoła u niej jakąś reakcję, ale ona milczała.

– Ktoś naprawdę chce cię zabić – stwierdził. – Wiesz może dlaczego?

Wstała, odszukała wzrokiem plecak, podniosła go z ziemi, otrzepała z kurzu i zarzuciła sobie na ramię. Zadarła głowę i spojrzała w oczy górującemu nad nią Robiemu.

– Gdzie jest twoja spluwa? – zapytała.

Zaskoczyła go. Nie wiedział, gdzie podziała się jego broń. Rozejrzał się, potem uklęknął i zaczął zaglądać pod zaparkowane samochody. Zauważył studzienkę kanalizacyjną. Pistolet mógł wpaść do niej, kiedy podmuch powalił Robiego.

– Na twoim miejscu postarałabym się ją znaleźć.

Spojrzał na nią. Przyglądała mu się z odległości kilku metrów.

– Dlaczego?

– Bo chyba będzie ci potrzebny.

– Dlaczego? – zapytał powtórnie.

– Bo widziano cię ze mną.

Wstał. Usłyszał syreny. Ktoś musiał w końcu wezwać policję, bo dźwięk był coraz bardziej natarczywy. Bezdomny tańczył przy płonącym wraku, wrzeszcząc, że chce więcej „cholernych zapiekanek".

– A jakie to ma znaczenie? – zapytał Robie.

Spojrzała na wrak autobusu.

– Jakie? Jesteś nienormalny?

Zrezygnował z szukania pistoletu i podszedł do niej.

– Musisz iść na policję. Oni zapewnią ci ochronę.

– Taaa... pewnie.

– Uważasz, że nie?

– Na twoim miejscu wiałabym stąd.

– Nie został tu nikt żywy, kto powiedziałby policjantom, co się stało.

– A co się stało twoim zdaniem? – zapytała.

– W tym autobusie straciło życie ponad trzydzieści osób. Włącznie z facetem, który próbował cię zabić.

– To twoje domysły. A gdzie dowody?

– Dowód jest w tym autobusie. A przynajmniej jego część. Reszta jest pewnie w twojej głowie.

– To też tylko twoje domysły.

Odwróciła się na pięcie i ruszyła przed siebie.

Robie przyglądał się jej przez chwilę.

– Sama sobie nie poradzisz, dobrze o tym wiesz – odezwał się w końcu. – Raz już spieprzyłaś robotę, dałaś się podejść.

Obejrzała się.

– Co masz na myśli? – Po raz pierwszy wydała się zainteresowana tym, co on ma do powiedzenia.

– Śledzili cię do samego dworca albo czekali tam na ciebie. Jeśli to drugie, to znaczy, że zastawili na ciebie pułapkę. Sporo wiedzieli. Wiedzieli, który autobus, o której godzinie, wszystko. Więc albo spieprzyłaś sprawę i pozwoliłaś się śledzić, albo zdradził cię ktoś, komu ufałaś. Innego wytłumaczenia nie ma.

Zerknęła ponad jego ramieniem na płonącą stertę żelastwa i ciał.

– Jak zauważyłaś, co ma zamiar zrobić ten facet? Wyglądało na to, że załatwi cię bez trudu.

– Odbicie w oknie. Przyciemniona szyba, zapalona lampka nad głową, ciemności na zewnątrz, to równa się lustro. Czysta fizyka.

– Czytałaś książkę.

– Udawałam, że czytam. Widziałam, jak facet siada za mną. Wcześniej minął trzy puste rzędy foteli. To mi dało do myślenia. Poza tym widziałam, jak wsiadał. Robił, co mógł, żebym nie zobaczyła jego twarzy.

– Więc rozpoznałaś go?

– Może.

– Ja też siedziałem za tobą.

– Za daleko, żeby coś ci z tego przyszło.

– Więc na mnie też zwróciłaś uwagę?

Wzruszyła ramionami.

– Za uważnie wszystko sprawdzałeś.

– Czyli śledził cię do autobusu. Gonił cię? Zauważyłem, że masz brudne dłonie i kolana. Jakbyś się przewróciła, zanim wsiadłaś.

Dziewczyna spojrzała na swoje kolana, ale nic nie powiedziała.

– Nie dasz sobie sama rady – przekonywał ją.

– Wiem, już to mówiłeś. Co proponujesz?

– Jeśli nie chcesz iść na policję, chodź ze mną.

Cofnęła się o krok.

– Z tobą? Dokąd?

– Tam, gdzie będzie bezpieczniej niż tutaj.

Obrzuciła go lodowatym spojrzeniem.

– A dlaczego ty nie zostaniesz i nie porozmawiasz z glinami?

Patrzył jej w oczy, nasłuchując zbliżających się nieprzyjemnie syren.

– Może to z powodu pistoletu i tego, że o tej porze znalazłeś się w tym autobusie? – dociekała. – Nie wyglądasz na takiego, no wiesz?

– To znaczy?

– Nie wyglądasz na faceta, który musi jechać w środku nocy zdezelowanym autobusem do Nowego Jorku. Tak samo nie wyglądał na takiego tamten gość, który usiadł za mną. Popełnił błąd. Powinien się odpowiednio ubrać.

– Chcesz sobie radzić sama, to proszę. Jestem pewny, że przez kilka godzin uda ci się ich zwodzić. Ale w końcu cię dopadną.

Spojrzała jeszcze raz na płonący autobus.

– Nie chcę, żeby ktoś jeszcze zginął – powiedziała.

– Ktoś jeszcze? A kto już zginął?

Robie odniósł wrażenie, że mało brakowało, żeby się rozpłakała, ale ona zapytała tylko:

– Kim ty właściwie jesteś?

– Kimś, kto przypadkiem się na coś natknął i nie chce odpuścić.

– Nie ufam ci. Ani nikomu innemu.

– Nie mam o to żalu.

– Dokąd chcesz iść?

– W bezpieczne miejsce, już mówiłem.

– Wątpię, czy jest takie – odparła. Jej głos po raz pierwszy zabrzmiał jak głos dziecka. Była wystraszona.

– Ja też – rzekł Robie.

17

Na wypadek gdyby misja się nie udała, Robie przygotował nie tylko plan awaryjny, ale też bezpieczne schronienie. Teraz, kiedy miał na głowie drugą osobę, zdecydował się na plan C.

Niestety, plan C od samego początku zaczął się komplikować.

Robie wpatrywał się w drugi koniec alei. Założył noktowizor. To był tylko blik, ale dostrzegł go: błysk światła odbitego od lunety karabinu.

Zdjął gogle, wycofał się w cień i spojrzał na dziewczynę.

– Jak masz na imię?

– Dlaczego pytasz?

– Jakoś muszę się do ciebie zwracać. To nie musi być twoje prawdziwe imię – dodał.

– Julie – odrzekła z wahaniem.

– Okej, Julie. Możesz do mnie mówić Will.

– To twoje prawdziwe imię?

– A Julie?

Zamilkła i wbiła wzrok w panujące wokół ciemności. Przeszli piechotą jakieś dziesięć przecznic i odgłos syren wreszcie umilkł. Nie zadeklarowała się, że z nim idzie. Zawarli milczącą ugodę, że odwracają się na pięcie i odchodzą razem z miejsca, gdzie nastąpiła eksplozja.

Robie wyobraził sobie, co się teraz dzieje w okolicy autobusu. Pierwsi przybyli na miejsce ludzie próbują ustalić, co spowodowało wybuch. Uszkodzony zbiornik paliwa? Atak terrorystyczny? Szybko jednak skoncentrował się na błysku, który przed chwilą dostrzegł.

– Ktoś tam jest – odezwał się do Julie przyciszonym głosem.

– Gdzie? – zapytała.

Robie wskazał ręką, przypatrując się jej uważnie.

– Czy to możliwe, że masz przy sobie jakąś pluskwę, która zdradza twoje położenie? Naprawdę jestem dobry w gubieniu tropów, a oni za szybko wpadli na nasz ślad.

– Może są lepsi od ciebie.

– Miejmy nadzieję, że nie. No więc co z tą pluskwą? A komórka? Nie zauważyłem jej w twoich kieszeniach. Chyba masz telefon? GPS jest włączony?

– Nie mam komórki – odpowiedziała.

– Przecież wszystkie dzieciaki mają komórki.

– Jednak nie – odrzekła chłodno. – I nie jestem dzieckiem.

– Ile masz lat?

– A ty?

– Czterdzieści.

– Naprawdę jesteś stary.

– I tak się czuję, zapewniam. Więc ile?

Znów się zawahała.

– Mogę skłamać? – zapytała. – Tak jak z imieniem?

– Jasne. Ale jeśli powiesz, że masz więcej niż dwadzieścia, to chyba ci nie uwierzę.

– Czternaście.

– Okej.

Spojrzał w kierunku, z którego przyszli. Coś mu podpowiadało, żeby nie zawracać.

– Skąd wiesz, że tam ktoś jest? Zobaczyłeś coś? – zapytała.

– Odbicie. Takie samo jak twoje w oknie autobusu.

– To mógł być ktokolwiek.

– Odbicie światła w lunecie karabinu. To dość nietypowy znak.

– Aha.

Robie przyjrzał się murom po obu stronach ulicy. Potem zadarł głowę.

– Masz lęk wysokości?

– Nie – odparła, może trochę za szybko. Robie wskoczył do stojącego w alejce wielkiego kontenera na gruz z pobliskiej budowy i zaczął w nim grzebać. Znalazł w końcu kilka kawałków jakiejś liny i związał je. W kontenerze poniewierał się też kawał sklejki. Położył sklejkę na brzegu kontenera, tworząc w ten sposób podest, na którym mogli stanąć.

– Ściągnij mocno paski plecaka.

– Po co?

– Zrób, co ci mówię.

Przytroczyła sobie plecak i spojrzała na niego wyczekująco.

– Co teraz zrobimy?

– Będziemy się wspinać.

Robie podsadził ją na podeście ze sklejki, a chwilę później sam się wdrapał.

– I co teraz?

– Już mówiłem, będziemy się wspinać.

Julie spojrzała na ceglaną fasadę budynku.

– Potrafisz?

– Przekonamy się. Podejdź tu. Musisz mi stanąć na ramionach. – Wskazał palcem. – Chodzi nam o to.

To była drabina przeciwpożarowa, której koniec wisiał dość wysoko nad ulicą.

– Chyba nie sięgnę.

– Spróbujemy. Trzymaj nogi sztywno.

Uniósł ją, postawił sobie na ramionach i chwycił za kostki. Choć Julie maksymalnie wyciągała ramiona w górę, wciąż brakowało trzydziestu centymetrów. Postawił ją z powrotem na platformie.

Wziął znalezioną wcześniej w kontenerze linę i przerzucił ją przez ostatni szczebel drabiny. Na jednym końcu zrobił pętlę, przeciągnął przez nią drugi koniec i zacisnął. Chwilę później wspiął się po linie na drabinę.

– Nie jestem dobra we wspinaniu się po linie – wyznała z wahaniem Julie. – Oblałam wuef.

– Nie musisz się wspinać. Przywiąż linę do pasków swojego plecaka. Tylko porządnie.

Zrobiła, jak kazał.

– A teraz skrzyżuj ramiona i trzymaj je mocno przy ciele. W ten sposób plecak nie ześlizgnie ci się z pleców.

Wypełniła polecenie i Robie zaczął ją wciągać.

Kiedy już znalazła się obok niego, Robie wiedział, że mają problem. Odgłos kogoś nadbiegającego nie był dobrym sygnałem.

– Właź najwyżej, jak możesz – ponaglił Julie.

Dziewczyna zaczęła się wspinać po drabinie przeciwpożarowej, a Robie odwrócił się, żeby stawić czoło temu, co nieuchronne.

18

Mężczyzna skręcił w alejkę, zatrzymał się, spojrzał przez lunetę i ruszył naprzód. Dziesięć metrów dalej znów się zatrzymał, spojrzał w lewo, w prawo, przed siebie. Znów pobiegł, trzymał w rękach karabin. Jeszcze dwukrotnie powtórzył manewr z zatrzymywaniem się i rozglądaniem na boki. Był dobry, ale nie dość dobry, bo nie spojrzał w górę. A kiedy już spojrzał, zobaczył podeszwy butów Robiego.

Buty, rozmiar dwanaście, trafiły mężczyznę w twarz i posłały go brutalnie na asfalt. Robie zeskoczył na niego, przekoziołkował i stanął w pozycji atakującego. Kopnięciem odsunął karabin i spojrzał na leżącego. Nie wiedział, czy mężczyzna żyje. Na pewno był nieprzytomny. Obszukanie go zajęło mu kilka sekund.

Żadnych dokumentów.

Żadnego telefonu.

Żadnych niespodzianek.

Ale i żadnej oficjalnej odznaki.

W kieszeni znalazł jakieś urządzenie elektroniczne z migającą niebieską diodą. Rozgniótł je obcasem i wrzucił do kontenera. W okolicach kostki namacał rewolwer S&W kaliber .38. Schował go do kieszeni, odwrócił się i wskoczył na podest ze sklejki. Chwycił linę, podciągnął się, złapał najniższy szczebel drabiny, odwiązał i schował linę, po czym zaczął się wspinać po drabinie.

Julie, kiedy do niej dotarł, była już prawie u szczytu budynku.

– Czy on nie żyje? – zapytała, spoglądając w dół.

Musiała wszystko obserwować.

– Nie sprawdzałem. Chodźmy.

– Dokąd? Jesteśmy na szczycie.

Wskazał ręką dach. Brakowało do niego jeszcze trzech metrów.

– Jak? – zapytała. – Drabina tam nie sięga.

– Zaczekaj tutaj.

Znalazł uchwyt na palce w gzymsie i drugi w szczelinie między cegłami. Wspiął się. Chwilę później stał na dachu. Położył się na brzuchu, rozwinął linę i rzucił jeden koniec.

– Przywiąż ją do pasków plecaka, jak poprzednio, skrzyżuj ramiona i zamknij oczy.

– Nie puść mnie! – zawołała spanikowanym głosem.

– Już raz cię podciągnąłem. Ważysz tyle, co nic.

Po chwili siedziała obok niego na dachu.

Robie poprowadził ją po płaskim, wysypanym żwirem dachu na drugą stronę, wychylił się, zerknął w dół, a potem rozejrzał się. Po tej stronie była druga drabina przeciwpożarowa. Za pomocą liny opuścił Julie, potem zsunął się z dachu, przez chwilę zwisał na krawędzi i wreszcie zeskoczył. Kiedy już oboje znaleźli się na podeście u szczytu drabiny, wziął dziewczynę za rękę i zaczęli schodzić.

– Nie będziemy mieli takich samych problemów, jeśli tu też ktoś będzie? – wyraziła swoje wątpliwości Julie.

– Będziemy mieli, jak zejdziemy na sam dół.

Gdy dotarli do drugiego piętra, Robie zatrzymał się i zajrzał przez okno do środka. Nożem podważył zwykły haczyk i uniósł okienną ramę.

– Co, jeśli ktoś tu mieszka? – syknęła Julie.

– Wtedy grzecznie wyjdziemy – odparł Robie.

Mieszkanie było puste.

Przeszli przez nie cicho, a kiedy znaleźli się na korytarzu, pobiegli w stronę klatki schodowej. Minutę później byli na ulicy i zmierzali w kierunku przeciwnym do tego, z którego przyszli.

Robie w końcu zatrzymał się i powiedział:

– Śledzili cię. Musisz mieć przy sobie jakąś pluskwę.

– Skąd wiesz?

– Znalazłem przy tym facecie elektroniczny odbiornik. Rozwaliłem go, ale musimy zniszczyć źródło sygnału. Otwórz plecak.

Robie szybko przejrzał jego zawartość. Było w nim trochę czystych ubrań, kosmetyczka, aparat fotograficzny, kilka podręczników, iPod, mały laptop, notesy i długopisy. Zdjął tylną pokrywę iPoda i obejrzał dokładnie laptop, ale nie natrafił na nic takiego, co nie powinno się w nim znajdować. Długopisy też były czyste. Dokładnie sprawdził zawartość kosmetyczki i w niej również niczego nie znalazł. Zamknął plecak i oddał go dziewczynie.

– Nic.

– Może to ty masz przy sobie pluskwę – odezwała się Julie.

– To niemożliwe – odparł Robie.

– Jesteś pewny?

Miał już odpowiedzieć, że tak, ale się powstrzymał. Wyjął schowaną wcześniej miniaturową kamerę. Zdjął pokrywę, pod którą mrugała taka sama niebieska dioda, jaką dzisiaj już widział.

– Widzisz, to byłeś ty. Miałam rację! – wykrzyknęła tryumfalnie Julie.

Robie wrzucił kamerę i słuchawkę do kosza na śmieci.

– Tak, miałaś rację – przyznał.

Nie natrafili na żadną taksówkę. Prawdę mówiąc, Robie wcale nie życzył sobie taksówki. Wolał unikać towarzystwa kogokolwiek, kogo można potem przesłuchać, żeby się dowiedzieć, gdzie znajduje się jego azyl.

Robie włamał się do starego pikapa stojącego przed stacją benzynową i sprawnie uruchomił silnik. Siadł za kierownicą. Julie została na ulicy. Spojrzał na nią przez okno pasażera.

– Postanowiłaś iść dalej sama? – zapytał.

Nie odpowiedziała. Miętosiła w palcach paski plecaka. Robie sięgnął do kieszeni, wyjął z niej coś i dał jej.

To był gaz pieprzowy.

– W takim razie możesz go potrzebować.

Wzięła pojemnik, ale wsiadła do pikapa i starannie zamknęła drzwi.

Robie wrzucił bieg i ruszył powoli. Pisk opon w środku nocy mógłby zwrócić czyjąś uwagę, a tego ani nie chciał, ani nie potrzebował.

– Skąd ta zmiana decyzji? – zapytał.

– Źli ludzie nie oddają broni. – Zamilkła na chwilę. – Poza tym uratowałeś mi życie. Dwukrotnie.

– Zgadza się.

– Więc ktoś na mnie poluje. A kto poluje na ciebie? – zapytała.

– W przeciwieństwie do ciebie, ja wiem, kim są ci ludzie – powiedział. – Ale nie muszę ci tego mówić. I nie powiem. To mogłoby ci zaszkodzić w przyszłości.

– Nie jestem pewna, czy mam przed sobą jakąś przyszłość.

Usadowiła się wygodniej i zamilkła, patrząc przed siebie.

– Myślisz o kimś? – zapytał cicho Robie.

Julie przełknęła łzy.

– Nie. I nie pytaj mnie o to więcej, Will.

– Okej.

Robie przyspieszył.

Dzisiejsza noc była okropna, ale Robie miał przeczucie, że może być już tylko gorzej.

19

Robie zatrzymał się raz, przed sklepem całodobowym, gdzie kupił trochę rzeczy do jedzenia. Pół godziny później światła reflektorów wydobyły z ciemności budynek niewielkiej farmy. Robie zatrzymał samochód i spojrzał na Julie.

Miała zamknięte oczy. Zdawało się, że śpi, ale Robie nie mógłby przysiąc, że tak jest naprawdę po tym, jak w autobusie zobaczył ją broniącą się przed napastnikiem. Zrezygnował z potrząśnięcia ją za ramię, nie miał ochoty dostać gazem pieprzowym w twarz.

– Jesteśmy na miejscu – powiedział tylko.

Natychmiast uniosła powieki. Nie ziewnęła, nie przeciągnęła się, nie przetarła oczu, jak uczyniłaby większość ludzi.

Robie był pod wrażeniem. On sam tak właśnie się budził.

– Co to za miejsce? – zapytała, rozglądając się.

Do farmy dojechali szutrową drogą. Wzdłuż niej rosły zmieniające już kolor na jesień drzewa. Podjazd kończył się przed domkiem z białych desek. Pomalowane na czarno drzwi, dwa okna, niewielka weranda. Z tyłu wznosiła się wysoka stodoła.

– Bezpieczne – odpowiedział. – Przynajmniej w miarę bezpieczne w tej sytuacji.

Julie zauważyła stodołę.

– To jakaś farma czy coś w tym rodzaju?

– Coś w tym rodzaju. Dawno temu. Ale pola zarosły już drzewami.

To był bezpieczny dom Robiego. Jego pracodawca zapewnił jemu i ludziom mu podobnym kilka innych bezpiecznych domów, ten należał tylko do niego. Właścicielem była jakaś podstawiona firma. Nie sposób trafić na jego ślad.

– Gdzie jesteśmy?

– Na południowy zachód od Waszyngtonu, w Wirginii. Najwłaściwsze byłoby określenie „na zadupiu".

– To twoja własność?

Robie wrzucił bieg i ruszył w stronę stodoły. Zatrzymał się, wysiadł, otworzył wrota i wjechał pikapem do środka. Znów wysiadł, wziął torbę z zakupami i rzucił:

– Chodź.

Julie poszła za nim. W domu był zainstalowany alarm. Jego piszczenie umilkło, kiedy Robie wprowadził kod. Starał się zrobić to tak, żeby Julie nie widziała cyfr.

Zamknął drzwi od środka na zamek.

Julie rozglądała się po wnętrzu, wciąż ściskając w rękach plecak.

– Gdzie mam pójść?

Wskazał znajdujące się z boku sieni schody.

– Sypialnia na piętrze, drugie drzwi po prawej. Łazienka naprzeciwko. Jesteś głodna?

– Wolę się przespać.

– Okej. – Wskazał oczami schody, zachęcając ją do pójścia na górę. – Dobranoc.

– Dobranoc – odpowiedziała Julie.

– I nie opryskaj się przypadkiem gazem pieprzowym. On parzy skórę.

Spojrzała na swoją dłoń, w której trzymała pojemnik z gazem.

– Skąd wiesz?

– Widziałem, jak całą drogę celujesz we mnie. Ale nie mam do ciebie żalu. Idź się przespać.

Patrzył, jak ciężko wspina się po schodach. Usłyszał skrzypienie drzwi sypialni, a potem odgłos zamka.

Mądra dziewczyna.

Robie poszedł do kuchni, postawił torbę z zakupami i usiadł przy okrągłym stole naprzeciw zlewu. Położył na stole zabraną mężczyźnie w alejce trzydziestkęósemkę i sięgnął po telefon. Ten aparat nie posiadał GPS-u. Taka była polityka jego firmy, ponieważ GPS może działać w dwie strony. Ale w wypadku kamery dał się podejść.

Jak musieli podejrzewać, nie zastrzelił tamtej kobiety. Zamontowali mu w kamerze pluskwę, na wypadek gdyby próbował zwiać. Zastawili na niego sidła. Pięknie. Musiał teraz wyjaśnić, o co tu chodzi.

Wcisnął kilka guzików w telefonie i przejrzał zdjęcia zrobione w mieszkaniu zabitej kobiety.

Z prawa jazdy wynikało, że nazywała się Jane Wind i miała trzydzieści pięć lat. Patrzyła na niego, bez uśmiechu, z fotografii. Wiedział, że wkrótce będzie leżała na metalowym stole w prosektorium z twarzą nie tyle pozbawioną uśmiechu, ile zdeformowaną przez karabinowy pocisk. Przeprowadzą też sekcję zwłok jej dziecka. Biorąc pod uwagę siłę energii kinetycznej pocisku, chłopczyk już nie miał twarzy.

Robie przejrzał zdjęcia jej paszportu. Powiększył obraz, żeby odczytać nazwy punktów granicznych. Kilka krajów europejskich, w tym Niemcy. Nic nadzwyczajnego. Ale potem znalazł Irak, Afganistan i Kuwejt. A to nie było już takie zwyczajne.

W końcu obejrzał fotografię jej rządowej przepustki.

Biuro Inspektora Generalnego, Departament Obrony USA.

Robie wpatrywał się w ekran.

Mam przesrane. Mam totalnie przesrane.

Za pośrednictwem telefonu uzyskał dostęp do internetu i sprawdził serwisy informacyjne, szukając wiadomości na temat śmierci Wind i eksplozji w autobusie. O Wind nie było niczego. Może jej jeszcze nie znaleźli. Ale wybuch w autobusie zdążył już zaalarmować media. Na razie niewiele było szczegółów. Robie bez wątpienia wiedział więcej niż reporterzy próbujący na miejscu ustalić, co się stało. Według dotychczasowych doniesień władze nie wykluczały mechanicznej przyczyny eksplozji.

I tak pewnie zostanie, pomyślał Robie, o ile nie znajdą dowodów świadczących o innych przyczynach. Wysadzanie w powietrze starego autobusu z kilkudziesięcioma pasażerami w środku nie wydawało się głównym celem działania dżihadystów.

Jego oficer prowadzący nie próbował się z nim więcej skontaktować. Robie nie był tym zaskoczony. Raczej nie oczekiwali, że im odpowie. Tu na razie jest bezpieczny. A jutro? Kto wie? Spojrzał w kierunku schodów. Uciekał, ale nie sam. Gdyby był sam, mógłby mieć szansę. A tak?

Była z nim Julie. Czternastolatka, może. Która nie ufała ani jemu, ani nikomu innemu. Ona też przed kimś uciekała.

Robie czuł się zmęczony – i psychicznie, i fizycznie – i nie przychodziło mu do głowy nic, co mógłby teraz zrobić. Dlatego zrobił to, co wydawało się najrozsądniejsze. Poszedł na górę do sypialni znajdującej się naprzeciw sypialni Julie, zamknął starannie drzwi, położył sobie na piersi trzydziestkęósemkę i zamknął oczy.

Sen był teraz bardzo ważny. Robie nie wiedział, kiedy będzie miał następną okazję, żeby się przespać.

20

Okno otworzyło się i wzdłuż ściany domu zwisła lina z powiązanych razem prześcieradeł. Julie zamocowała jeden koniec liny do wezgłowia łóżka i pociągnęła, żeby sprawdzić, czy węzeł jest mocny. Wyślizgnęła się przez okno, zsunęła się po linie na ziemię i zniknęła w ciemnościach.

Nie wiedziała dokładnie, gdzie jest, ale obserwowała trasę, którą pokonywali samochodem, udając, że śpi. Wymyśliła sobie, że dotrze do głównej drogi, a potem natrafi pewnie na jakiś sklep czy stację benzynową, skąd będzie mogła przez telefon wezwać taksówkę. Sprawdziła, czy ma gotówkę i kartę kredytową. Była gotowa do drogi.

Ciemności jej nie przerażały. Czasem straszniej bywało w mieście za dnia. Mimo to poruszała się cicho, bo podobnie jak Will zdawała sobie sprawę, że ktoś mógł ich śledzić. Ułożyła sobie w głowie cały plan i uznała, że jest on najlepszy z możliwych w tych okolicznościach.

Wiedziała, że jej rodzice nie żyją. Najchętniej położyłaby się na ziemi, zwinęła w kłębek i wybuchła płaczem. Nigdy już nie zobaczy swojej matki. Nigdy nie usłyszy śmiechu ojca. Potem ich zabójca ścigał ją. Potem wysadził w powietrze tamten autobus.

Ale nie mogła zwinąć się w kłębek i płakać. Musiała uciekać. Jej śmierć była ostatnią rzeczą, jakiej chcieliby jej rodzice.

Musiała przeżyć. Dla nich. I zamierzała się dowiedzieć, dlaczego ktoś ich zabił. Nawet jeśli morderca też jest już martwy. Musiała poznać prawdę.

Droga była niedaleko. Przyspieszyła kroku.

Nie zdążyła zareagować.

To stało się tak szybko.

– Zamierzałem zrobić ci śniadanie – odezwał się głos.

Wydała z siebie stłumiony okrzyk strachu, obróciła się i ujrzała siedzącego na pniu drzewa i wpatrującego się w nią Robiego. Teraz Robie wstał.

– Czy powiedziałem coś niewłaściwego?

Spojrzała na dom. Był już tak daleko, że przez gałęzie drzew i krzaki ledwie przeświecał blask zapalonego światła w oknach.

– Zmieniłam zdanie – powiedziała. – Odchodzę.

– Dokąd?

– To moja sprawa.

– Jesteś pewna?

– Absolutnie.

– Okej. Potrzebujesz pieniędzy?

– Nie.

– A drugiego pojemnika z gazem?

– A masz?

Wyjął z kieszeni pojemnik i rzucił jej.

Julie złapała go w locie.

– Ten jest silniejszy od twojego – wyjaśnił Robie. – Ma domieszkę gazu paraliżującego. Możesz powalić napastnika na co najmniej pół godziny.

– Dzięki. – Wrzuciła pojemnik do plecaka.

Robie wskazał ręką w lewą stronę.

– Tędy jest skrót do drogi. Trzymaj się ścieżki. Jak dojdziesz do drogi, kieruj się lewo. Pół mili stąd będzie stacja benzynowa. Jest tam automat telefoniczny, może już ostatni w Ameryce.

Odwrócił się i ruszył w kierunku domu.

– Tylko tyle? Tak po prostu pozwalasz mi odejść?

Obejrzał się.

– Sama powiedziałaś, że to nie moja sprawa. Ty podjęłaś decyzję. Poza tym szczerze mówiąc, mam dość własnych problemów. Powodzenia.

Ruszył z powrotem.

Julie nie poruszyła się.

– Co zamierzałeś zrobić na śniadanie?

Zatrzymał się, ale nie spojrzał na nią.

– Jajka, bekon, owsiankę, tosty i kawę. Mam też herbatę. Podobno kawa hamuje rozwój dzieci. No ale sama mówiłaś, że nie jesteś już dzieckiem.

– Jajecznicę?

– Jeśli wolisz... Ale robię wyjątkowe jajka sadzone.

– Mogę sobie pójść później.

– Owszem, możesz.

– Taki mam plan.

– Okej.

– Nie czuj się urażony – powiedziała.

– Nie czuję się – odparł.

Poszli w stronę domu. Julie wlokła się metr za Robiem.

– Tak cicho wymknęłam się z domu. Skąd wiedziałeś?

– To mój zawód.

– A co robisz?

– Staram się przeżyć.

Ja też, pomyślała Julie.

21

Trzy godziny później Robie uniósł głowę znad poduszki. Wziął prysznic, ubrał się i ruszył w kierunku schodów. Z gościnnej sypialni dochodziło lekkie chrapanie. Zastanawiał się, czy nie zapukać, ale w końcu postanowił, że pozwoli jej się wyspać.

Zbiegł po schodach i wszedł do kuchni. Alarm był włączony. Nie zamierzał go wyłączać, póki tu będą. Prócz alarmu w domu wokół posesji były rozmieszczone czujniki. Jeden z nich zareagował podczas ucieczki Julie. Dlatego Robie zdążył pobiec na skróty przez las i spotkał ją przy drodze. Z jednej strony był zadowolony, że postanowiła wrócić. Z drugiej ta dodatkowa odpowiedzialność nie cieszyła go.

Przeważało jednak uczucie zadowolenia.

Czy to z poczucia winy, że pozwoliłem umrzeć dziecku na moich oczach? Czy ratując teraz Julie, próbuję odkupić własne winy?

Chwilę później usłyszał odgłos otwieranych drzwi i kroków w korytarzu na górze. Potem odgłos wody spuszczanej w toalecie i płynącej do umywalki. Trwało to dłuższą chwilę. Najwyraźniej zdecydowała się na mycie w umywalce zamiast pod prysznicem.

Kiedy dwadzieścia minut później pojawiła się na dole, przygotowania do śniadania były już zaawansowane.

– Kawa czy herbata? – zapytał.

– Kawa, czarna – odpowiedziała.

– Jest tam, nalej sobie. Filiżanki są w szafce obok lodówki, na górnej półce.

Sprawdził owsiankę i otworzył karton z jajkami.

– Sadzone, na twardo czy jajecznica?

– Kto dzisiaj gotuje jajka na twardo?

– Ja?

– Jajecznica.

Wbił jajka na patelnię i zerknął na ekran stojącego na lodówce małego telewizora.

– Pooglądaj sobie – zawołał.

Julie założyła wilgotne włosy za uszy i popijając kawę, patrzyła na ekran. Była przebrana w czyste ubranie. Na zewnątrz jeszcze się nie rozwidniło. Ale w świetle kuchennej lampy wyglądała jeszcze młodziej i mizerniej niż w nocy.

Ale przynajmniej nie trzymała już w ręku pojemnika z gazem. Obiema dłońmi obejmowała kubek z kawą. Miała nareszcie czystą twarz, jednak Robie dostrzegł, że oczy ma zaczerwienione i podpuchnięte. Musiała płakać.

– Masz papierosa? – zapytała, uciekając wzrokiem przed jego badawczym spojrzeniem.

– Jesteś za młoda – odparł.

– Za młoda na co? Żeby umrzeć?

– Dostrzegam ironię, ale nie mam papierosów.

– Paliłeś kiedyś?

– Tak. Dlaczego pytasz?

– Bo wyglądasz na takiego.

– Na jakiego?

– Na takiego, co robi wszystko po swojemu.

Głos w telewizorze był wyciszony, ale scena ukazana na ekranie mówiła sama za siebie. Wciąż jeszcze dymiący, wypalony metalowy szkielet autobusu. Wszystko, co było łatwopalne, zniknęło: fotele, opony, ciała.

Oboje z Robiem wpatrywali się w ekran.

Robie zdawał sobie sprawę, że autobus jadący aż do Nowego Jorku musiał mieć zbiornik zatankowany do pełna. Dlatego zapłonął jak pochodnia. To było piekło. Pozostało trzydzieści kilka zwęglonych ciał. A przynajmniej ich szczątków.

Prawdziwe krematorium.

Lekarz sądowy będzie miał pełne ręce roboty.

– Możesz zrobić głośniej? – poprosiła Julie.

Robie sięgnął po pilota i nieco pogłośnił.

Prezenter, ponury mężczyzna, stał przed kamerą i relacjonował:

– Autobus dopiero co ruszył w trasę do Nowego Jorku. Wybuch nastąpił około pierwszej trzydzieści w nocy. Nikt nie ocalał. FBI nie wyklucza zamachu terrorystycznego, chociaż nie jest jasne, dlaczego celem ataku miałby stać się właśnie ten autobus.

– A twoim zdaniem jak to się stało? – zapytała Julie.

Robie spojrzał na nią.

– Najpierw zjedzmy.

Następne piętnaście minut spędzili, gryząc, przełykając i popijając.

– Dobra jajecznica – stwierdziła Julie. Odsunęła talerz, dolała sobie kawy i usiadła z powrotem. Spojrzała na jego prawie pusty talerz, a potem na niego.

– Możemy teraz o tym porozmawiać?

Robie skrzyżował na swoim talerzu widelec i nóż i usiadł wygodnie.

– Ładunek mógł odpalić facet, który cię zaatakował.

– Jak jakiś zamachowiec-samobójca?

– Być może.

– Nie zauważyłbyś, że ma na sobie bombę?

– Pewnie bym zauważył. Większość bomb jest całkiem spora. Połączone ze sobą laski dynamitu, przewody, baterie, włączniki i zapalnik. Ale ja go związałem, więc nie mógłby sam niczego odpalić.

– Czyli to nie mógł być on.

– Niekoniecznie. Nie potrzeba dużego ładunku, żeby wysadzić w powietrze autobus. Trochę C-4 albo semteksu, a resztą zajmie się pełny zbiornik paliwa. Opary benzyny w zbiorniku wybuchają, a płynna benzyna podtrzymuje ogień. Ładunek mógł zostać odpalony zdalnie. W tym wypadku musiałby być odpalony zdalnie, bo facet był związany. Połowa zamachowców samobójców na Bliskim Wschodzie nie odpala sama ładunków. Wysyła się ich po prostu z bombą, którą z bezpiecznej odległości detonuje pomocnik.

– Taki pomocnik ma łatwą robotę.

Robie pomyślał o własnym pomocniku, który z bezpiecznej odległości kazał mu zabijać.

– Chyba powinienem przyznać ci rację.

– A jeśli to nie ten facet był źródłem wybuchu?

– W takim razie coś musiało trafić w autobus.

– Co na przykład?

– Pocisk zapalający w zbiornik paliwa to jedna z możliwości. Opary benzyny zapalają się i bum! Resztę robi ogień podsycany benzyną.

– Słyszałeś strzał? Bo ja nie.

– Nie, ale mógł paść niemal w tej samej chwili co eksplozja i dlatego go nie słyszeliśmy.

– Dlaczego mieliby wysadzać w powietrze autobus?

– A jak ten facet znalazł cię w autobusie?

– Przyszedł w ostatniej chwili – powiedziała to analitycznym, poważnym tonem, patrząc mu w oczy.

Robiemu spodobał się ten ton. Sam tak często mówił.

– W takim razie albo dostał zlecenie w ostatniej chwili i nadrabiał zaległości, albo, co bardziej prawdopodobne, zgubili cię, a potem znów odnaleźli. – Zrobił przerwę. – Jak sądzisz, która wersja jest bardziej prawdopodobna?

– Nie mam pojęcia.

– Na pewno coś ci przychodzi do głowy. Choćby jakieś przypuszczenie.

– A ten facet z karabinem w alejce?

– Tamten szedł za mną.

– Tak, to wiem. Miałeś przy sobie pluskwę. Ale dlaczego na ciebie polował?

– O tym nie mogę mówić. Już uprzedzałem.

– W takim razie moja odpowiedź brzmi tak samo – odpaliła Julie. – I co teraz?

– Mogę cię podwieźć na stację benzynową. Stamtąd wezwiesz taksówkę. Wsiądziesz do innego autobusu do Nowego Jorku. A może lepiej do pociągu?

– Na biletach kolejowych jest nazwisko.

– Na twoim będzie Julie.

– A na twoim byłby Will. Ale to chyba nie wystarczy, prawda?

– Nie, nie wystarczy.

Siedzieli, wpatrując się siebie.

– Gdzie są twoi rodzice? – zapytał Robie.

– A kto powiedział, że mam rodziców?

– Każdy ma. Nie da się inaczej.

– Miałam na myśli rodziców, którzy żyją.

– Więc twoi nie żyją?

Uciekła spojrzeniem i zaczęła nerwowo obracać w palcach kubek.

– Chyba się nie dogadamy.

– Idziemy na policję?

– A twoja sytuacja ci na to pozwala?

– Miałem na myśli ciebie.

– Nie, raczej nie.

– Jeśli mi powiesz, co się dzieje, może będę w stanie ci pomóc.

– Już mi pomogłeś, doceniam to. Ale szczerze mówiąc, nie wiem, czy możesz jeszcze coś dla mnie zrobić.

– Dlaczego jechałaś do Nowego Jorku?

– Bo jest daleko stąd. A dlaczego ty jechałeś?

– Tak mi pasowało.

– A mnie nie.

– Więc musiałaś jechać. Dlaczego?

– Chciałbyś wiedzieć.

– Jesteś małoletnim szpiegiem czy co?

Zerknął na telewizor i kątem oka coś dostrzegł. Dwa przykryte prześcieradłami ciała wywożone na wózkach z jakiegoś budynku mieszkalnego. Jedno duże, drugie bardzo małe.

Przed kamerą stała teraz inna reporterka i rozmawiała z rzeczniczką waszyngtońskiej policji metropolitalnej.

Rzeczniczka mówiła:

– Ofiary, matka i jej syn, zostały zidentyfikowane, ale ich nazwiska nie zostaną ujawnione przed powiadomieniem najbliższej rodziny. Śledztwo jest prowadzone w kilku kierunkach. Prosimy wszystkich, którzy coś widzieli, o kontakt z nami.

– Doszła nas wieść, że śledztwo przejęło FBI – zauważyła reporterka.

– Zabita kobieta była pracownikiem federalnym. Zaangażowanie Biura w takich sytuacjach to standardowa procedura.

Nie, wcale nie, pomyślał Robie. Wpatrywał się w ekran, niecierpliwie oczekując na więcej informacji. Miał wrażenie, że minął już rok od chwili, kiedy uciekł z budynku otoczonego teraz przez policję i służby federalne.

– Czy było tam jeszcze drugie dziecko? – zapytała reporterka.

– Tak. Jest całe i zdrowe.

– Czy to drugie dziecko zostało znalezione w tym samym mieszkaniu?

– Nie mam nic więcej do powiedzenia na tę chwilę. Dziękuję.

Robie odwrócił się i zauważył, że Julie mu się przygląda. Jej wzrok przenikał go na wskroś, pokonując wszystkie tamy i zapory, którymi się próbował otoczyć.

– To byłeś ty?

Nie odpowiedział.

– Matka i dziecko, tak? I co? Pomagasz mi, żeby pozbyć się wyrzutów sumienia?

– Zjesz coś jeszcze?

– Nie. Chcę tylko się stąd wynieść.

– Mogę cię podrzucić.

– Nie, wolę się przejść.

Poszła do swojego pokoju i po minucie wróciła z plecakiem.

Kiedy już wyłączył alarm i otworzył frontowe drzwi, oznajmił:

– Nie zabiłem tych ludzi.

– Nie wierzę ci – odpowiedziała po prostu. – Ale dziękuję ci, że mnie nie zabiłeś. Mam dość problemów na głowie.

Patrzył, jak szybkim krokiem oddala się żwirową drogą od domu.

Wrócił do środka po płaszcz.

22

Robie założył kask, zdjął skórzaną plandekę ze swojej hondy, uruchomił silnik i wyjechał ze stodoły. Zatrzymał się, zamknął wrota i ponownie usiadł na siodełku srebrno-niebieskiej maszyny o pojemności silnika 600 centymetrów sześciennych.

Dotarł do głównej drogi akurat w chwili, kiedy Julie siadała na przednim siedzeniu wielkiego jak lotniskowiec antycznego mercury'ego, kierowanego przez kobietę, której głowa ledwie wystawała znad kierownicy.

Robie zwolnił i ruszył za mercurym, utrzymując dystans mniej więcej pięćdziesięciu metrów. Nie był zdziwiony, kiedy krążownik szos zajechał na stację benzynową, o której wspominał Julie. Minął stację, skręcił w boczną drogę i zawrócił. Zatrzymał się i obserwował. Przez dziurę w żywopłocie widział, jak Julie wysiada z samochodu i podchodzi do budki telefonicznej. Wcisnęła trzy klawisze.

Pewnie 411, miejscowa informacja, domyślił się.

Wrzuciła do automatu kilka monet i wybrała inny numer.

Korporacja taksówkowa.

Mówiła chwilę do słuchawki, odwiesiła ją, weszła do budynku stacji, wzięła klucz do łazienki i poszła za róg. Będzie musiała poczekać na taksówkę, a Robie wraz z nią.

Zadzwonił jego telefon. Spojrzał na wyświetlacz i zaczerpnął głęboko powietrza.

To był numer nazywany „niebieskim". Należał do najwyższych władz jego agencji. Robie nigdy wcześniej nie odbierał takiego telefonu. Pamiętał natomiast numer. Powinien odebrać. Ale to nie znaczyło, że musi być od razu chętny do współpracy.

Wcisnął klawisz i powiedział:

– Nie możecie namierzyć tego telefonu. Dobrze o tym wiecie.

– Musimy się spotkać – odpowiedział mężczyzna po drugiej stronie.

To nie był jego prowadzący. Robie wiedział, że to nie będzie on. Rozmowy z „niebieskiego" numeru nie pochodziły od agentów pracujących w terenie.

– Dziś wieczorem mam spotkanie. Kolejnego mogę nie przeżyć.

– Nie zostaną wobec ciebie wyciągnięte żadne konsekwencje.

Robie nie odpowiedział. Niech milczenie uzmysłowi rozmówcy absurdalność tego stwierdzenia.

– Twój oficer prowadzący się pomylił.

– Dobrze wiedzieć. Wciąż nie skończyłem roboty.

– Rozpoznanie było błędne.

To też Robie przemilczał. Zaczął się domyślać, w jakim kierunku zmierza ta rozmowa, i nie zamierzał ułatwiać rozmówcy zadania.

– Rozpoznanie było błędne – powtórzył mężczyzna. – To, co się wydarzyło, jest godne pożałowania.

– Godne pożałowania? Ta kobieta została skazana na śmierć. Poza tym była amerykańską obywatelką.

Tym razem milczał mężczyzna po drugiej stronie słuchawki.

– Pracowała w biurze Inspektora Generalnego – dodał Robie. – A mnie powiedziano, że była członkiem komórki terrorystycznej.

– To, co panu powiedziano, nie ma znaczenia. Pan ma wykonywać rozkazy.

– Nawet jeśli są błędne?

– Jeśli są błędne, to nie pański problem, tylko mój.

– A kim pan, do diabła, jest?

– Wie pan, że dzwonię z niebieskiego numeru. To wyższy szczebel niż pański prowadzący. Znacznie wyższy. Póki się nie spotkamy, musi to panu wystarczyć.

Robie widział, jak Julie wraca z toalety i wchodzi do budynku stacji, żeby oddać klucz.

– Dlaczego znalazła się na celowniku?

– Niech pan posłucha, Robie. Decyzja dotycząca pańskiej osoby może zostać zmieniona. Czy tego pan chce?

– Wątpię, żeby kogoś obchodziło, czego chcę.

– Owszem, obchodzi. Nie chcemy pana stracić. Uważamy pana za nasz cenny nabytek.

– Dziękuję. Gdzie jest mój oficer prowadzący?

– Otrzymał inne zadanie.

– Chce pan powiedzieć, że on też nie żyje?

– My się nie bawimy w takie rzeczy, Robie. Dobrze pan o tym wie.

– Prawdę mówiąc, nie wiem nic.

– Wszystko jest takie, jakim było.

– Niech pan to sobie powtarza. Może w końcu pan w to uwierzy.

– Mamy problemy z dowodzeniem, Robie. Musimy nad tym wspólnie popracować.

– Chyba nie mam już ochoty na współpracę z wami.

– Musi pan na chwilę o tym zapomnieć. To imperatyw.

– Skoro już o tym mowa, posłał pan wczoraj kogoś, żeby mnie zabił? Faceta z karabinem w alejce? Tego, który ma na twarzy odcisk mojego buta? Może nawet jeszcze tam leży nieprzytomny.

– To nikt od nas. Mogę przysiąc. Niech pan poda dokładną lokalizację, a ja to sprawdzę.

Robie mu nie wierzył, ale to nie miało większego znaczenia. Powiedział, gdzie to było.

– Czego pan ode mnie oczekuje? Że będę nadal wypełniał misje? Nie jestem w nastroju. Następnym razem każecie mi zabić skauta.

– W sprawie śmierci Jane Wind jest prowadzone śledztwo.

– Oczywiście, nie wątpię.

– Pod nadzorem FBI.

– W to też nie wątpię.

– Chcemy, żeby pan reprezentował naszą agencję w kontaktach z Biurem.

Robie mógł się spodziewać różnych scenariuszy, ale nie takiego.

– Chyba nie mówi pan poważnie.

Cisza.

– Nie mam zamiaru się do tego mieszać.

– Jest pan nam potrzebny w charakterze łącznika. I chcemy, żeby pan to rozegrał tak, jak panu powiemy. To podstawa.

– Po pierwsze, dlaczego potrzebujemy w tej sprawie łącznika?

– Ponieważ Jane Wind pracowała dla nas.

23

Miejsce i czas spotkania zostały ustalone i Robie powoli odłożył telefon. Przez dziurę w żywopłocie zobaczył wjeżdżającą na stację benzynową taksówkę. Julie wyszła z budynku stacji z paczką papierosów i butelką soku.

Musi mieć dokument potwierdzający, że skończyła osiemnaście lat.

Wsiadła do taksówki, która natychmiast odjechała.

Robie uruchomił silnik i ruszył za nią, trzymając się pięćdziesiąt metrów z tyłu.

Nie martwił się, że straci ją z oczu. W jajecznicy podał jej miniaturowy bioprzekaźnik, który powinien działać przez dwadzieścia cztery godziny, a potem zostanie wydalony z organizmu. Monitor śledzący miał na pasku na nadgarstku. Spojrzał na niego i jeszcze bardziej zwiększył dystans. Nie było sensu zdradzać Julie tego, że ciągnie za sobą ogon, skoro nic nie ryzykował. Dziewczyna już wcześniej dowiodła, że posiada niezwykły zmysł obserwacyjny. Może i była młoda, ale nie należało jej lekceważyć.

Taksówka wjechała na Międzystanową 66 i skierowała się na wschód, w stronę Waszyngtonu.

O tej porze na drodze panował duży ruch. Dotarcie rano do Waszyngtonu od zachodu zawsze było koszmarem. O poranku słońce świeciło w oczy, kiedy się jechało do miasta, wieczorem też świeciło, kiedy się wracało wraz z tysiącami innych wkurzonych kierowców.

Motor pozwalał Robiemu łatwiej się poruszać, dzięki czemu nie tracił taksówki z oczu. Przejechali Roosevelt Bridge i skręcili w prawo, dojeżdżając do Independence Avenue. Szybko minęli pomnikowo-turystyczną część Waszyngtonu i znaleźli się w mniej uroczej części stolicy.

Taksówka zatrzymała się przy skrzyżowaniu, gdzie stały całe rzędy starych domków. Julie wysiadła, ale chyba musiała powiedzieć taksówkarzowi, żeby zaczekał. Ruszyła pieszo ulicą, a taksówka jechała za nią powoli. Zatrzymała się przed jednym z budynków, wyjęła z plecaka aparat fotograficzny i zrobiła kilka zdjęć domku i najbliższej okolicy. Następnie wsiadła do taksówki i odjechała.

Robie zapamiętał adres i ruszył w ślad za taksówką.

Mniej więcej po dziesięciu minutach zorientował się, dokąd jadą, choć nie mógł w to uwierzyć. A przecież rozumiał postępowanie dziewczyny.

Jechali do miejsca, gdzie nastąpiła eksplozja autobusu.

Taksówkarz musiał wysadzić Julie kilka przecznic wcześniej, ponieważ na drodze stały policyjne blokady. Robie rozejrzał się. Wszędzie roiło się od policjantów i agentów federalnych. Robie wyobraził sobie, ile tabletek na wrzody żołądka musieli połknąć w ostatnich godzinach federalni w całym mieście.

Zatrzymał się, zdjął kask i ruszył w ślad za dziewczyną piechotą. Wyprzedzała go o całą przecznicę. Ani razu się nie obejrzała za siebie. To było podejrzane, ale śledził ją dalej. Ona skręciła, on też. Skręciła jeszcze raz, on za nią. Znaleźli się na ulicy, na której nastąpiła eksplozja. Kawałek dalej ulica była zamknięta także dla pieszych. Policja nie chciała, żeby ludzie zadeptywali jej dowody. Robie zobaczył, co pozostało z autobusu, mimo że policjanci zaczęli już usuwać większe metalowe części, zasłoniwszy je wcześniej przed widokiem gapiów parawanami.

Spojrzał na miejsce, gdzie upadł przewrócony podmuchem eksplozji. Wciąż nie miał pojęcia, co się stało z jego pistoletem. Nie dawało mu to spokoju. Zadarł głowę i przyjrzał się narożnikom budynków. Czy były tam kamery monitoringu? Może na słupie sygnalizacji świetlnej? Szukał bankomatów z wbudowanymi kamerami. Po drugiej stronie ulicy był bank. Kamera banku nie mogła zarejestrować tego, jak Robie z Julie wysiadają z autobusu, ponieważ była zamontowana po niewłaściwej stronie ulicy. Jak dotąd nikt nie wiedział, że są jedynymi osobami ocalałymi po wybuchu.

Zwrócił uwagę na kobietę przed czterdziestką w kurtce i czapce z napisem „FBI". Była szczupła, miała ciemne włosy i ładną twarz, metr sześćdziesiąt osiem wzrostu, wąskie biodra i szerokie ramiona. Prócz kurtki i czapki miała na sobie czarne spodnie, służbowe buty na płaskim obcasie i lateksowe rękawiczki. Przy pasie odznakę i broń.

Robie zauważył, że podchodzą do niej zarówno agenci specjalni, jak i mundurowi policjanci. Zwracali się do niej z szacunkiem. Niewykluczone, że to agentka specjalna kierująca prowadzonym tu dochodzeniem. Cofnął się do ciemnej bramy i obserwował dalej, najpierw agentkę, potem Julie. W końcu Julie odwróciła się na pięcie i zaczęła oddalać się od miejsca wypadku. Robie odczekał chwilę i ruszył za nią.

24

Julie dotarła do taniego hotelu wciśniętego między dwa opuszczone budynki i weszła do środka.

Robie podszedł bliżej i zajrzał przez okno. Julie zameldowała się, używając karty kredytowej. Robie był ciekaw, czyje nazwisko widnieje na karcie. Jeżeli jej, to wysłała właśnie wyraźny sygnał do systemu, który powie śledzącym ją ludziom, gdzie się znajduje.

Chwilę później weszła do windy. Robie stracił ją z oczu, ale nie przestał się interesować jej losem. Wszedł do hotelu i zbliżył się do recepcji. Mężczyzna za kontuarem był stary, wyglądał tak, jakby wylewał asfalt na ulicach, a nie pracował jako recepcjonista.

– Właśnie zameldowała się tutaj moja córka – odezwał się Robie. – Podrzuciłem ją do miasta, bo rozpoczyna staż na Kapitolu. Chciałem, żeby skorzystała ze swojej karty American Express, ponieważ karta, którą jej dałem, jest uszkodzona, ale ona zapomniała tamtą zabrać z domu. Próbowałem się do niej dodzwonić, ale chyba wyłączyła telefon.

Starszy pan miał obrażoną minę.

– Właśnie przyszła. Może pan ją sam spytać.

– A w którym pokoju mieszka?

– Nie wolno mi podawać takich informacji. – Staruszek uśmiechnął się.

Robie wyglądał na odpowiednio poirytowanego, jak przystało na ojca w tej sytuacji.

– Przepraszam, czy może mi pan pomóc? Tylko tego mi potrzeba, żeby jakiś haker ukradł mi wszystkie pieniądze, bo moja córka skorzysta z niewłaściwej karty.

Mężczyzna utkwił wzrok w leżącej przed nim książce meldunkowej.

– Wymaga pan ode mnie bardzo dużo...

Robie westchnął ciężko i wyjął portfel. A z niego dwadzieścia dolarów.

– Czy to zrekompensuje pański trud?

– Nie, ale dwa takie banknoty zrekompensowałyby go w zupełności.

Robie wyjął drugą dwudziestkę. Staruszek wyrwał mu pieniądze z ręki.

– Okej. To była karta Visa. Na nazwisko Gerald Dixon.

– Wiem. Gerald Dixon to ja. Ale mam dwie karty Visa. Mogę zobaczyć jej numer?

– Za kolejną dwudziestkę.

Po ponownym wyrażeniu swojej głębokiej irytacji Robie spełnił żądanie staruszka. Spojrzał na kartę i zapamiętał jej numer. Gerald Dixon był już jego.

– Świetnie – powiedział głośno. – To jest ta uszkodzona karta.

– Już ją przeciągnąłem przez terminal, kolego. Nic nie mogę zrobić – dodał radośnie staruszek.

– W każdym razie dziękuję – powiedział Robie.

Odwrócił się na pięcie i wyszedł. Mógł sprawdzić, kim jest Gerald Dixon. Ale musiał przyjąć, że Julie jest w tej chwili bezpieczna. Teraz czekało go inne zadanie.

Wrócił do swojego domu. Nim wszedł do budynku, sprawdził okolicę z przodu i z tyłu. Wybrał schody zamiast windy. Na klatce nie spotkał nikogo. O tej porze wszyscy byli w pracy. Otworzył drzwi mieszkania i wetknął głowę do środka. Wnętrze wyglądało tak, jak je zostawił.

Pięć minut zajęło mu upewnienie się, że mieszkanie jest puste. Zastawił kilka pułapek, które miały go zaalarmować, gdyby ktoś się włamał i przeszukał wszystkie kąty. Jedna z nich to skrawek papieru w prowadnicy przesuwanych drzwi, który uległby uszkodzeniu przy otwieraniu szafy. Wszystkie pułapki były nienaruszone.

Przebrał się w spodnie, sportową kurtkę i białą koszulę i otworzył sejf ukryty w ścianie za półką, na której stał telewizor. Trzymał tu swoje dokumenty. Nie używał ich już od dawna. Włożył je do kieszeni kurtki i wyszedł z mieszkania.

Na żądanie Robiego spotkanie miało się odbyć w miejscu publicznym.

Hotel Hay-Adams znajdował się po przeciwnej stronie ulicy do Lafayette Park, który z kolei odgradzała od Białego Domu Pennsylvania Avenue. Najpilniej strzeżony teren na świecie. Robie przypuszczał, że nawet jego agencja miałaby problem z zabiciem go tutaj.

Miejscem spotkania był Jefferson Room, rozległa sala restauracyjna, do której prowadziło kilka stopni schodów z hotelowego holu. Robie pojawił się wcześniej, żeby przekonać się, kto przyjdzie na spotkanie.

Czekał w holu. Minutę przed umówioną godziną do restauracji wszedł jakiś mężczyzna po sześćdziesiątce. W skromnym garniturze, czerwonym krawacie, starannie wypolerowanych butach. W jego sposobie bycia było coś, co zdradzało długoletniego pracownika służby publicznej, który zdobył więcej władzy niż bogactw. Wraz z nim przyszło dwóch wysokich młodych mężczyzn.

Napakowanych. Wypukłości na piersi wskazywały, że noszą broń. Słuchawki w uszach i kabelki oznaczały, że mają łączność. Wprowadzili tamtego do restauracji, ale nie usiedli przy stoliku. Zajęli pozycje w pobliżu i uważnie rozglądali się po sali w poszukiwaniu zagrożenia. Nie pozwolili też usiąść pod oknem ochranianemu przez nich mężczyźnie.

Jeden z ochroniarzy wyjął jakieś płaskie urządzenie, położył je na stojącym w narożniku pianinie i włączył. Urządzenie emitowało szum.

Emiter białego szumu z zagłuszarką. Robie znał to urządzenie, ponieważ wykorzystywał je w swojej pracy. Jeśli jest tu jakiś podsłuch, nagranie będzie nieczytelne.

W tej samej chwili do sali wszedł Robie. Pokazał się w drzwiach, ale nie podchodził, dopóki starszy mężczyzna nie zauważył go i nie skinął głową, co było dla ochroniarzy potwierdzeniem, że Robie jest osobą, z którą miał się spotkać.

Mimo pory lunchu sala świeciła pustkami. Robie wiedział, że to nie przypadek. Obsługi nie było. Restauracja była po prostu zamknięta. Robie, jeśli zgłodnieje, będzie musiał zjeść coś później. Wątpił, czy program spotkania przewidywał posiłek.

Usiadł ukosem do mężczyzny, tak jak on, plecami do ściany.

– Cieszę się, że doszło do tego spotkania – odezwał się tamten.

– Pan się jakoś nazywa?

– Niech będzie Blue Man.

– Poproszę jakiś dokument, panie Blue, tak dla potwierdzenia.

Mężczyzna sięgnął do kieszeni i pokazał Robiemu odznakę: zdjęcie, zajmowane stanowisko, ale nie nazwisko.

Facet stał wysoko w hierarchii agencji. Dużo wyżej, niż Robie mógł się spodziewać.

– Okej, porozmawiajmy. Jane Wind? Powiedział pan, że była jedną z naszych. Sprawdziłem jej dokumenty. Pracowała w DCIS. W Agencji Śledczej Departamentu Obrony.

– Widział pan też jej paszport?

– Wyjazdy na Bliski Wschód, do Niemiec. Ale DCIS we wszystkich tych miejscach ma swoje biura.

– Dlatego przykrywka była tak dobra.

– Była prawnikiem?

– Tak. A nawet dużo więcej.

– Co właściwie dla pana robiła?

– Dobrze pan wie, że trzeba mieć uprawnienia, żeby to wiedzieć.

– Po co w takim razie zaprosił mnie pan na to spotkanie?

– Powiedziałem, że trzeba mieć uprawnienia. Właśnie je panu nadaję.

– Okej.

– Ale najpierw muszę się dokładnie dowiedzieć, co się wydarzyło poprzedniej nocy.

Robie opowiedział mu. Uznał, że ukrywanie w tej sytuacji czegokolwiek byłoby głupotą. Nie wspomniał tylko o Julie i eksplozji w autobusie. Dla niego była to zupełnie osobna kwestia.

Blue Man oparł się wygodniej i myślał o tym, co usłyszał. Milczał. Robie też nie przerywał ciszy. Przypuszczał, że Blue Man ma mu więcej do powiedzenia niż on jemu.

– Agentka Wind od lat pracowała w terenie. Jak już mówiłem, była dobrą agentką. Po urodzeniu dzieci została przeniesiona do biura Inspektora Generalnego Departamentu Obrony, ale nadal ściśle współpracowała z DCIS na wszystkich etapach śledztwa. I oczywiście nadal pracowała dla nas.

– Jak w takim razie trafiła na listę śmierci, na której nie powinna się znaleźć? – zapytał Robie. – I jak coś takiego w ogóle było możliwe? Wiem, że jesteśmy tajną agencją, ale jesteśmy też częścią organizacji, która ma swój system kontroli i budżet.

– Nieuczciwi spekulanci marnują rocznie miliardy dolarów publicznych pieniędzy. A tamte organizacje są większe i lepiej dotowane niż my. A mimo to zdarzają się takie rzeczy. Jeśli jakaś osoba, a raczej grupka ludzi, jest dostatecznie mocno zdeterminowana, potrafi dokonać niemożliwego.

– Tamtego wieczoru widziałem ją, jak wchodzi do budynku. Nie było z nią dzieci.

– Widocznie skorzystała z usług opiekunki, która mieszka w tym samym budynku. Opiekunka przyprowadziła dzieci od siebie, kiedy Wind wróciła.

– Okej. Na co Wind się natknęła, że musiała umrzeć?

Blue Man sprawiał wrażenie zaciekawionego.

– Skąd pan wie, że na coś się natknęła?

– Mieszkała z dwojgiem dzieci w lichym mieszkanku. Na stoliku w pokoju dziennym leżała sterta dokumentów. Tajnych dokumentów nie zabiera się do domu i nie kładzie ich byle gdzie. A więc nie zajmowała się niczym tajnym. Z wpisów w paszporcie wynika, że ostatni raz wyjechała poza granice USA dwa lata temu. Nie pracowała w terenie, przynajmniej ostatnio, jak pan mówi. Jej młodsze dziecko nie ma nawet roku. Pewnie dlatego została odsunięta od pracy w terenie. Ale pracowała, czymś się zajmowała, prawdopodobnie czymś rutynowym. I coś odkryła. Dlatego stała się celem. Wątpię, żeby to miało bezpośredni związek z jej pracą.

Blue Man słuchał, kiwając z aprobatą głową.

– Dobra analiza, panie Robie. Jestem pod wrażeniem.

– A ja mam mnóstwo pytań. Wie pan, na co się natknęła?

– Nie. Nie wiemy. Ale podobnie jak pan uważamy, że nie miało to związku z jej oficjalnymi obowiązkami.

– Dlaczego chce pan, żebym został łącznikiem z Biurem? To ogromnie ryzykowne, szczególnie jeśli odkryją, czym się zajmowałem przez ostatnie dwanaście lat.

– Nie odkryją.

– Sam pan powiedział, że jedna osoba albo grupka osób, jeśli jest dostatecznie zdeterminowana, może dokonać rzeczy niemożliwych.

– Niech pan opowie o swoich przypuszczeniach.

– Ktoś się dowiedział, co Wind odkryła, i ją sypnął. Mamy u siebie kreta, jak dowiodły działania mojego oficera prowadzącego i innych. Nie byli pewni, czy pociągnę za spust, i dlatego mieli kogoś w odwodzie. Nie mieli za to skrupułów przed zabiciem dziecka i matki. Powiedział pan, że mój prowadzący otrzymał inne zadanie. To kłamstwo. Nie chcę, żeby mnie pan okłamywał.

– Skąd pewność, że pana okłamałem?

– On kazał mi zastrzelić Wind. Pan mówił, że to nie było autoryzowane. W takim razie ten facet to zdrajca. A pan nie daje kolejnych zadań zdrajcom. Gdyby go pan trzymał w areszcie, nie musiałbym opowiadać panu, co się wydarzyło. To oznacza, że oficer prowadzący zniknął. Razem z osobą, z którą współpracował. O ilu jego wspólnikach mówimy?

Blue Man westchnął.

– Podejrzewamy, że zamieszane były co najmniej trzy osoby, może więcej.

Robie patrzył na niego bez słowa.

Blue Man opuścił wzrok i zaczął gładzić posrebrzaną łyżeczką biały lniany obrus.

– Niedobrze, że do tego doszło.

– To oględnie powiedziane. Czego pan właściwie ode mnie oczekuje?

– Musimy mieć oko na to śledztwo, tylko dyskretnie. Oficjalnie będzie pan agentem specjalnym DCIS, ale faktycznie będzie pan podlegał mnie. Stworzymy panu legendę i otrzyma pan wszelkie niezbędne dokumenty. Nawiasem mówiąc, w tej chwili ktoś je podrzuca do pańskiego mieszkania.

Twarz Robiego pociemniała.

– Mówi pan, że macie w swoich szeregach co najmniej czterech zdrajców. A jeśli jest ich więcej? I jeśli jeden z nich jest teraz w moim mieszkaniu?

– Tych agentów ściągnąłem z zupełnie innego departamentu. Nigdy nie mieli żadnych kontaktów z pańskim oficerem prowadzącym. Ich lojalność nie budzi wątpliwości.

– Jasne. Proszę mi wybaczyć, ale moim zdaniem to zwykłe pieprzenie.

– W końcu musi mi pan zaufać, Robie.

– Nie, nie muszę. Poza tym nikt nie ma nic przeciwko temu, że wezmę udział w tym polowaniu?

– Decyzja należy teraz do DCIS. Chce pan porozmawiać z doradcą do spraw bezpieczeństwa? Albo z zastępcą dyrektora CIA?

– W tej chwili nie ma dla mnie większego znaczenia, co powiedzą. Ale dlaczego ja?

– Ponieważ to pan, jak na ironię, nie pociągnął za spust. Ufamy, że będzie pan działał właściwie. Niewiele jest w tej chwili osób, o których mogę to powiedzieć.

Robiemu przyszedł do głowy inny prawdopodobny powód, dla którego chcieli, żeby się w to zaangażował.

Byłem tam. Co czyni mnie idealnym kozłem ofiarnym, jeśli coś pójdzie nie tak.

Głośno powiedział tylko:

– Zgoda.

Jego rozumowanie było proste. Wolał sam wyjaśnić tę sprawę, niż czekać, aż zrobi to ktoś inny, przy okazji pogrążając jego.

Jeśli pójdę na dno, to z własnej winy.

Blue Man wstał i wyciągnął rękę.

– Dziękuję. I życzę szczęścia.

Robie nie uścisnął mu ręki.

– Szczęście nie ma tu nic do rzeczy. Obaj dobrze o tym wiemy. – Odwrócił się i wyszedł z hotelu, wracając do świata, który wydawał się teraz nieco bardziej nieznany i zniechęcający niż w chwili, kiedy tu wchodził.

25

Kiedy Robie wrócił do swojego mieszkania, wszystko już na niego czekało. Wcale nie poprawiło mu to humoru.

Żadna z moich pułapek nie została naruszona.

Przejrzał dokumenty i przeczytał swój zmyślony życiorys.

Musiał zająć się tą sprawą jak najszybciej. Z drugiej strony pośpiech w takich wypadkach zwiększał prawdopodobieństwo popełnienia błędu.

I pewnie błędy zostaną popełnione.

Odrębnym problemem było to, jak szybko straci wsparcie Blue Mana.

Szybciej, niż traci wsparcie swojej partii kandydat, którego notowania w sondażach spadają.

Tak to działa.

Na dokumentach widniało nazwisko Will Robie. Jak na ironię, jego prawdziwe nazwisko okazało się najbezpieczniejszym w tego rodzaju operacji.

Schował swoją odznakę i dokumenty tożsamości do kieszeni marynarki. Do mieszkania dostarczono mu także glocka G20 wraz z kaburą. Ulżyło mu, że może się wreszcie pozbyć zdobycznej trzydziestkiósemki. Założył kaburę i zapiął marynarkę.

Wychodząc z mieszkania, spojrzał w głąb korytarza i dostrzegł otwierającą drzwi Annie Lambert. Odwróciła się w jego stronę. Miała na sobie czarny kostium, a na nogach tenisówki i białe skarpetki do kostek.

– Cześć, Will.

– Rzadko cię widuję tutaj w środku dnia – odparł.

– Zapomniałam czegoś. Dopiero w porze lunchu miałam okazję wpaść do domu. A ty co się tak wystroiłeś?

– Miałem spotkanie. Udało ci się wtedy ochłonąć?

– Słucham? A, tak.

Po meldunku Robiego na temat kontaktu z Annie Lambert kobieta została dokładnie sprawdzona, ale nie znaleziono niczego niepokojącego. I nic dziwnego. Osoba, która pracuje w Białym Domu, musi być absolutnie czysta.

– Przepraszam, że wyszedłem wtedy tak nagle – usprawiedliwił się Robie. – Byłem po prostu zmęczony.

– Nie szkodzi. Ja też byłam zmęczona. – Zawahała się i dodała przyciszonym głosem: – Ale może kiedyś wypijemy tego drinka.

– Tak, może kiedyś nam się uda – odpowiedział Robie, myśląc o tym, co go w najbliższym czasie czeka.

– Okej – rzuciła niepewnie.

Robie ruszył w swoją stronę, ale zatrzymał się w pewnej chwili, uświadamiając sobie, że po raz kolejny zachował się wobec niej obcesowo. Obrócił się.

– Doceniam to zaproszenie, Annie. Naprawdę. Z przyjemnością się z tobą napiję.

– To wspaniale. – Jej twarz się rozjaśniła.

– Mam nadzieję, że niedługo – powiedział. – Naprawdę niedługo.

– Dlaczego? Wyjeżdżasz dokądś? – zapytała.

– Nie. Ale chciałbym zacząć częściej wychodzić z domu. I chciałbym to robić z tobą.

Uśmiechnęła się promiennie.

– Okej, Will. Wiesz, gdzie mieszkam.

Idąc w swoją stronę, zastanawiał się, co go tak nagle zaczęło pociągać w tej młodej kobiecie. Była urocza i z pewnością inteligentna, może nawet trochę w nim zadurzona. Jednak wcześniej nie zwracał na to uwagi. Obrócił się jeszcze raz. Annie zniknęła już w mieszkaniu, ale on wciąż miał przed oczami jej obraz, stojącej tam w tenisówkach i eleganckim kostiumie. Uśmiechnął się.

Robie pojechał swoim audi na miejsce zbrodni. Z nowymi dokumentami w kieszeni mógł zaparkować w strefie odgrodzonej przez policję. Mijając hotel, w którym zatrzymała się Julie, spojrzał na odbiornik urządzenia śledzącego. Była w środku.

Z wyraźnym zakłopotaniem podszedł do drzwi wejściowych budynku. Miał pomagać w śledztwie w sprawie morderstwa, którego był naocznym świadkiem.

W środku kłębił się tłum gliniarzy w mundurach i po cywilnemu. Robie podszedł do nich, uznawszy, że powinien się przedstawić ludziom prowadzącym sprawę. Kiedy się zbliżył, zbita grupka ludzi zaczęła się rozstępować, a z jej środka zrobiła krok w jego kierunku ta sama agentka specjalna FBI, którą widział w miejscu eksplozji autobusu.

Podeszła do niego, przyglądając mu się badawczo.

Robie wyjął swoje dokumenty. Najpierw pokazał odznakę, a potem dokument tożsamości. Ona odwzajemniła mu się tym samym. Z jej dokumentów wynikało, że Robie ma do czynienia z agentką specjalną FBI Nicole Vance.

– Witamy na pokładzie, agencie Robie. Mam do pana kilka pytań – powiedziała.

– Nie mogę się doczekać, kiedy zacznę z panią pracować, agentko Vance.

– Dzwonił do mnie w pańskiej sprawie mój szef – powiedziała. – Mamy pana zapoznać ze wszystkim, a nam zależy na informacjach na temat ofiary oraz wszelkich innych informacjach, które mogłyby nam pomóc w dochodzeniu. Proszę pamiętać jednak, że dowodzi FBI, co oznacza, że dowodzę ja.

– Nie miałem zamiaru tego kwestionować – odparł gładko Robie.

Vance przyjrzała mu się uważniej.

– Okej – powiedziała ostrożnie. – Widzę, że oboje rozumiemy reguły gry.

– W czym mogę być pomocny?

– Proszę o informacje na temat ofiary.

Robie wyjął z kieszeni marynarki pendrive'a.

– Tu są wszystkie oficjalne dane na jej temat.

Agentka zabrała urządzenie i przekazała je jednemu ze swoich współpracowników.

– Niech to przeczytają i zrobią streszczenie. Tylko szybko.

– Mieliśmy właśnie pójść na miejsce zbrodni – zwróciła się ponownie do Robiego. – Zechce pan iść z nami?

– Bardzo chętnie. Moi szefowie chcą mieć pewność, że zasługuję na swoją pensję.

Tą uwagą zasłużył sobie na uśmiech agentki.

– Mam wrażenie, że wszystkie agencje federalne działają podobnie.

– Chyba tak.

– Słyszał pan o eksplozji w autobusie? – zapytała Robiego, kiedy podchodzili do windy.

– Widziałem to w wiadomościach – odpowiedział Robie. – Rozumiem, że tamtą sprawą również zajmuje się FBI.

– A ściślej rzecz ujmując, ja.

– Ma pani sporo roboty – zauważył.

– Jest powód, żeby połączyć te dwa śledztwa.

– Jakiż to powód?

– W miejscu eksplozji znaleźliśmy broń.

Serce zaczęło Robiemu bić szybciej, starał się patrzeć przed siebie.

– Broń?

– Tak. Zrobiliśmy już badania balistyczne. Glock, którego znaleźliśmy, pasuje do łusek zebranych z podłogi w mieszkaniu zabitej kobiety. Dlatego moim zdaniem te dwie sprawy się łączą. Musimy się tylko dowiedzieć jak.

– Morderca, uciekając, mógł po prostu pozbyć się broni. A fakt, że została znaleziona w pobliżu autobusu, może być czystym zbiegiem okoliczności.

– Nie wierzę w zbiegi okoliczności. A przynajmniej nie w takie.

Kiedy wyszli z windy i ruszyli w stronę mieszkania, gdzie w jego obecności zamordowano dwie osoby, Robie, mimo panującego chłodu, poczuł na czole krople potu. Wolałby mieć teraz do czynienia z setką megalomańskich saudyjskich książąt i okrutnych bossów narkotykowych.

26

Mieszkanie zmieniło się od czasu, kiedy Robie był w nim ostatnio. Policjanci poszukiwali w nim śladów kryminalistycznych i odcisków palców. Wszędzie porozstawiane były tabliczki wskazujące znalezione dowody. Błyskały flesze aparatów fotograficznych.

Na stoliku z płyty wiórowej Robie dostrzegł zamknięte pudełko na dowody.

– Papiery z pracy? Laptop?

Vance przytaknęła.

– Zabezpieczyliśmy je dla pańskiej agencji. Przejrzyjcie je sami. Ja też mam prawo to zrobić, ale nie chcę wam nadepnąć na odcisk.

– Doceniam to.

– Musicie nas jednak poinformować. Jeśli w tych dokumentach jest coś, co przyczyniło się do jej śmierci, Biuro musi o tym wiedzieć.

– Naturalnie. Jeszcze dzisiaj dokumenty zostaną przejrzane, a zaraz potem otrzyma pani raport.

Vance uśmiechnęła się powściągliwie.

– Nigdy wcześniej nie spotkałam tak skorego do współpracy łącznika agencji. Pan mnie rozpieszcza.

– Staram się, jak mogę – odpowiedział Robie.

Przyjdzie czas, że chęć do współpracy się skończy, pomyślał.

– Na drzwiach wejściowych były ślady włamania – poinformowała go Vance. – Delikatne, więc sprawca wiedział, co robi. Proszę za mną.

Weszli do sypialni.

Robie rozejrzał się. Ciała zostały zabrane, ale oczami wyobraźni widział je nadal, z roztrzaskanymi głowami, leżące na łóżku.

– Wind i jej syn Jacob zostali znalezieni na łóżku. Ona trzymała go w ramionach. Oboje zabił jeden pocisk. – Wskazała rozbite okno. – Sprawdziliśmy trajektorię. Strzał padł z tamtego wysokiego budynku, z odległości ponad trzystu metrów. Ustalamy teraz, z którego okna. Budynek jest opuszczony, wątpię więc, czy ktoś coś zauważył. Mimo to nie dajemy za wygraną. Przy odrobinie szczęścia znajdziemy jakiś ślad, który zostawił zabójca.

Nie liczcie na szczęście, pomyślał Robie.

– Powiedziała pani, że znaleźliście na podłodze łuski po pocisku od glocka. Jaki to ma związek ze strzałem z tamtego budynku? Przecież tych dwojga nie zabił pocisk z pistoletu. To musiał być karabin.

– Wiem. I to stanowi największą zagadkę. Gdybym miała spekulować, powiedziałabym, że zaangażowane w to były dwie osoby. Jedna, obecna w tym pokoju, strzeliła w łóżko. Pocisk przebił ramę i utkwił w podłodze. I ten pocisk pasuje do broni znalezionej pod samochodem w pobliżu miejsca, gdzie wyleciał w powietrze autobus. Ale śmiertelny strzał padł przez okno. Pocisk przeszedł przez głowę chłopca, a potem trafił matkę. Śmierć obojga była natychmiastowa. Tak twierdzi lekarz sądowy.

Robie przypomniał sobie wyraz twarzy Jane Wind i zaczął się zastanawiać, na ile właściwe było słowo „natychmiastowa".

– Dwóch strzelców? To się nie trzyma kupy – stwierdził.

– Nie trzyma się – przyznała Vance. – Ale dlatego, że mamy za mało faktów. Kiedy je poznamy, wszystko nabierze sensu.

– Podziwiam pani optymizm. – Robie stał przy łóżku, niemal w tym samym miejscu, z którego poprzedniej nocy strzelił. – Czyli ten, który się włamał do mieszkania, strzelił w łóżko. Gdzie został znaleziony pocisk?

Vance dała znak technikowi, żeby odsunął się od łóżka. Robie zobaczył tabliczkę z numerem obok otworu w podłodze.

Wyciągnął rękę z wyimaginowanym pistoletem, wycelował i zgiął palec. Vance obserwowała uważnie jego poczynania.

– Musiał stać gdzieś tutaj – stwierdził Robie, który wiedział to przecież najlepiej. – Materac sprawia wrażenie cienkiego. Wątpię, by mógł zmienić tor lotu pocisku, nie z takiej odległości.

– Też mi to przyszło do głowy – powiedziała Vance.

– Na ciałach nie znaleziono żadnych innych ran? Pocisk wystrzelony w materac nie trafił ich?

– Nie. Na pocisku nie było śladów ludzkich tkanek, a ofiary nie miały innych obrażeń.

– W takim razie dlaczego strzelił w materac? Żeby zwrócić na siebie ich uwagę?

– Być może – powiedziała Vance.

– Ofiary nie spały, kiedy zostały zastrzelone?

– Na to wygląda. Sposób, w jaki upadły, każe przypuszczać, że w chwili śmierci były przytomne.

– A zatem sprawca strzela, ale nie trafia. Robi to, żeby zwrócić na siebie ich uwagę albo zmusić do milczenia. Czy ktoś słyszał jakieś krzyki?

Vance westchnęła.

– Trudno uwierzyć, ale jedyną osobą, która mieszka na tym piętrze i była wczoraj w nocy w domu, jest głucha i ślepa staruszka. Nie słyszała oczywiście niczego. Druga osoba z piętra pracowała w tym czasie w Maryland. Mieszkania piętro wyżej i niżej stoją puste.

Potrafię w to uwierzyć, pomyślał Robie.

– Ale zabił ich pocisk wystrzelony z zewnątrz – zauważył. Podszedł do rozbitej szyby w oknie i dokładnie się jej przyjrzał. Popatrzył na budynek, którego wczoraj nie widział. W dole biegła alejka. Tamtędy miał wczoraj uciekać. Między jednym a drugim wysokim budynkiem stały inne domy, ale parterowe. Snajper miał czysty strzał.

– Okej, facet z pistoletem jest w mieszkaniu. Snajper na zewnątrz. Facet z pistoletem trafia w materac. Snajper zabija agentkę Wind i jej syna. – Spojrzał na Vance. – Jane Wind miała dwóch synów.

– To kolejna zagadka. Jej drugie dziecko jeszcze nie skończyło roku. Ma na imię Tyler. Zostało znalezione przez kobietę z drugiego piętra.

– Co to znaczy „znalezione"?

– Dziwna sprawa, agencie Robie. Ktoś zapukał do jej drzwi zaraz po tym, jak zastrzelono tę Wind. Jeśli oczywiście wierzyć wstępnym ustaleniom lekarza sądowego. Kobieta otworzyła drzwi i zobaczyła Tylera śpiącego w nosidełku. Rozpoznała go i próbowała się dodzwonić do Wind, a potem poszła do niej. Ponieważ nikt nie odpowiadał, wezwała gliny. I w taki sposób znaleziono ciała.

– Ma pani jakąś teorię na ten temat?

Pokręciła głową.

– Zdaję sobie sprawę, że to brzmi niewiarygodnie, ale osoba, która włamała się do mieszkania Wind, mogła zabrać stamtąd dziecko.

– Po co?

– A po co zabijać niemowlę? Przecież nie zeznawałoby przeciwko niemu.

– Nie zawahali się przed zabiciem jednego z dzieci – zauważył Robie.

– Też mi to nie dawało spokoju. Niech pan spojrzy na dziurę w oknie, a potem na łóżko. Wind wzięła w ramiona syna może po to, żeby osłonić go przed włamywaczem, który mógł stać z lewej strony, czyli twarzą do okna.

Robie dokończył za nią wywód.

– Snajper strzela. Celuje w Wind, ale pocisk trafia najpierw dziecko, potem ją. Może zamierzał zabić obydwoje albo tylko Wind, ale skoro napatoczyło się dziecko, trudno.

– Tak mi się wydaje – stwierdziła Vance. – I robi się ciekawie.

– Bo?

– Jak to się ma do teorii? Do mieszkania wchodzi zwyczajny włamywacz. Stara się poruszać bezszelestnie, ale budzi Wind i jej syna. Strzela w materac, żeby się uciszyli. W tym samym czasie, o czym nie ma pojęcia ani Wind, ani włamywacz, ją bierze na muszkę znajdujący się w budynku obok snajper. Włamywacz jest zaskoczony. Pewnie kryje się w obawie, że będzie kolejnym celem. Spostrzega drugie dziecko w nosidełku i uciekając z mieszkania, podrzuca je sąsiadce piętro niżej. Potem znika.

– Podobno nie wierzy pani w zbiegi okoliczności – zauważył Robie.

Uśmiechnęła się blado.

– Zgadza się. A to wygląda na pieprzony zbieg okoliczności, prawda?

A zarazem na rzeczywisty przebieg zdarzeń, pomyślał Robie.

27

Znajdowali się w drugim budynku, tym, z którego padł śmiertelny strzał. Budynek był opuszczony, zaniedbany, pełen śmieci. Łatwo było wejść, równie łatwo wyjść. Innymi słowy: nadawał się idealnie.

Robie i Vance odwiedzili kilka pomieszczeń, które mogły służyć snajperowi za lokum. Kiedy weszli do piątego, Robie stwierdził:

– To tutaj.

Vance zaniemówiła, a potem, podpierając się pod boki, zapytała:

– Dlaczego?

Robie podszedł do jednego z okien.

– Okno jest lekko uchylone. Wszystkie pozostałe są zamknięte. Linia strzału jest odpowiednia. – Wskazał na parapet. – Jest ślad na warstwie kurzu. Niech pani spojrzy. To ślad po lufie. – Dalej na parapecie była ciemna plama wielkości dziesięciocentówki. – Ślad po wystrzale – stwierdził. Przeniósł wzrok na betonową posadzkę. – Odciski kolan. Użył parapetu jako podpórki, wycelował i strzelił.

Robie przyklęknął, sięgnął po pistolet, wymierzył w okno z dziurą w szybie.

– W tamtym wyższym budynku po drugiej stronie ulicy wieczorem mogło palić się dużo świateł, które oślepiałyby snajpera i utrudniały namierzenie celu. Ale nie z tego miejsca. Stąd widział doskonale. – Wstał i schował broń. – To tutaj.

Na Vance wywarło to olbrzymie wrażenie.

– Służył pan w siłach specjalnych?

– Jeśli nawet, nie przyznałbym się.

– Bez przesady, znam wielu byłych członków oddziału Delta Force czy SEAL.

– Nie wątpię.

Wyjrzała przez okno.

– Znam też parę osób w DCIS. Zapytałam ich o pana. Nikt o panu nie słyszał.

– Niedawno wróciłem do kraju – odpowiedział Robie, powtarzając wersję stworzonej specjalnie dla niego legendy. – Jeśli chce mnie pani rzeczywiście sprawdzić, proszę zadzwonić do DCIS. Mogę pani dać numer do swojego bezpośredniego przełożonego.

– Okej. Zrobię to – odparła. – Więc moja teoria o włamywaczu i działającym niezależnie od niego snajperze wydaje się prawdziwa. Nie potrafię sobie wyobrazić, żeby facet w mieszkaniu wiedział o istnieniu snajpera.

Masz rację, nie wiedziałem, pomyślał Robie.

– Rodzi się tylko pytanie, po co zabijać Wind? – ciągnęła Vance. – Nad czym pracowała? Muszę to wiedzieć.

– Sprawdzę w agencji. Może wpadła na coś przypadkiem.

– Wpadła na coś przypadkiem? O co tu chodzi?

– Nie twierdzę, że tak było. Chcę tylko powiedzieć, że trzeba to wziąć pod uwagę. To, że pracowała dla DCIS, nie oznacza automatycznie, że był powód, by ją zabić.

– Okej, ale proszę się nie gniewać, jeśli przyjmę jako hipotezę roboczą, że jej śmierć miała związek z wykonywanymi przez nią obowiązkami.

– Ma pani takie prawo – stwierdził Robie. – Czy jej były mąż został powiadomiony?

– Jeszcze nie. Dzieckiem zajęła się na razie opieka społeczna.

– A czym się jej były zajmuje?

– To pan nie wie? – zdziwiła się.

– Nie zaglądałem do jego teczki. Dopiero co zostałem oddelegowany do tej sprawy, agentko Vance. Proszę dać mi chwilę.

– Okej, przepraszam. Nazywa się Rick Wind. Jest emerytowanym wojskowym, ale ma inną pracę. Próbujemy ustalić, gdzie można go znaleźć.

– Próbujecie ustalić? Przecież musiał oglądać wiadomości. Powinien już dawno do was zadzwonić.

– Niech pan mi wierzy, Robie, też tak myślałam.

– Macie jego adres domowy?

– To w Maryland. Moi agenci już tam byli. Dom jest pusty.

– Mówiła pani, że on gdzieś pracuje. Gdzie?

– Jest właścicielem lombardu przy Bladensburg Road NE w Waszyngtonie. Nazywa się to Premium Pawnshop. Nie jest to najlepsza dzielnica w stolicy, ale widział pan kiedyś lombard w pobliżu Ritza?

– Premium Pawnshop? Chwytliwa nazwa. Ktoś próbował go tam znaleźć?

– Tam też nikogo nie było. Zamknięte na cztery spusty.

– Gdzie on się w takim razie podział?

– Gdybym wiedziała, nie mówiłabym tego wszystkiego.

– Jeśli nie ma go w domu ani w pracy, jeśli nie zadzwonił na policję, to pozostaje niewiele ewentualności.

– Nie ogląda też telewizji, nie słucha radia i nie ma przyjaciół. Albo zabił swoją wkrótce eksmałżonkę i dziecko, albo zwiał. Albo też jest trupem.

– Zgadza się. Ale naprawdę myśli pani, że zabił swoją byłą i dziecko strzałem z karabinu snajperskiego? Osobiste nieporozumienia załatwia się zwykle twarzą w twarz.

– Jest w końcu byłym wojskowym. I byli w trakcie rozwodu.

– Nie doszli do ugody?

– Nie wiem. Próbuję to ustalić. Może pan będzie mógł pomóc. W końcu ona pracowała w waszej agencji.

Robie nie podjął tematu.

– Czy Jane Wind miała jakąś rodzinę w okolicy?

Vance spojrzała na niego zaskoczona.

– Jest pan pewien, że pracowaliście w tej samej agencji?

– Agencja jest duża.

– Nie aż tak. W porównaniu z FBI to karzełek.

– Wszystko wydaje się karłowate w porównaniu z FBI. A więc jakaś rodzina w okolicy?

– Żadnej. Dotyczy to chyba także mężusia. Przynajmniej tyle udało nam się ustalić. Ale proszę wziąć poprawkę na to, że zajmuję się tą sprawą od niecałych ośmiu godzin.

– Przeszukaliście jego dom i lombard? – zapytał Robie.

– Dom tak. Nic to nie dało. Na lombard dopiero przyjdzie czas. Chce pan być przy tym obecny?

– Oczywiście.

28

Należące do Biura samochody zatrzymały się przed lombardem Premium Pawnshop. Z jednego wysiedli Robie i Vance, z drugiego dwóch innych agentów FBI. Drzwi i okna lombardu były zakratowane. Drzwi chroniły trzy solidne zamki. Sąsiedni lokal był opuszczony, na co wskazywały otwory zabite płytą pilśniową. Na ulicy walały się sterty śmieci. Robie dostrzegł kilku wałęsających się ćpunów.

Vance posłała dwóch agentów na tyły domu, a sama z Robiem podeszła do okna od frontu. Przesłoniła dłonią oczy i zajrzała do środka.

– Nic nie widzę.

– Możemy wyważyć drzwi czy potrzebujemy nakazu?

– W wypadku mieszkania Ricka Winda nie było takich problemów. Podejrzewaliśmy, że może być ranny. A ten lokal jest ewidentnie zamknięty.

– Ale on może być w środku, ranny albo martwy – powiedział Robie, zaglądając przez kraty do pogrążonego w ciemnościach wnętrza. – To powinno wystarczyć.

– A jeśli w środku znajdziemy dowody jego związku z przestępstwem i obrońca złoży wniosek o ich odrzucenie, ponieważ przeszukanie było bezprawne w związku z Czwartą Poprawką?

– To dlatego na agentach FBI spoczywa taka wielka odpowiedzialność.

– Łatwo w ten sposób zakończyć swoją karierę.

– W takim razie może ja rozwalę te drzwi i przeszukam lokal?

– Problem z materiałem dowodowym pozostanie.

– Owszem, ale to ja zepsuję sobie karierę, nie pani.

– Jestem tu z panem.

– Powiem, że zrobiłem to sam, wbrew pani wyraźnym poleceniom.

Przyjrzał się drzwiom i framudze.

– Wszystko ze stali. Trudna sprawa. Ale zawsze jest jakieś rozwiązanie.

– Co z pana za agent federalny? – zapytała, unosząc brwi.

– Na pewno nie taki, który troszczy się o swoją karierę. Proszę tu zostać.

– Robie, nie może pan tak po prostu…

Wyjął pistolet, strzelił trzy razy i wszystkie trzy zamki spadły na chodnik.

– Jasna cholera! – wykrzyknęła Vance, odskakując do tyłu. Usłyszeli tupot nóg agentów wracających z tyłu budynku, żeby sprawdzić, co się dzieje.

– Pewnie zaraz włączy się alarm – powiedział spokojnie Robie. – Mogłaby pani zadzwonić do glin i powiedzieć im, żeby się nie fatygowali? – Zanim zdążyła odpowiedzieć, otworzył drzwi i wszedł do środka.

Żaden alarm się nie uruchomił.

Dla Robiego nie był to pozytywny sygnał. Trzymając przed sobą broń, namacał włącznik i pomieszczenie zalało słabe światło. Robie bywał wcześniej w lombardach i ten wydał mu się zupełnie typowy. W pojemnikach i szklanych gablotach znajdowały się zegarki, lampy, obrączki i tym podobne przedmioty. Każdy był opatrzony metką z numerem. Prawdziwie wojskowy dryl, pomyślał Robie. Skrupulatność pozostaje we krwi. Przynajmniej u większości byłych wojskowych.

Ale podłoga śmierdziała uryną, a sufit poczerniał od brudu. Robie nie wiedział, co się tu mieściło wcześniej, ale lokal nie prezentował się dobrze.

Kasa była wygrodzoną klatką. Robie zwrócił uwagę na kuloodporne szyby. Na powierzchni szkła znajdowały się zadrapania i coś, co wyglądało na dwa odpryski po strzałach z broni. Prawdopodobnie pamiątka po niezadowolonych klientach albo amatorach łatwego łupu. Rick Wind, były wojskowy, pewnie radził sobie z nimi, wykorzystując własny sprzęt. Robie podejrzewał, że gdzieś w pobliżu kasy są przynajmniej dwie sztuki broni.

Zadarł głowę i pod sufitem, w jednym z narożników, dostrzegł zamontowaną kamerę. Jej obiektyw był skierowany na kasę.

Robie posuwał się naprzód, omiatając wzrokiem pomieszczenie. Nie słyszał niczego prócz odgłosów z zewnątrz. Podmuch wiatru z otwartych na oścież drzwi poruszył zawieszonymi pod sufitem lampami i metkami na zastawionych towarach. Kiedy usłyszał za sobą kroki, odwrócił się. Za nim stała poważnie wkurzona Vance z bronią gotową do strzału.

– Jesteś idiotą – syknęła.

– Mówiłem, żebyś została na zewnątrz – odszepnął.

– Nie będziesz mi mówił, co mam robić. Chyba że chcesz, żeby twoja dupa...

Robie przyłożył palec do ust. Usłyszał to wcześniej niż ona.

Pisk. Po chwili znowu.

Wskazał na zaplecze. Vance skinęła głową, złość zniknęła z jej twarzy.

Robie poszedł przodem. Skręcił w korytarzyk i dotarł do wahadłowych drzwi ze szparą pośrodku. Drzwi poruszały się lekko, ale nie to było źródłem pisku. Spojrzał na Vance, wskazał palcem na siebie, potem na drzwi i wpadł jak burza do środka z bronią gotową do strzału, zajmując pozycję z lewej strony. Vance zrobiła to samo i stanęła na prawo od drzwi.

Cisza.

Spojrzała na podłogę i skrzywiła się na widok szarego stworzenia znikającego w ciemnym kącie.

– Szczury.

Robie też zerknął w dół i dostrzegł tylko ogon zwierzęcia.

– Moim zdaniem szczury tak nie piszczą – powiedział.

– W takim razie co? – zapytała.

– To.

Wskazał pogrążony w mroku narożnik pomieszczenia po lewej stronie.

Vance spojrzała w tamtym kierunku i wstrzymała oddech.

Zawieszony do góry nogami na krokwi dachu wisiał mężczyzna.

Podeszli bliżej. Jego ciało kołysało się lekko. A lina, ocierając się o drewnianą belkę, wydawała pisk. Robie spojrzał na szparę między wahadłowymi drzwiami.

– Przy otwartych drzwiach wejściowych zadziałała jak komin – wyjaśnił. – Ciało zaczęło się kołysać.

Vance przyjrzała się martwemu mężczyźnie. Był czarny. I zielony. I purpurowy.

– Czy to Rick Wind? – zapytał Robie.

– Kto to może wiedzieć? – odparła Vance. – Nie żyje od dłuższego czasu.

– Sam się nie zabił. Ma związane ręce. To nie uduszenie. – Dotknął ramienia denata. – Poza tym on nie zabił swojej żony i dziecka. Stan ciała wskazuje, że zmarł wcześniej niż oni. Stężenie pośmiertne już ustąpiło.

Robie pochylił się i zajrzał do otwartych ust mężczyzny.

– Jest coś jeszcze.

– Co?

– Wygląda na to, że obcięto mu język.

29

Robie zostawił agentkę Vance, która musiała zająć się nowym trupem w lombardzie. Udało im się potwierdzić, że jest to ciało Ricka Winda. Przyczyna śmierci nie była oczywista i określenie jej wymagało opinii lekarza sądowego. Sprawdzili kamerę monitoringu. Ktoś zabrał płytę DVD. Robie siedział teraz w swoim mieszkaniu i stukał w klawiaturę komputera. Ale nie pracował nad morderstwem Jane Wind i jej byłego męża. Był w tej chwili zajęty czymś innym.

Wpisał nazwisko „Gerald Dixon". Trafień było zbyt dużo, ponieważ to popularne nazwisko. Zmienił taktykę: zamiast z Google'a skorzystał z innej, bardziej ekskluzywnej bazy danych, do której miał dostęp. Tym razem trafień było mniej. Zawęził poszukiwania, wykorzystując inne bazy. W końcu zostało jedno nazwisko. Robie spojrzał na nazwę ulicy w adresie. Nie była to ta sama ulica, na którą pojechała taksówką Julie.

Uwagę Robiego zwróciło jedno zdanie z informacji na temat tego mężczyzny.

Razem z żoną tworzą rodzinę zastępczą.

Robie zapisał adres i spojrzał na odbiornik urządzenia śledzącego Julie. Dziewczyna nie ruszyła się z nędznego hoteliku. Wydawało się to dziwne, ale może po prostu bała się, że zostanie zauważona. W każdym razie nie zamierzała już chyba wyjeżdżać z miasta.

Zastanawiał się, co sprawiło, że zmieniła zdanie. Czyżby to z powodu domu, który oglądała z zewnątrz? Robie zamierzał się tego dowiedzieć. Ale najpierw musiał udać się w inne miejsce.

Gerald Dixon mieszkał w piętrowym bliźniaku położonym w kiepskiej okolicy. Kiedy Robie zapukał do drzwi, minęło sporo czasu, nim nastąpiła jakaś reakcja. Słyszał w środku gorączkową krzątaninę. W końcu w progu pojawił się mężczyzna. Robie zauważył na jego policzkach czerwone plamy. Zwrócił też uwagę na przekrwione białka oczu i zapach odświeżacza do ust.

Ten idiota klepał się po policzkach, żeby wytrzeźwieć, i płukał usta płynem Listerine, żeby zamaskować odór alkoholu. Standardy rodzin zastępczych bardzo się obniżyły w tym kraju.

– Tak? – rzucił nieprzyjaznym tonem mężczyzna.

– Gerald Dixon?

– A kto pyta?

Robie machnął mu przed nosem odznaką.

– Wydział spraw wewnętrznych.

Dixon cofnął się o krok. Był o dwa, trzy centymetry niższy od Robiego, ale chorobliwie chudy. Na głowie nie zostało mu wiele włosów, choć mógł mieć niewiele ponad czterdzieści lat. Miał bladą, niemal przezroczystą skórę i nerwowe ruchy człowieka, którego ciało i umysł zostały bezpowrotnie wyniszczone przez środki odurzające.

– Wydział spraw wewnętrznych? Wy się chyba zajmujecie gliniarzami?

– Nie tylko – odparł Robie. – Także takimi ludźmi jak pan. Mogę wejść?

– Po co?

– Żeby porozmawiać o Julie. – Instynkt podpowiadał Robiemu, że dziewczyna podała mu prawdziwe imię.

Dixon skrzywił się.

– Jak pan ją znajdzie, proszę jej powiedzieć, żeby lepiej wróciła. Jeśli tego nie zrobi, nie zapłacą mi.

– Więc Julie znikła?

– Zgadza się.

– Mogę wejść?

Dixon miał obrażoną minę, ale kiwnął głową, cofnął się i wpuścił Robiego.

Wewnątrz dom prezentował się nie lepiej niż z zewnątrz. Usiedli na obszarpanych krzesłach. Wszędzie walały się kosze z brudną bielizną, ale Robie odniósł wrażenie, że nim zapukał do drzwi, ubrania musiały być porozrzucane po podłodze. Zauważył też stojącą pod krzesłem puszkę piwa. Zastanawiał się, co jeszcze mogło się pod nim znajdować, ponieważ siedzisko było dziwnie twarde.

W pokoju pojawiła się niska kobieta o krągłych kształtach, ubrana w obcisłe dżinsy i jeszcze bardziej obcisłą bluzkę. Wytarła dłonie o nogawki. Wyglądała najwyżej na trzydziestkę. Miała włosy mysiego koloru, grubą warstwę makijażu i wyraz twarzy osoby kompletnie oderwanej od rzeczywistości. Zapaliła papierosa i zaczęła się przyglądać Robiemu.

– Kto to jest?

– Jakiś facet z wydziału spraw wewnętrznych – warknął Dixon.

Robie pokazał odznakę.

– Przyszedłem porozmawiać o Julie. A palenie w obecności dzieci jest zabronione – dodał.

Kobieta szybko zgasiła papierosa.

– Przepraszam – powiedziała wcale nieprzepraszającym tonem. I rzuciła: – Nie ma jej. Zwiała. Ta gówniara nigdy nie potrafiła docenić tego, co jej dajemy.

– A pani to kto? – zapytał Robie.

– Patty. Gerry i ja jesteśmy małżeństwem.

– Iloma dziećmi się obecnie opiekujecie?

– Dwojgiem, nie licząc tej gówniary Julie – odrzekła Patty.

– Wolałbym, żeby pani nie używała wobec dziecka, za które jesteście odpowiedzialni, określenia „gówniara" – powiedział z naciskiem Robie.

Patty spojrzała na swojego męża.

– Czy on jest z opieki społecznej?

– Mówił, że z wydziału spraw wewnętrznych – odparł Gerald.

– Pracuję dla rządu – oznajmił Robie. – To wszystko, co musicie wiedzieć. Gdzie są pozostałe dzieci?

Patty przyjęła ton kochającej matki.

– W szkole – powiedziała z uśmiechem. – Posyłamy te aniołki codziennie do szkoły, tak jak należy.

Robie usłyszał dochodzący z góry hałas.

– Macie własne dzieci? – zapytał, spoglądając na schody.

Gerald i Patty wymienili nerwowe spojrzenia.

– Mamy dwoje maluchów – wyjaśnił Gerald. – Nie chodzą jeszcze do szkoły. To one są tam na górze. Pewnie coś czytają. Są nadzwyczajnie rozwinięte jak na swój wiek.

– Jasne. Wróćmy do Julie. – Otworzył wyjęty z kieszeni marynarki notes. Gerald Dixon wybałuszył oczy, kiedy dostrzegł pod marynarką Robiego pistolet.

– Pan ma broń.

– Zgadza się.

– Myślałam, że pan się zajmuje rodzinami zastępczymi – odezwała się Patty.

– Zajmuję się tym, co uznam za stosowne. A wam, jeśli chcecie uniknąć problemów, radzę współpracować.

Robie uznał, że wystarczy już uprzejmości wobec tych idiotów. Nie miał na to ani czasu, ani ochoty.

Gerald wyprostował się na krześle, a Patty usiadła obok.

– Powiedzcie mi coś o Julie.

– Czy ona ma kłopoty? – zapytał Gerald.

– Powiedzcie mi coś o niej – powtórzył z naciskiem Robie. – Nazwisko, sytuacja rodzinna, jak się tu znalazła. Wszystko.

– A pan tego nie wie? – zapytała Patty.

Robie spojrzał na nią z kamiennym wyrazem twarzy.

– Przyszedłem tu, żeby potwierdzić informacje, które już mamy, pani Dixon. I proszę pamiętać o mojej prośbie o współpracę, a także zastanowić się nad konsekwencjami jej braku.

Gerald dał żonie kuksańca i warknął:

– Zamknij się. Ja się tym zajmę – zwrócił się do Robiego. – Nazywa się Julie Getty. Pojawiła się u nas, hm, jakieś trzy tygodnie temu.

– Wiek?

– Czternaście lat.

– Dlaczego została umieszczona w rodzinie zastępczej?

– Rodzice nie mogli się nią zajmować.

– To wiem. Ale dlaczego? Czy jej rodzice nie żyją?

– Nie, nie sądzę. Widzi pan, ludzie z agencji rzadko mówią o takich sprawach. Przyprowadzają tylko dzieciaka i każą się nim opiekować.

– A my się nimi zajmujemy jak własnymi dziećmi – dodała szybko Patty.

– Oczywiście. Nie licząc, jak to pani powiedziała, tej gówniary Julie.

Patty spąsowiała i spuściła wzrok.

– Nie to miałam na myśli.

– Prawda jest taka – wtrącił Gerald – że z Julie były kłopoty. Za często mówiła, co jej ślina na język przyniosła.

– I nie ma jej teraz tutaj?

– Uciekła w środku nocy.

– Tak się zmartwiliśmy – dodała Patty.

– Zgłosiliście to oczywiście?

Gerald i Patty spojrzeli po sobie.

– Cóż, mieliśmy nadzieję, że wróci – powiedział Gerald.

– Więc postanowiliśmy trochę zaczekać – dodała Patty.

– Uciekała już wcześniej?

– Tym razem nie. To pierwszy raz.

– Tym razem? – Robie podniósł głowę znad notatek. – Trafiała już do was wcześniej?

– Trzy razy.

– Co się z nią stało poprzednio?

– Nie wiem dokładnie – odparł Gerald. – Myślę, że rodzice wzięli ją z powrotem do siebie. Pamiętam, jak pracownik opieki społecznej mówił, że mogą ją znów zabrać. Ale potem znów trafiła do rodziny zastępczej.

– Kiedy ostatni raz ją widzieliście?

– Wczoraj wieczorem, jak podałam jej przepyszną kolację – powiedziała Patty słodkim tonem, który sprawił, że Robie miał ochotę sięgnąć po broń i strzelić jej tuż nad głową.

– A kiedy odkryliście jej zniknięcie?

– Dziś rano, kiedy nie zeszła na dół.

– Nie sprawdzacie w nocy swoich ukochanych podopiecznych?

– Ona bardzo sobie ceni prywatność – odpowiedział pośpiesznie Gerald. – Nie chcieliśmy się wtrącać.

Robie wyjął spod krzesła pustą puszkę po piwie.

– Właśnie widzę – stwierdził z przekąsem i zamachał ręką w powietrzu. – Moglibyście też pootwierać okna. Pozbyć się smrodu jointów.

– My nie bierzemy narkotyków – powiedział Gerald, udając zdziwienie.

– A ja nie wiem, czyje to jest – dodała Patty, wskazując na puszkę.

– Jasne – stwierdził lekceważąco Robie. – Mieliście jakąś wiadomość od Julie po tym, jak zniknęła?

Oboje zaprzeczyli.

– Przychodzą wam do głowy jakieś powody, dla których ktoś mógłby chcieć ją skrzywdzić?

Dixonowie wydawali się szczerze zdumieni tym pytaniem.

– Dlaczego? – zapytał Gerald. – Coś jej się stało?

– Odpowiedzcie na pytanie. Czy ktoś się tu kręcił w okolicy? Może jakiś podejrzany samochód?

– Nie, nic z tych rzeczy – odparł Gerald. – W co ona się, do cholery, wplątała? Jest w jakimś gangu?

– Myśli pan, że może nam coś grozić? – zapytała ze strachem Patty, kładąc dłoń na swojej obfitej piersi.

– Nie mogę wykluczyć takiej ewentualności – powiedział Robie, zamykając notes. – Niektórzy ludzie nie mają skrupułów. – Z trudem powstrzymał się od uśmiechu.

Wstał, podniósł siedzisko krzesła i wyjął spod niego torebkę z kokainą, kilka fiolek z jakąś brązową cieczą, dwie strzykawki i dwie opaski uciskowe na ramię.

– A następnym razem umieśćcie swoją apteczkę w jakimś bardziej dyskretnym miejscu.

Oboje spojrzeli na narkotyki i cały sprzęt, ale nie odezwali się ani słowem.

Po wyjściu Robie zobaczył na ulicy jakąś kobietę z kopertą w ręku, maszerującą żwawo w towarzystwie dwóch policjantów.

– Idziecie do Dixonów? – zapytał, kiedy go mijali.

– Tak. A kim pan jest?

– Kimś, kto chciałby mieć pewność, że już nigdy nie trafi do nich żadne dziecko.

Kobieta pomachała kopertą.

– Cóż, pańskie życzenie właśnie się spełniło – powiedziała i poszła dalej.

Chwilę później zapiszczało urządzenie na nadgarstku Robiego.

Julie Getty wreszcie się ruszyła.

I Robie nie miał wątpliwości, że wie dokąd.

30

Julie wspięła się po bluszczu i wślizgnęła się przez okno do swojej sypialni. Przykucnęła na podłodze, nasłuchując. Ale słyszała tylko bicie własnego serca. Na drżących nogach, przyklejona do ściany, zeszła po schodach na dół. Skręcając za narożnik, zamknęła oczy, a po chwili je otworzyła.

Z trudem powstrzymała się od krzyku.

Przed nią stał Robie.

Szybkim spojrzeniem omiotła pokój. Nie było tu niczego prócz mebli.

– Spodziewałaś się znaleźć coś innego? – zapytał, zbliżając się do niej.

Cofnęła się o krok.

– Jak tu trafiłeś? – zapytała.

– Śledziłem cię.

– To niemożliwe.

– Nic nie jest niemożliwe. To twój dom, zgadza się?

Nie odpowiedziała. Patrzyła tylko na niego, raczej z zaciekawieniem niż ze strachem.

Robie spojrzał na stojącą na stoliku fotografię.

– Twoja mama i tata ładnie tu wyszli. A w środku jesteś ty. To musiały być szczęśliwe chwile.

– Nic nie wiesz – warknęła Julie.

– Poprawka, co nieco wiem. Na przykład to, że grozi ci niebezpieczeństwo. Jacyś ludzie cię szukają. Ludzie, którzy mają pieniądze, siłę i znajomości.

– Skąd to wiesz?

– Ponieważ zatarli tu ślady podwójnego morderstwa.

Julie wybałuszyła oczy.

– Skąd wiesz...?

Robie wskazał sąsiednią ścianę.

– Świeża farba. Ale tylko w tym miejscu. Pomalowano ścianę, żeby coś ukryć. – Wskazał na podłogę. – Tu leżał kwadratowy dywan. – Widzisz, drewno jest jaśniejsze. Dywan zniknął.

– Skąd wiesz, że chodzi o morderstwo? To mogło być cokolwiek innego.

– Nie, nie cokolwiek. Maluje się ściany i wyrzuca dywany, żeby pozbyć się śladów. Krwi, tkanek, płynów fizjologicznych. Poza tym przeoczyli plamę krwi na listwie podłogowej, o tam. Spodziewałaś się znaleźć tu ciała? Przecież wiesz, że byłby już tu fetor. Taki, którego z niczym nie można pomylić.

– Ty masz chyba często do czynienia z trupami, co? – stwierdziła ostrożnie.

– Odkąd los złączył mnie z tobą.

– Wcale nas los nie złączył.

– Wiem o twoich rodzicach zastępczych, chociaż nawet przy najlepszych chęciach trudno ich nazwać „rodzicami".

– Nie podoba mi się, że grzebiesz się w moim życiu! – zawołała.

– Miasto zrobiło z nimi porządek – powiedział. – Pozostałe dzieci zostaną od nich zabrane. Coś mi się zdaje, że maczałaś w tym palce.

Gniewne przed chwilą spojrzenie Julie złagodniało.

– Nie zasługiwały na takie traktowanie.

– A teraz powiedz mi, co się tutaj stało.

– Po co?

– Ponieważ jak już mówiłem, chcę ci pomóc.

– Dlaczego?

– Możesz mnie nazywać samarytaninem.

– Nie ma już takich – powiedziała z naciskiem.

– A twoi rodzice?

– Zostaw moich rodziców w spokoju – odrzekła ostro.

– Widziałaś ich śmierć? To dlatego uciekasz?

Julie cofnęła się aż do ściany. Robie przez chwilę myślał, że rzuci się do ucieczki. I nie wiedział, jak w takiej sytuacji postąpić.

– Czy oni wplątali się w coś, co ich przerosło? – zapytał. – Narkotyki?

– Mama i tata nikogo by nie skrzywdzili. Poza tym nie, to nie miało nic wspólnego z narkotykami.

– Więc zostali zabici? Wystarczy, jeśli skiniesz głową.

Julie ledwo widocznie poruszyła głową.

– Widziałaś, jak to się stało?

Kolejne skinięcie.

– W takim razie powinnaś się zgłosić na policję.

– Jeśli pójdę na policję, umieszczą mnie od razu w rodzinie zastępczej. A wtedy ci ludzie mnie znajdą.

– Facet w autobusie był jednym z nich?

– Tak myślę.

– Julie, opowiedz mi dokładnie, co się stało. Tylko wtedy będę mógł ci pomóc. Ostatniej nocy miałaś okazję się przekonać, że potrafię to i owo.

– A co z tymi ludźmi z telewizji? Zabiłeś ich? Matkę i dziecko? Mówiłeś, że nie, ale ja muszę znać prawdę.

– Gdybym ich zabił, za żadne skarby świata nie przyznałbym się do tego. Ale gdybym ich zabił, po co bym się tu zjawiał i oferował pomoc? Podaj mi choć jeden powód.

Wypuściła głośno powietrze, bawiąc się nerwowo paskami plecaka.

– Przysięgasz, że ich nie zabiłeś?

– Przysięgam, że ich nie zabiłem. Współpracuję teraz z FBI i próbuję wyjaśnić, kto to zrobił. – Wyciągnął z kieszeni odznakę i pokazał jej.

– Okej – powiedziała Julie. – Przekonałeś mnie. Wczoraj wieczorem uciekłam od Dixonów i przyszłam tutaj. Po krótkiej chwili usłyszałam, że ktoś wchodzi. Myślałam, że to moi rodzice, ale był z nimi ktoś jeszcze. Krzyczał na nich. Zadawał pytania.

Robie postąpił kilka kroków w jej stronę.

– O co pytał? Postaraj się dokładnie sobie przypomnieć.

Julie skrzywiła twarz, myśląc.

– Powiedział: „Co wiecie? Co wam powiedziano?" A potem… potem…

– Skrzywdził jedno z nich?

Po jej policzkach popłynęły łzy.

– Usłyszałam strzał. Zbiegłam po schodach na dół. Ten człowiek spojrzał na mnie. Mój tata stał oparty o ścianę, tam. Cały we krwi. Facet wycelował we mnie, ale mama go uderzyła i upadł na podłogę. Nie chciałam uciekać. Chciałam zostać i jej pomóc. Ale ona kazała mi uciekać.

Julie zamknęła oczy, łzy nadal płynęły jej spod powiek.

– Wróciłam do swojej sypialni i wyszłam przez okno. Potem usłyszałam kolejny strzał. Uciekałam co sił w nogach. Zachowałam się jak tchórz. Wiedziałam, co ten strzał oznaczał. Że moja mama nie żyje. A ja uciekłam. Zostawiłam ją na pewną śmierć.

Otworzyła oczy i zesztywniała, widząc, że Robie stoi tuż obok niej.

– Gdybyś nie uciekła, też byłabyś martwa – powiedział. – A to nikomu nie przyniosłoby korzyści. Mama uratowała ci życie. Poświęciła swoje życie dla ciebie. Dlatego postąpiłaś właściwie, robiąc to, czego chciała twoja mama. Ona chciała, żebyś żyła.

Robie podał jej chusteczkę z pudełka na stole. Wytarła oczy i wyczyściła nos.

– Co teraz? – zapytała.

– Myślisz, że ktoś z sąsiedztwa słyszał strzały?

– Wątpię. Sąsiedni dom stoi pusty. Tak samo bliźniak po drugiej stronie ulicy. Kiedyś to była porządna okolica, ale potem wszyscy stracili pracę.

– Twoi rodzice też?

– Chwytali się każdego zajęcia, jakie się trafiło. Moja mama chodziła do college'u – dodała z dumą. – A tata był dobrym człowiekiem. – Opuściła głowę. – Tylko czasem wpadał w depresję. Czuł się tak, jakby cały świat sprzysiągł się przeciw niemu.

– Jak się nazywali?

– Curtis i Sara Getty.

– Ale nie byli krewnymi tych Gettych od ropy?

– Jeśli nawet, to nikt nam o tym nie powiedział.

– Okej, Julie, oto mój plan. Dowiemy się, kto zabił twoich rodziców i dlaczego.

– Ale jeśli zrobił to ten facet z autobusu, to on już nie żyje.

– Czy wczoraj pobiegłaś z domu prosto na dworzec autobusowy?

– Tak.

– W takim razie tamten facet nie działał sam. Nie zdążyłby tu posprzątać, pozbyć się ciał i pobiec na autobus. Musiało być ich więcej.

– Ale dlaczego moi rodzice? Kochałam ich, ale przecież dla nikogo innego nie byli ważni.

– Jesteś pewna, że nie byli zamieszani w handel narkotykami, działalność gangów czy tym podobne rzeczy?

– Myślisz, że mieszkaliby w czymś takim, gdyby trzęśli rynkiem narkotykowym?

– Więc żadnych wrogów?

– Żadnych. Przynajmniej ja o tym nic nie wiem.

– Gdzie pracowali?

– Tata w magazynie w południowo-wschodnim kwadrancie. Mama w knajpie kilka przecznic stąd.

– Twój tata pewnie przychodził tam czasem coś zjeść?

– Tak. Ja też spędzałam tam dużo czasu. A dlaczego pytasz?

– Po prostu gromadzę informacje.

– Chcę stąd wyjść. To już nie jest mój dom.

– Okej. Dokąd chcesz iść?

– Mam się gdzie zatrzymać.

– Zgadza się, wyśledziłem cię tam. A kradzież i używanie karty kredytowej Dixona było głupotą. Mogą cię za to zamknąć. A co gorsza, mogą cię namierzyć twoi prześladowcy.

– Jak ci się udało... – Urwała, wyraźnie wściekła. – Mam gotówkę.

– Na razie ją zatrzymaj.

– Więc dokąd mam pójść? Na pewno nie do twojego bezpiecznego domu. Jest za daleko od miasta.

– Mam jeszcze drugie mieszkanie. Bierz swoje rzeczy, idziemy.

31

Robie postanowił zaczekać, aż zapadnie zmrok. Zjedli coś w małej knajpce przy H Street. Robie zadawał dziewczynie kolejne pytania, delikatnie ją sondując. Ale ona odpowiadała oględnie. Byłaby dobrym gliniarzem, pomyślał. Mówiła tylko tyle, ile trzeba, a to rzadka cecha u pokolenia, które dzieli się ze światem wszystkimi najbardziej intymnymi szczegółami na Facebooku.

Robie zawiózł Julie w okolice Rock Creek Park, tam gdzie mieszkał. Ale nie zaprowadził jej do swojego mieszkania, tylko do punktu obserwacyjnego po drugiej stronie ulicy. Podobnie jak o farmie, również o tym lokalu nie wiedział nikt prócz Robiego.

Wyłączył alarm i weszli do środka. Julie zaczęła się rozglądać.

– To twoje mieszkanie?

– W pewnym sensie – odparł.

– Jesteś bogaty?

– Nie.

– Wyglądasz mi na bogatego.

– Dlaczego?

– Masz samochód i dwa domy. To już jest bogactwo. Zwłaszcza w dzisiejszych czasach.

– Pewnie tak. – O mieszkaniu naprzeciwko Julie nie musiała wiedzieć.

Pokazał jej, jak obsługiwać alarm, a potem pozwolił się rozejrzeć. Wybrała sobie jedną z dwóch znajdujących się tam sypialni. Rzuciła na łóżko plecak i torbę, którą zapakowała przed wyjściem z rodzinnego domu, i zaczęła krążyć po mieszkaniu.

– Po co ci teleskop? – zapytała.

– Do patrzenia w gwiazdy.

– To nie jest teleskop astronomiczny. I nie jest skierowany w niebo.

– Znasz się na teleskopach.

– Chodzę do szkoły, jeśli chciałbyś wiedzieć.

– Lubię sobie popatrzeć – powiedział. – Zwłaszcza na ludzi, którzy mnie obserwują.

– Więc... mielibyśmy... mieszkać tu razem? – Ta perspektywa wywołała w niej pewną nerwowość.

– Nie. Ja zamieszkam gdzie indziej. Ale niedaleko stąd.

– Więc masz trzy mieszkania? – zapytała z niedowierzaniem. – Jaką ty masz pracę? Chcę mieć taką samą.

– Powinnaś mieć wszystko co potrzeba. – Wyjął z kieszeni telefon komórkowy. – To dla ciebie. W szybkim wybieraniu jest mój numer. Tego telefonu nie można namierzyć, więc możesz z niego korzystać, kiedy tylko zechcesz.

– Jak daleko stąd będziesz?

– Wydawało mi się, że przed chwilą zdenerwowałaś się na myśl, że mamy mieszkać razem.

– Posłuchaj, wiem, że nie jesteś kreaturą, która zaczepia nieletnie dziewczynki, okej?

– Skąd wiesz?

– Ponieważ musiałam już sobie radzić z takimi zbokami. Wiem, czego się spodziewać. Ty nie wykazujesz takich skłonności.

– Nauczyłaś się tego w rodzinie zastępczej? – zapytał cicho.

Nie odpowiedziała. A Robie pomyślał o Geraldzie Dixonie i zastanawiał się, czy nie powinien był zastrzelić kutasa, kiedy miał okazję.

– Nie powinno ci tu niczego brakować – powiedział. – W zeszłym tygodniu zrobiłem zakupy. Jeśli czegoś będziesz jeszcze potrzebować, dzwoń.

– A co ze szkołą?

Zaskoczyła go.

Wspaniały byłby ze mnie ojciec.

– Gdzie chodzisz do szkoły? – zapytał.

– To program „G and T" w północno-wschodnim kwadrancie.

– „G and T"? To nazwa drinka.

– Nie gin z tonikiem, tylko *gifted and talented*, zdolne i utalentowane.

– Masz czternaście lat, czyli jesteś w dziewiątej klasie?

– W dziesiątej.

– Jakim cudem?

– Przeskoczyłam jedną klasę.

– Musisz być rzeczywiście zdolna.

– Z niektórych przedmiotów. W innych jestem kompletnie głupia.

– Na przykład w jakich?

– Nie lubię opowiadać o swoich słabych punktach.

– Biorąc pod uwagę to, co się stało z twoimi rodzicami, uważam, że nie powinnaś teraz wracać do szkoły. Ci, którzy ich zabili, wiedzą pewnie, gdzie się uczysz. A jeśli nie, to bez trudu się dowiedzą.

– Mogę wysłać mojej koordynatorce esemesa i coś jej ściemnić.

– Wydaje ci się, że jesteś mądrzejsza od dorosłych?

– Nie, ale jestem wystarczająco bystra, żeby moje kłamstwa brzmiały wiarygodnie. – Spojrzała na niego badawczo. – Podejrzewam, że ty też jesteś w tym dobry.

– Będą cię szukać ludzie z opieki społecznej.

– Wiem. Nie pierwszy raz. Pójdą do domu moich rodziców. Pomyślą, że wyjechali z miasta i zabrali mnie ze sobą.

Potem pójdą do szkoły, a koordynatorka pokaże im esemesa ode mnie. Uznają, że nic mi się nie stało, i na tym sprawa się zakończy. Mają pod opieką mnóstwo dzieciaków w dużo gorszej sytuacji, więc nie będą sobie długo mną zawracać głowy.

– Potrafisz przewidzieć kilka ruchów naprzód. To dobrze. Grasz w szachy?

– Gram w życie.

– Rozumiem.

– A więc jak blisko będziesz? – powtórzyła pytanie.

– Całkiem blisko.

– Nie zamierzam siedzieć tu i nic nie robić. Chcę ci pomóc w odnalezieniu ludzi, którzy zabili moich rodziców.

– Zostaw to mnie.

– Pieprzę to! Jeśli się nie zgodzisz, żebym ci pomagała, nie zastaniesz mnie tu po powrocie.

Robie usiadł na krześle i spojrzał na nią.

– Powiedzmy sobie pewne rzeczy otwarcie. Jesteś bystrym dzieciakiem. Znasz prawa ulicy. Ale ci, którzy cię ścigają, to zupełnie inna liga. Zabiją każdego, kto wejdzie im w drogę.

– Wygląda na to, że dobrze znasz ten typ ludzi – odpaliła. A ponieważ Robie milczał, mówiła dalej: – Ten facet w autobusie. To, jak załatwiłeś tego drugiego w alejce. To, jak zrekonstruowałeś wydarzenia w domu moich rodziców. Jak mnie wyśledziłeś. Powiedziałeś, że pracujesz w FBI. Nie jesteś żadnym zwyczajnym gościem siedzącym za biurkiem od dziewiątej do siedemnastej. Masz bezpieczne kryjówki, masz broń, telefony, których nie można namierzyć, i teleskopy wycelowane w Bóg wie co… – Urwała, a po chwili dodała: – Założę się, że zabijasz też ludzi.

Robie wciąż milczał.

Julie wyjrzała przez okno.

– Moi rodzice byli wszystkim, co miałam. Uciekłam, zamiast zostać i im pomóc. A oni zginęli. Wiem, że jestem młoda, ale mogę ci się przydać. Daj mi tylko szansę.

Robie też popatrzył przez okno.

– Okej. Zrobimy to razem. Ale to będzie trudne.

– Co mam zrobić na początek? – zawołała z zapałem.

– Masz w plecaku papier i długopis?

– Tak. Mam też laptopa, którego dostałam w szkole.

– Jak długo nie widziałaś rodziców?

– Jakiś tydzień.

– Okej, spisz wszystko, co pamiętasz z ostatnich kilku tygodni. Spróbuj sobie przypomnieć wszystko, co widziałaś, słyszałaś albo podejrzewałaś. Wszystko, co mówili twoi rodzice. Nie szkodzi, jeśli wyda ci się to nieistotne. Przypomnij sobie też wszystkie osoby, które rodzice znali albo z którymi rozmawiali.

– To mają być zajęcia świetlicowe czy naprawdę ważne zadanie?

– Oboje nie mamy czasu na zajęcia świetlicowe. Te informacje będą nam potrzebne.

– Okej, zacznę jeszcze dzisiaj.

Robie wstał do wyjścia.

– Will?

– Tak?

– Będę dobrym partnerem, przekonasz się.

– Nie wątpię, Julie.

Choć tego nie okazał, nie był zadowolony. Wolał pracować sam.

32

Robie? Znajdziesz czas, żeby napić się ze mną kawy? – To dzwoniła Nicole Vance.

Odebrał telefon w windzie, którą zjeżdżał po wyjściu od Julie. Dał dziewczynie klucze do mieszkania, ale poprosił, żeby nigdzie nie wychodziła bez skontaktowania się z nim. Kazał jej też włączyć alarm.

– Jakiś przełom w śledztwie? – zapytał agentkę.

– Jest taki lokal czynny do późna, niedaleko First Street i D Street w południowo-wschodnim kwadrancie. Nazywa się Donnelly's. Mogę tam być za dziesięć minut.

– Ja potrzebuję jeszcze dodatkowych dziesięciu.

– Mam nadzieję, że ci w niczym nie przeszkodziłam.

– Spotkamy się na miejscu.

Robie wsiadł do stojącego na ulicy samochodu. O tej porze ruch w mieście był niewielki. Zaparkował przy First Street i spojrzał na widoczną w głębi ulicy kopułę Kapitolu. W okolicznych budynkach, noszących nazwy upamiętniające dawno zmarłych polityków, ubijało teraz interesy pięciuset trzydziestu pięciu członków Kongresu. Otaczała ich z kolei armia lobbystów z walizkami pieniędzy, w pocie czoła przekonujących wybranych przedstawicieli narodu o słuszności swoich racji. Tak wygląda demokracja.

Mimo późnej pory Donnelly's był pełen ludzi. Większość stałych bywalców piła coś mocniejszego od kawy. Robie stanął w wejściu i dostrzegł Vance siedzącą w odległym końcu sali.

Usiadł naprzeciwko niej. Musiała wstąpić do domu, ponieważ teraz była ubrana zupełnie inaczej. Miała na sobie spodnie, buty na płaskim obcasie, jasnoniebieski sweter i sztruksowy żakiet. Odpowiedni strój na chłodny wieczór. Włosy spadały jej na ramiona. Wcześniej nosiła je związane z tyłu głowy. Długie włosy potrafią czasami przeszkadzać na miejscu zbrodni. Wokół niej unosił się zapach niedawno wziętego prysznica i perfum. Musiała się porządnie wyszorować, pomyślał Robie. Zapach śmierci potrafi wniknąć w pory skóry.

Stała przed nią filiżanka kawy. Robie pomachał wyciągniętą ręką, zwracając w ten sposób na siebie uwagę kelnerki. Wskazał na filiżankę Vance, a potem na siebie.

Zaczekał, aż kelnerka przyniesie świeżą kawę i zniknie, i dopiero wtedy zwrócił się do Vance:

– No, jestem.

– Niełatwo cię znaleźć.

– Dzwoniłaś do mnie tylko raz.

– Miałam na myśli DCIS. Zadzwoniłam pod numer, który mi dałeś. Potwierdzili, że tam pracujesz, ale twoje dane są zastrzeżone.

– Nie ma w tym nic nadzwyczajnego. Mówiłem ci, że przez pewien czas byłem za granicą. I to było tajne. Teraz wróciłem. – Wypił łyk kawy i odstawił filiżankę. – Powiedz, proszę, że to nie był jedyny powód, dla którego poprosiłaś mnie o spotkanie.

– Nie. Nie lubię tracić nadaremnie czasu, więc przejdę do rzeczy.

Z leżącej obok niej torby wyjęła kopertę. W środku były zdjęcia i jakieś kartki.

– To jest teczka Ricka Winda.

Robie przejrzał zdjęcia i przeczytał materiały. Jedno zdjęcie przedstawiało Winda martwego, wiszącego nad cuchnącą moczem podłogą lombardu. Na innych Wind był żywy. Na kilku występował w wojskowym mundurze.

– Wojskowy, widzę?

– Zaciągnął się w wieku osiemnastu lat. Odsłużył swoje i odszedł z armii. Teraz miał czterdzieści trzy lata.

– Ich dzieci są małe. Późno zaczęli się starać?

– Jane i Rick Wind byli małżeństwem od dziesięciu lat. Ona miała za sobą wiele nieudanych prób zajścia w ciążę. Potem w ciągu trzech lat udało im się dwa razy. I wyobraź sobie, że wtedy postanowili się rozwieść.

– Może Rick Wind doszedł do wniosku, że nie chce być ojcem.

– Nie sądzę. Oboje opiekowali się dziećmi.

– A gdzie on mieszkał?

– W hrabstwie Prince George's w stanie Maryland.

– Znasz już przyczynę śmierci?

– Lekarz sądowy jeszcze ustala. Nie ma żadnych widocznych ran prócz obciętego języka. – Zamilkła na moment. – Czy nie tak postępowała mafia z donosicielami?

– A Wind miał jakieś związki z mafią?

– Nic mi o tym nie wiadomo. Nie był natomiast informatorem ani służb federalnych, ani miejscowej policji. Za to prowadził lombard w nieciekawej okolicy. Może prał brudne pieniądze i coś mu się przylepiło do palców?

– I dlatego zabili jego żonę i dziecko?

– Tak dla ostrzeżenia dla innych cwaniaków?

– To byłaby przesada. Przecież musieli wiedzieć, że Jane Wind była pracownikiem agencji federalnej i że w wypadku jej śmierci FBI zostanie postawione na nogi. Po co mieliby sobie przysparzać niepotrzebnych problemów?

– Cieszy mnie twoja wiara w skuteczność Federalnego Biura Śledczego w zwalczaniu przestępczości.

– Czas zgonu? – zapytał.

– Lekarz twierdzi, że mniej więcej trzy dni temu.

– I nikt nie zauważył jego zniknięcia? Na przykład była żona?

– Jak już mówiłam, oboje zajmowali się dziećmi. To był jej tydzień. Widocznie nie kontaktowali się zbyt często. W lombardzie pracował sam. Może nie miał wielu znajomych.

– Okej, ale to wszystko mogło zaczekać do jutra.

– Broń, którą znaleźliśmy niedaleko zniszczonego autobusu, to ta sama broń, z której wystrzelono pocisk w podłogę u Jane Wind.

– Wiem. Już mi to mówiłaś. – Robie uniósł filiżankę i wypił kolejny łyk kawy.

Nie powinienem był strzelać. I nie powinienem był gubić pistoletu.

– A pocisk, który zabił Wind i jej dziecko? – zapytał.

– Zupełnie inna broń. Karabin. Pocisk, tak jak podejrzewaliśmy, przeszedł przez okno.

– To też mogłaś mi powiedzieć przez telefon.

– Pocisk karabinowy był dość wyjątkowy.

– To znaczy?

– Wygląda na taki, jakich używa armia – wyjaśniła głuchym tonem.

Robie wziął kolejny łyk. Serce zaczęło mu szybciej bić, ale ręka nie zadrżała.

– A co w nim takiego wyjątkowego? Udało się coś ustalić czy był zbyt zdeformowany?

– Pocisk miał płaszcz. Zachował się w dobrym stanie. – Zajrzała do notatek. – To był 175-grain Sierra MatchKing Hollow Point Boat Tail. Dość wyjątkowy twoim zdaniem?

– Pełno takiej amunicji.

– Wiem, ale nasz ekspert od broni powiedział, że ten pocisk był inny. Przeznaczony do strzałów z dużej odległości, z osadem zmodyfikowanego materiału miotającego. Szczerze mówiąc, nie wiem, co to wszystko znaczy. Ekspert podejrzewa, że to jest pocisk używany w amerykańskiej armii. A ty co sądzisz?

– Nasi chłopcy rzeczywiście używają takiej amunicji. Ale używają jej też Węgrzy, Izraelczycy, Japończycy i Libańczycy.

– Dużo wiesz o broni. Jestem pod wrażeniem.

– Powiem ci jeszcze więcej. Amerykańscy żołnierze używają karabinów snajperskich M24 Special Weapon System. Nasz cel był oddalony trzysta metrów od strzelca i dzieliła ich pojedyncza szyba. Warunki pogodowe ubiegłego wieczoru były dobre, wiatr słaby. Amunicja, o której mówisz, nosi też nazwę 7,62 MK 316 MOD O. Na cały nabój składa się pocisk Sierra, łuska standardu Federal Cartridge Company, spłonka Gold Medal i zmodyfikowany materiał miotający. Energia kinetyczna takiego pocisku opuszczającego lufę wynosi około trzech i pół tysiąca watów. To energia wystarczająca, żeby z trzystu metrów przedziurawić czaszkę dziecka i śmiertelnie trafić znajdującą się obok drugą osobę.

Robie tylko głośno myślał, ale widząc spojrzenie Vance, pożałował, że nie zostawił tych szczegółów technicznych dla siebie.

– Widzę, że dużo wiesz o zawodzie snajpera – zauważyła.

– Pracuję dla Departamentu Obrony. Ale uzbrojenie typu Sierra jest też dostępne dla cywilów. Szkoda że nie mamy łuski.

– Mamy! Strzelec nie zabrał jej. Nie udało mu się jej znaleźć.

– Gdzie była? Nie zauważyłem jej w tamtym pomieszczeniu, z którego oddano strzał, a przecież szukałem.

– W szparze przy listwie podłogowej. Łuska upadła na betonową posadzkę, pewnie się od niej odbiła, a potem poturlała prosto do szpary. Była zupełnie niewidoczna. Snajper strzelał w całkowitych ciemnościach. W budynku nie ma prądu. Nawet jeśli szukał łuski, to nie miał szans jej znaleźć. Moi ludzie natrafili na nią później, kiedy na czworakach badali każdy centymetr podłogi.

Robie oblizał wargi.

– Okej, mam jedno pytanie. Może znasz odpowiedź, a może nie.

– Pytaj.

– Czy łuska była błyszcząca, czy matowa?

– Nie wiem. Znaleźli ją, kiedy już stamtąd wyszłam. Ale wystarczy jeden telefon.

– Zadzwoń.

– To ważne?

– W przeciwnym razie nie pytałbym.

Wybrała numer, zadała pytanie i uzyskała odpowiedź.

– Matowa, nie błyszcząca. Mój człowiek twierdzi, że nawet trochę odbarwiona. Myślisz, że to stary nabój?

Robie dopił kawę.

Vance niecierpliwie zastukała paznokciami o blat stolika.

– Nie trzymaj mnie w niepewności, Robie. Zadzwoniłam. Dostałam odpowiedź. Teraz ty powiedz, jakie to ma znaczenie.

– Wojsko nie używa starej ani wybrakowanej amunicji. Ale producenci żądają dodatkowych pieniędzy za polerowanie łusek, żeby były błyszczące i śliczne. Armii na tym nie zależy, połysk ma się nijak do skuteczności amunicji. Matowe kule lecą tak samo prosto jak lśniące. A ponieważ armia kupuje miliony pocisków, pozwala to jej zaoszczędzić mnóstwo pieniędzy. Tymczasem naboje dla cywili są zwykle błyszczące, bo taki klient zapłaci ekstra za ładny wygląd.

– Więc zdecydowanie mamy do czynienia z amunicją wojskową?

– I sprawa się komplikuje.

– Tylko tyle masz do powiedzenia? – zapytała z niedowierzaniem.

– A co chciałabyś usłyszeć? – odparł w końcu.

– Że jeśli to amerykański żołnierz zastrzelił funkcjonariusza administracji rządowej, to mamy przesrane. To chciałabym usłyszeć.

– Okej, potencjalnie mamy przesrane. Zadowolona?

– A tak przy okazji, mój szef był solidnie wkurzony, kiedy usłyszał, że włamałeś się do lombardu. Powiedział, że porozmawia na ten temat z DCIS.

– I dobrze. Może odsuną mnie od tej sprawy.

– Skąd ty się urwałeś, Robie? Chcesz brać udział w tym śledztwie czy nie?

– Skończyliśmy? – Zaczął się podnosić.

– Sama nie wiem. Skończyliśmy?

Robie wyszedł z lokalu.

Vance podążyła za nim. Położyła mu dłoń na ramieniu.

– Właściwie to jeszcze z tobą nie skończyłam.

Robie chwycił jej rękę, pociągnął z całych sił i oboje upadli na chodnik za jakimś koszem na śmieci. Chwilę później szyby w restauracji Donnelly's roztrzaskał grad kul.

33

Robie przeturlał się, wyszarpnął z kabury pistolet i zaczął celować przez szparę między przewróconymi koszami na śmieci. Jego celem był czarny SUV z lekko opuszczoną boczną tylną szybą. Z okna wystawała lufa karabinu MP-5, z której sypał się grad pocisków.

Chwilę przed strzelaniną Robie pociągnął Vance na ziemię. Kiedy próbowała się podnieść, przycisnął ją ramieniem do ziemi.

– Leż, bo stracisz głowę.

Pociski karabinowe poszatkowały drzewa, stojące na zewnątrz stoliki i krzesła, wielkie parasole i odbijały się od ceglanej fasady budynku.

Ludzie w środku i na zewnątrz krzyczeli, szukali schronienia, rzucali się na ziemię. Mimo panującego wokół chaosu Robie spokojnie wymierzył i zaczął strzelać. Wszystkie strzały były celne. Trafił w oponę, żeby unieruchomić samochód, w przednią i tylną szybę pasażera, by unieszkodliwić strzelca i kierowcę, i w maskę, by uszkodzić silnik.

I nic się nie stało.

Lufa karabinu znikła, szyba w oknie zasunęła się, a SUV z rykiem silnika ruszył z miejsca.

Robie zerwał się w jednej chwili, zmienił magazynek i pobiegł za samochodem, trafiając w bagażnik i tylne opony.

I znowu nic.

W tej samej chwili zobaczył, że szyby zaparkowanej przy chodniku hondy rozpryskują się, a od drzewa odrywa się gałąź i spada na ziemię. Przestał strzelać. SUV skręcił za róg i zniknął.

Robie przeniósł wzrok na rozbite szyby hondy. Wyjął kluczyki i chciał pobiec do stojącego dwa samochody dalej swojego audi. Ale kiedy zobaczył, że w jego aucie są przestrzelone wszystkie opony, włożył z powrotem kluczyki do kieszeni.

Usłyszał tupot za plecami, odwrócił się, przyklęknął i wymierzył.

– To ja! – krzyknęła Vance, podnosząc ręce z bronią.

Robie wstał, schował pistolet do kabury i podszedł do niej.

– Co to, do cholery, było?! – wykrzyknęła Vance.

– Zgłoś to. Musimy znaleźć tego SUV-a.

– Już dzwoniłam. Ale wiesz, ile tu w okolicy jest czarnych SUV-ów? Zapamiętałeś numery?

– Były zamazane.

Rozległ się dźwięk syren. Usłyszeli tupot nóg. Ulicą nadbiegali, z bronią gotową do strzału, policjanci z Kapitolu.

Robie obejrzał się za siebie na restaurację. Ludzie powoli podnosili się z ziemi. Ale nie wszyscy. Na ulicy tu i ówdzie pojawiły się ciemne kałuże. Z wnętrza lokalu dochodziły krzyki i szlochanie.

Były ofiary. Wiele ofiar. Śmiertelnych.

– Ile? – zapytał Robie.

– Nie jestem pewna. Dwie osoby na ulicy nie żyją. Trzy są ranne. W środku może być więcej. Przy oknie siedziało dużo ludzi. Wezwałam karetki.

Vance spojrzała na hondę z wyjącym alarmem.

– To twoja robota?

– Rykoszet z mojej broni – odparł Robie.

– Rykoszet? Pociski odbijały się od SUV-a? Przecież powinny z łatwością przestrzelić blachę.

– Trafiłem go siedemnaście razy – powiedział Robie. – W opony, szyby, karoserię. Same rykoszety. Trafiły w hondę i w gałąź drzewa.

– Ale to oznacza... – zaczęła nagle pobladła Vance.

– ...że SUV był opancerzony i miał opony odporne na przebicie – dokończył za nią Robie.

– Tego rodzaju samochody są dość liczne w Waszyngtonie, ale tylko w określonych kręgach – zauważyła Vance.

– Głównie rządowych.

– Zamierzali zabić ciebie, mnie czy nas oboje? – zapytała.

– Strzelec miał MP-5 ustawione na ogień seryjny. Strzelał na ślepo. Chciał zabić każdego, kto się nawinie.

Vance spojrzała na ramię Robiego i wzdrygnęła się.

– Robie, jesteś ranny.

– Kula nie weszła w ciało. To tylko draśnięcie – odpowiedział, badając swoje zakrwawione ramię.

– Ale wciąż krwawisz. I to mocno. Dla ciebie też wezwę karetkę.

– Żadnej karetki, Vance – odrzekł szybko i zdecydowanie. – Musimy dorwać tego SUV-a.

– Mówiłam ci, że już to zgłosiłam. Moi ludzie i policja szukają tego wozu. Musi mieć jakieś ślady po kulach.

Robie i Vance wrócili pędem do restauracji. Robie zostawił w spokoju zabitych, biegał za to od jednego rannego do drugiego, hamując krwotok tym, co wpadło mu w ręce. Pomagała mu Vance i policjanci z Kapitolu.

Kiedy zjawiły się karetki i wysypali się z nich ratownicy medyczni, Robie zostawił rannych pod ich opieką, a sam przeszedł na drugą stronę ulicy, żeby sprawdzić, co się stało z jego audi. Karoseria została podziurawiona pociskami z karabinu MP-5. To na pewno nie były rykoszety z jego pistoletu. Więc po tej stronie ulicy musieli mieć drugiego strzelca. To niedobrze. To oznaczało, że znali jego samochód.

Czyżby jechali za nim aż tutaj? Jeśli tak, to...

Odwrócił się i podbiegł do Vance, która rozmawiała z dwoma policjantami.

- Vance - wszedł im w słowo - mogę pożyczyć twój wóz?

- Co? - zapytała zaskoczona.

- Twój samochód. Muszę natychmiast gdzieś pojechać. To ważne.

Vance wyglądała na podenerwowaną, a policjanci przypatrywali się Robiemu podejrzliwie. Vance musiała to zauważyć, ponieważ powiedziała:

- On jest ze mną. - I sięgnęła po kluczyki. - Stoi za rogiem. Srebrny kabriolet bmw. Pamiętaj, że to mój prywatny wóz.

- Dzięki.

- Więc uważaj na niego.

- Zawsze uważam.

Spojrzała z powątpiewaniem na jego ostrzelane audi.

- Jasne. A jak ja mam dotrzeć do domu?

- Wrócę po ciebie. To nie powinno potrwać długo. Zadzwonię do ciebie, kiedy będę wracał.

Zaczął się oddalać.

- I daj sobie opatrzyć ramię! - zawołała za nim.

Odprowadzała go wzrokiem, aż wreszcie jeden z gliniarzy zwrócił się do niej:

- Hm, agentko Vance?

Zakłopotana obróciła głowę.

34

Robie wsiadł do bmw, uruchomił silnik i ruszył. Jadąc, zadzwonił pod numer, który zostawił Julie. Ale Julie nie odbierała.

Niech to szlag!

Dodał gazu. Tak szybka jazda po mieście, nawet o tej porze, nie była łatwa. Spory ruch, co rusz światła. I mnóstwo gliniarzy.

Nagle przyszedł mu do głowy pomysł. Vance wyglądała na osobę oddaną pracy. A to mogło znaczyć, że…

Spojrzał na deskę rozdzielczą. Potem pod kolumną kierownicy zauważył skrzynkę. To nie było standardowe wyposażenie samochodu.

Kocham cię, agentko Vance.

Wcisnął guzik. Na wlocie powietrza z przodu zapaliły się niebieskie światła i zaczęła wyć syrena. Cztery razy przejechał na czerwonym świetle w takim tempie, że mógłby reklamować niemieckie samochody. Po kilku minutach jechał już uliczką, przy której mieszkał. Kilka razy dostrzegł policjantów przyglądających się podejrzliwie beemce na sygnale, ale nikt go nie zatrzymał.

Zahamował, wyskoczył z auta i popędził zygzakiem do budynku, w którym zostawił Julie. Wbiegł po schodach, pokonując po dwa stopnie naraz. Błyskawicznie przebył korytarz. Wcześniej dwa razy wysłał esemesa, ale nie dostał odpowiedzi. Przyjrzał się drzwiom mieszkania. Nie było na nich śladów siłowego wejścia. Wyjął broń, wsunął klucz do zamka i otworzył drzwi.

W pierwszym pokoju było ciemno. Nie usłyszał pikania alarmu. To niedobrze.

Zamknął za sobą drzwi. Wszedł do pokoju z pistoletem w wyciągniętej przed siebie ręce.

Nie zawołał – nie wiedział, kto może się znajdować w mieszkaniu.

Usłyszał jakiś hałas i bezgłośnie skrył się w cieniu.

W jego stronę zbliżały się czyjeś kroki. Wymierzył w tamtym kierunku, gotów w każdej chwili strzelić.

Zapaliło się światło. Robie wyszedł z cienia.

– Co jest?! – krzyknęła Julie, chwytając się za serce. – Chcesz, żebym dostała zawału ze strachu?

Była w piżamie i miała mokre włosy.

– Byłaś pod prysznicem? – zapytał.

– Tak. Czy jestem jedyną osobą na świecie, która lubi czystość?

– Dzwoniłem i wysyłałem esemesy.

– Woda i elektronika to nie najlepsze połączenie. Tak słyszałam. – Sięgnęła po swój telefon leżący na stoliku do kawy. – Mam ci coś teraz odpisać?

– Martwiłem się.

– Okej, przepraszam. Ale nie mogłam odebrać pod prysznicem.

– Następnym razem weź ze sobą telefon do łazienki. I dlaczego alarm nie był włączony?

– Zeszłam na dół po gazetę. Zamierzałam go włączyć przed pójściem spać.

– Po gazetę? Myślałem, że twoje pokolenie nie czytuje staromodnych gazet.

– Lubię czytać wiadomości.

– W porządku, ale chcę, żebyś miała cały czas włączony alarm.

– Dobrze. A dlaczego tak się o mnie martwiłeś? – Spojrzała na jego ramię. – Ty krwawisz.

– Skaleczyłem się – powiedział, rozcierając ramię.

– Przez marynarkę?

– Nie ma o czym mówić – uciął dyskusję. – Czy po moim wyjściu zauważyłaś coś podejrzanego?

Dostrzegła napięcie na jego twarzy.

– Powiedz mi, co się stało, Will.

– Podejrzewam, że byłem śledzony. Nie wiem tylko, od którego miejsca. Jeśli stąd, to niedobrze.

– Nie widziałam i nie słyszałam niczego podejrzanego. Jeśli ktoś chciałby mnie załatwić, to już miał okazję.

Robie opuścił wzrok i zobaczył, że wciąż trzyma wyciągnięty przed siebie pistolet. Schował go do kabury i rozejrzał się.

– Wszystko w porządku? Potrzebujesz czegoś?

– Wszystko gra. Odrobiłam lekcje, zjadłam zdrową kolację, umyłam zęby i zmówiłam paciorek. Jestem gotowa do działania – dodała z sarkazmem. Z kieszeni piżamy wyjęła kartkę papieru i wręczyła ją Robiemu.

– Co to jest?

– Zadanie, które od ciebie dostałam. Wszystkie dziwne rzeczy z ostatnich kilku tygodni. Zapisałam też adresy miejsc, gdzie pracowali moi rodzice. Wszystko, co wiem o ich przeszłości. O ich znajomych. O tym, co robili. Pomyślałam sobie, że to może się przydać.

Robie spojrzał na staranne dziewczęce pismo i pokiwał głową.

– Na pewno się przyda.

– Kto cię postrzelił?

Instynktownie spojrzał na swoje ramię, a potem na nią.

– Widywałam już ludzi z ranami postrzałowymi – wyjaśniła rzeczowo. – W takim świecie dorastałam.

– Nie wiem kto – odparł Robie. – Ale zamierzam się dowiedzieć.

– Czy to ma coś wspólnego z tą zabitą kobietą i jej dzieckiem?

– Chyba tak.

– Wydałeś mi się typem faceta, który z wielu różnych powodów może mieć sporo wrogów.

– Może mam.

– A mimo to chcesz mi pomóc w znalezieniu ludzi, którzy zabili moją mamę i tatę, tak?

– Obiecałem, że pomogę.

– Okej. Mogę już się położyć?

– Jasne.

– Możesz zostać, jeśli chcesz. Nie boję się ciebie.

– Mam jeszcze parę rzeczy do zrobienia.

– Rozumiem.

– Wychodząc, włączę alarm.

– Dzięki.

Zabrała telefon, odwróciła się na pięcie i ruszyła korytarzem w stronę sypialni. Robie usłyszał jeszcze, jak zamyka za sobą drzwi. Włączył alarm i wyszedł z mieszkania.

Był wściekły.

Bawiono się nim. Tyle już wiedział.

Nie wiedział natomiast, kto się nim bawi.

35

Robie zatrzymał się przy krawężniku i czekał, aż Vance skończy rozmowę z miejscowymi gliniarzami i jakimiś innymi ludźmi. Wszędzie pełno było karetek. Pakowano do nich rannych i zawożono do pobliskich szpitali.

To ci szczęśliwcy, którzy przeżyli. Martwi leżeli nadal tam, gdzie upadli. Jedynym wyrazem szacunku dla ich śmierci było przykrycie ciał białymi obrusami. Jeszcze godzinę temu cieszyli się życiem i pili piwo, a teraz byli tylko elementami śledczej układanki.

Widząc, że Vance kończy już rozmowę z ostatnim z policjantów, Robie nacisnął klakson. Vance spojrzała w jego stronę. Podeszła do swojego bmw i dokładnie je obejrzała. Robie opuścił szybę.

– Jeśli znajdę choćby jedną rysę, nogi z dupy ci powyrywam – oświadczyła, ale z jej miny wywnioskował, że nie mówi poważnie.

– Mam poprowadzić? – zapytał. – Czy ty siadasz za kółkiem?

W odpowiedzi zajęła miejsce pasażera.

– Twój wóz został odholowany na parking FBI. Jest oficjalnym dowodem.

– Wspaniale, w takim razie nie mam samochodu.

– DCIS ma całą flotę. Weź sobie któryś.

– Mają pewnie fordy pintos. Ja tam wolę swoje audi.

– Życie jest do dupy.

– Jaki jest ostateczny bilans? – zapytał cicho.

Westchnęła głęboko.

– Cztery trupy. Siedem osób rannych, w tym trzy w stanie krytycznym, więc ofiar śmiertelnych będzie więcej.

– A czarny SUV?

– Zniknął bez śladu. – Oparła się wygodniej i zamknęła oczy. – Co takiego ważnego kazało ci odjechać?

– Musiałem coś sprawdzić.

– Co? Albo kogo?

– Po prostu coś.

– Nie muszę wiedzieć, tak? – Otworzyła oczy i spojrzała na niego. Nie odpowiedział. Przeniosła wzrok na skrzynkę pod kolumną kierownicy.

– Założę się, że znalazłeś włącznik sygnału.

– Był pod ręką.

– Kim ty naprawdę jesteś?

– Willem Robiem. Z DCIS. Tak jak na odznace i w dokumentach.

– Dobrze sobie radziłeś w trakcie strzelaniny. Ja się jeszcze mocowałam ze swoim pistoletem, a ty już opróżniłeś cały magazynek. Chłodny i opanowany mimo świszczących wokół kul.

Nie odzywał się, po prostu prowadził samochód. Niebo było bezchmurne, a na nim kilka gwiazd. Ale Robie nie patrzył w gwiazdy. Patrzył przed siebie.

– To było prawdziwe pole bitwy, ale na tobie zdawało się to nie robić wrażenia – ciągnęła Vance. – Pracuję w FBI od piętnastu lat, od ukończenia college'u. Przez cały ten czas tylko raz uczestniczyłam w strzelaninie. Potem widziałam swoje trupy. Złapałam swoich bandziorów, którym udało się przeżyć. Wykonałam swoją papierkową robotę. Odsiedziałam swoje w sądzie na miejscu dla świadka.

Robie skręcił w lewo. Nie miał pojęcia, dokąd jedzie. Jechał przed siebie.

– Dokąd właściwie ma prowadzić ta podróż w czasie, agentko Vance?

– Kiedy odjechałeś, zwymiotowałam. Nie mogłam się opanować. Zwyczajnie zrzygałam się do kosza na śmieci.

– Nie ma w tym nic dziwnego. Nie było lekko.

– Widziałeś to samo co ja. Ale ty się nie porzygałeś.

Spojrzał na nią.

– Mówisz, że to nie zrobiło na mnie wrażenia. Nie możesz tego wiedzieć. Nie wiesz, co siedzi w mojej głowie.

– A szkoda. Jestem pewna, że znalazłabym coś fascynującego.

– Wątpię.

– Bardzo sprawnie pomagałeś rannym. Gdzie się tego nauczyłeś?

– Poznałem w życiu kilka sztuczek.

Spojrzała na jego ramię.

– Niech cię szlag, Robie, nawet nie przemyłeś sobie rany. To skończy się gangreną.

– Dokąd jedziemy?

– Pierwszy przystanek: WFO – powiedziała, mając na myśli waszyngtońskie biuro terenowe.

– A potem?

– Do szpitala z twoją ręką.

– Nie.

– Robie!

– Nie.

– Dobrze, to jedziemy do ciebie. Ale tam przemyję ci ranę. Nalegam. Wezmę apteczkę z WFO. Później pojadę do domu i prześpię się kilka godzin. Gdzie mieszkasz?

Nie odezwał się. Skręcił w prawo, jeszcze raz w prawo i ruszył w stronę WFO.

– Znasz drogę do biura terenowego?

– Nie, ale próbuję zgadnąć.

– Gdzie mieszkasz? Czy to też jest tajne?

– Pod WFO możemy się rozdzielić. Ja wrócę taksówką.

– Czy ty w ogóle masz gdzie mieszkać? – zapytała.

– Coś sobie znajdę.

– Na miłość boską, co jest z tobą?

– Staram się tylko wykonywać swoją robotę.

Nacisk na ostatnie słowo wywołał u Vance widoczną reakcję.

– Okej – powiedziała cicho. – Okej. Słuchaj, po wizycie w WFO możemy pojechać do mnie. Mieszkam w Wirginii. Mam domek w Alexandrii. Możesz się u mnie odświeżyć. A jeśli będziesz chciał, mam sofę.

– Dziękuję za zaproszenie, ale…

– Uważaj. Zwykle nie jestem taka uprzejma dla ludzi. Nie zawal sprawy.

Spojrzał na nią. Uśmiechnęła się do niego nieznacznie.

Zamierzał powtórnie odmówić, ale nie zrobił tego. Z trzech powodów. Ramię bolało go jak cholera. Był zmęczony, naprawdę zmęczony. I rzeczywiście nie miał dokąd pójść.

– Okej – odpowiedział. – Dzięki.

– Nie ma za co.

36

Wizyta w WFO trwała dłużej, niż się Robie spodziewał. Siedział na krześle, a Vance biegała po biurze, wypełniała jakieś papiery, naradzała się z przełożonymi, dzwoniła, stukała w klawiaturę komputera i z każdą mijającą minutą wyglądała na coraz bardziej zmęczoną.

Robie złożył oficjalny raport z przebiegu wydarzeń, a potem już tylko obserwował, co się będzie działo dalej. Zastanawiał się, jak długo oni wszyscy będą tak biegać w kółko.

– Ja poprowadzę – zaproponował, kiedy nareszcie wyszli z biura i znaleźli się w garażu.

– Nie jesteś zmęczony? – zapytała, ziewając.

– Jestem zmęczony. Prawdę mówiąc, bardzo.

– Nie wyglądasz.

– Tak jest lepiej.

– Jak?

– Nie pokazywać tego, co się naprawdę czuje.

Podała mu adres i Robie ruszył GW Parkway na południe, w kierunku Alexandrii.

Kiedy podjechali pod jej dom, zapytał:

– Masz z okien widok na Potomac?

– Owszem. Widać też pomniki.

– Pięknie.

Wjechali windą i Vance otworzyła drzwi swojego mieszkania. Było małe, ale Robiemu od razu się spodobało. Schludne, żadnych rupieci, wszystko zdawało się mieć swoje przeznaczenie, nic na pokaz. Uznał, że pasuje do osobowości właścicielki.

Nic na pokaz. Liczy się to, co widzę.

– Przypomina kajutę na statku – powiedział.

– Mój ojciec służył w marynarce. Cóż, niedaleko pada jabłko od jabłoni. Tyle że ja większość czasu spędzam na lądzie. Rozgość się.

Usiadł na długiej sofie w salonie, podczas gdy ona zajęła się rozpakowywaniem opatrunków zabranych z siedziby WFO. Zdjęła buty i usiadła obok niego.

– Ściągaj marynarkę i koszulę – rozkazała.

Spojrzał na nią dziwnie, ale zrobił, co mówiła, odkładając na stolik kaburę z pistoletem.

Na widok tatuaży uniosła brwi.

– Czerwona błyskawica… A to drugie?

– Ząb rekina. Żarłacza białego.

– Dlaczego akurat to?

– A dlaczego nie?

Przyjrzała się dokładniej i zrobiła wielkie oczy, kiedy dostrzegła, że tatuaże maskują stare rany.

– Czy to…

– Tak – przerwał jej.

Po tej lekkiej przyganie Vance zajęła się apteczką, a Robie w milczeniu przyglądał się swoim dłoniom.

– Ile masz lat? Trzydzieści pięć?

– Czterdzieści. Dokładnie czterdzieści.

– Musiałeś wcześniej służyć w siłach specjalnych, prawda? Rangersi, Delta, SEAL. Oni wszyscy są zbudowani tak jak ty, chociaż ty jesteś wyższy od większości z nich.

Nie odpowiedział.

Przemyła mu ranę, nałożyła antybiotyk w maści, a potem zabandażowała ramię.

– Przyniosłam też środki przeciwbólowe. W tabletce czy w zastrzyku?

– Nie.

– Daj spokój, Robie. Nie musisz cały czas odgrywać macho.

– Nie o to chodzi.

– W takim razie o co?

– Dobrze jest znać swoją tolerancję na ból. Tabletki i zastrzyki ją maskują. A to niedobrze.

– Jakoś nigdy o tym nie pomyślałam.

Odstawiła apteczkę i spojrzała na niego.

– Możesz założyć z powrotem koszulę.

– Dzięki za opatrzenie rany. Doceniam to.

Ubrał się, lekko się przy tym krzywiąc.

– Miło to wiedzieć – powiedziała, przypatrując mu się uważnie.

– Co?

– Że jesteś istotą ludzką.

– Mogłaś to stwierdzić, widząc, że krwawię.

– Potrzebujesz czegoś jeszcze? Jesteś głodny? Spragniony?

– Nie, dziękuję. – Spojrzał na mebel, na którym siedział. – To jest ta sofa?

– Tak. Przykro mi, ale mam tylko jedną sypialnię. Jesteś co prawda wysoki, ale sofa jest na szczęście wyjątkowo długa.

– Wierz mi, sypiałem w znacznie gorszych warunkach.

– Mogę?

Przewiesił marynarkę przez oparcie sofy.

– Co możesz?

– Wierzyć ci?

– Sama mnie tu zaprosiłaś.

– Nie o tym mówię, dobrze wiesz.

Podszedł do okna wychodzącego na rzekę. Na północy widać było światła Waszyngtonu. I triumwirat pomników Lincolna, Jeffersona i Waszyngtona. Nad nimi wznosiła się potężna kopuła Kapitolu.

Vance podeszła do niego.

– Lubię rano, po przebudzeniu się, patrzeć na ten widok – powiedziała. – Wyobrażam sobie, że to jest sens mojej pracy. Mojej walki. Obrona tego, co te budowle reprezentują.

– Dobrze jest mieć jakiś cel w życiu – stwierdził Robie.

– A jaki ty masz cel? – zapytała.

– Są dni, kiedy to wiem, są takie, kiedy nie wiem.

– A dzisiaj?

– Dobranoc – odpowiedział. – I dzięki, że pozwoliłaś mi u siebie zostać.

– Wiem, że dopiero dzisiaj się poznaliśmy, ale mam wrażenie, jakbym cię znała od lat. Dlaczego?

Spojrzał na nią. Z wyrazu jej twarzy wynikało, że nie jest to banalne pytanie. Oczekiwała odpowiedzi.

– Poszukiwanie zabójcy tworzy między ludźmi więź. A jeśli się przy tym o mały włos nie zginęło, więź jest jeszcze silniejsza.

– Chyba masz rację – powiedziała, w jej głosie słychać było rozczarowanie.

Wyciągnęła prześcieradło, koc i poduszkę i mimo jego protestów sama mu pościeliła.

Robie podszedł do okna i jeszcze raz spojrzał na pomniki.

Atrakcja turystyczna. Nic więcej.

A może jednak, gdyby się głębiej zastanowić.

Obrócił się. Vance stała tuż obok niego.

– Możesz – powiedział.

– Co mogę?

– Zaufać mi.

Wypowiadając to kłamstwo, Robie nie umiał spojrzeć jej prosto w oczy.

37

Wstali następnego ranka, po kolei wzięli prysznic, wypili kawę, sok pomarańczowy, zjedli tosty z masłem. Kiedy Vance kończyła się ubierać w sypialni, Robie wysłał Julie esemesa z jednym tylko słowem.

Dobrze?

Liczył sekundy, które upłynęły do chwili nadejścia odpowiedzi. Minęło ich tylko dziesięć.

Jej wiadomość była równie lakoniczna.

Dobrze.

Wyprostował obolałe ramię i sprawdził opatrunek. Vance zrobiła mu nowy, kiedy wyszedł spod prysznica.

Kilka minut później siedzieli już w jej bmw. W drodze do Waszyngtonu nie odzywali się do siebie. Ruch był ogromny, ryczały klaksony i Robie czuł, że Vance z trudem powstrzymuje się przez użyciem swoich niebieskich policyjnych świateł, a może nawet broni.

– Byłabym wdzięczna, gdybyś nie wspominał o tym, że nocowałeś u mnie. Nie chcę, żeby ludzie sobie coś pomyśleli. A niektórzy faceci, z którymi pracuję, naprawdę potrafią zrobić z igły widły.

– Nie rozmawiam z ludźmi o pogodzie, a co dopiero o tym, gdzie spędziłem noc.

– Dzięki.

– Nie ma za co.

Rzuciła mu przelotne spojrzenie.

– Nie myślałeś chyba, że zaprosiłam cię do siebie z innego powodu, jak tylko po to, żebyś się miał gdzie przespać.

– Nigdy nie przyszło mi to do głowy, agentko Vance. Nie jesteś w moim typie.

– Ty też nie jesteś w moim typie.

– Muszę sobie załatwić jakiś samochód.

– Chcesz, żebym cię podrzuciła do DCIS?

– Przy M Street, koło Siedemnastej, jest wypożyczalnia samochodów. Wysadź mnie tam.

– A co? DCIS nie postara się o nowy wóz dla jednego ze swoich?

– Mają same graty. Pewnie przechodzone od FBI. Wolę sobie sam coś załatwić.

– FBI tak nie postępuje.

– FBI ma budżet, który pozwala na więcej. A DCIS nie.

Podjechała pod wypożyczalnię przy M Street. Robie wysiadł.

– Spotkamy się w Donnelly's? – zapytała.

– Przyjadę tam, tylko nie wiem o której – odpowiedział.

– Masz jakieś inne zadania? – zdziwiła się.

– Muszę coś przemyśleć – odparł. – I trochę pokopać.

– Powiesz mi, o co chodzi?

– Zostaje zabita matka i dziecko. Autobus wylatuje w powietrze. Strzelec próbuje zabić ciebie lub mnie albo nas oboje. Zadzwonię do ciebie, kiedy będę jechał do Donnelly's.

Wszedł do wypożyczalni i poprosił o audi. Nie mieli tej marki, więc wziął volvo. Pracownik zapewnił go, że volvo to bardzo bezpieczny samochód.

Nie wtedy, kiedy ja w nim siedzę, pomyślał Robie, wyciągając z portfela prawo jazdy i kartę kredytową.

– Na jak długo chce pan wypożyczyć wóz? – zapytał pracownik.

– Pozostawmy tę kwestię otwartą – powiedział Robie.

Mężczyzna lekko zbladł.

– Musi pan podać datę i miejsce zwrotu samochodu.

– Los Angeles, Kalifornia, za dwa tygodnie od dziś – wypalił bez zastanowienia Robie.

– Zamierza pan jechać samochodem do Kalifornii? – zdziwił się pracownik wypożyczalni. – Samolotem byłoby szybciej.

– Tak, ale mniej zabawnie.

Dziesięć minut później odjeżdżał spod wypożyczalni bardzo bezpiecznym dwudrzwiowym srebrnym volvo.

Ostatniej nocy najbardziej przeraził go nie fakt, że o mało nie został zabity, ani nie widok zabijanych ludzi, tylko los Julie. Na myśl o tym, że mogło się jej coś stać, czuł w żołądku nieprzyjemny ucisk. Nie był z tego zadowolony. Nie chciał, żeby ktoś miał nad nim taką władzę. Przez większą część życia uciekał od takich więzi i starał się unikać nowych.

Wcisnął pedał gazu, pozwolił, by śliczne, bezpieczne volvo mknęło z zawrotną, przekraczającą granice bezpieczeństwa prędkością.

To mu się podobało.

Nie lubił żadnych ograniczeń.

Zadzwonił jego telefon. Spojrzał na wyświetlacz. Blue Man chciał się z nim ponownie spotkać. Natychmiast.

Nie dziwię się, pomyślał Robie.

38

Tym razem nie w miejscu publicznym. Nie w hotelu Hay-Adams, gdzie jest mnóstwo świadków.

Robie nie miał wyboru. Istniały zasady, którym trzeba było się podporządkować, w przeciwnym razie wypadało się z gry.

Budynek był wciśnięty między dwa inne w takiej części miasta, jakiej turyści nigdy nie odwiedzają. I chociaż okolica słynęła z wysokiej przestępczości, to żaden chuligan się tu nie zapuszczał. Nie warto było ryzykować kulki w łeb albo dwudziestu lat w więzieniu federalnym.

Przed wejściem do bezpiecznego pokoju Robie musiał się rozstać ze swoim telefonem komórkowym, ale broni nie pozwolił sobie odebrać.

Kiedy strażnik po raz drugi poprosił go o broń, odesłał go do Blue Mana. Rozwiązanie było proste. Albo Robie będzie mógł zatrzymać broń przy sobie, albo Blue Man spotka się z nim w McDonald's po drugiej stronie ulicy.

Pozwolono mu zatrzymać broń.

Blue Man usiadł naprzeciwko niego. Miał elegancki garnitur, krawat w jednolitym kolorze, starannie zaczesane włosy. Mógłby być dziadkiem. Zresztą Robie podejrzewał, że jest czyimś dziadkiem.

– Po pierwsze, Robie, nie znaleźliśmy twojego oficera prowadzącego. Po drugie, w alejce, o której wspominałeś, nie było żadnego człowieka z karabinem.

– Okej.

– Kolejna sprawa – mówił Blue Man. – Próba zabicia cię poprzedniego wieczoru?

– Strzelec siedział w samochodzie, który wyglądał na wóz rządowy.

– To wydaje mi się mało prawdopodobne.

– Nie potraficie znaleźć mojego oficera prowadzącego ani faceta z karabinem, którego znokautowałem w alejce, za to uważacie, że strzelanie do mnie z rządowego samochodu jest mało prawdopodobne? – Robie podkreślił każde słowo stuknięciem palca w blat stołu.

– Kim jest ta dziewczyna? – zapytał Blue Man.

Robie nie mrugnął nawet okiem. Zdawał sobie sprawę, że na dłuższą metę nie da się ukryć istnienia Julie. Albo Robie był śledzony, albo jego punkt obserwacyjny wcale nie jest dla wszystkich tajemnicą.

– Ona jest jak zawleczka – odpowiedział Robie. – Jeśli coś jej się stanie, już po nas. Jeżeli zatem chce mi pan powiedzieć, że mój prowadzący wie o jej istnieniu, to niech pan lepiej się zajmie zapewnieniem jej bezpieczeństwa.

Starszy pan wyprostował się na krześle, poprawił sobie krawat, a potem mankiety.

– Musisz mi to wyjaśnić Robie. Zawleczka czego?

– Wyjaśnienia nie będą długie, ponieważ sam nic z tego nie rozumiem.

Robiemu wystarczyło kilka minut, żeby opowiedzieć o zabójstwie rodziców Julie, jej próbie ucieczki autobusem, mężczyźnie, który chciał ją zabić, i w końcu o eksplozji autobusu.

– I zgubiłeś tam swój pistolet. Ten, który miałeś w mieszkaniu Jane Wind?

– Nie zgubiłem. Eksplozja powaliła mnie na ziemię. Przeleciałem w powietrzu pięć metrów. Próbowałem znaleźć broń przed przyjazdem policji, ale nie udało mi się.

– Udało się za to FBI. I od razu powiązali te dwie sprawy.

– A mają jakiś związek? – zapytał Robie.

– Tego nie wiemy na pewno. Chcielibyśmy porozmawiać z dziewczyną.

– Wykluczone. Tylko za moim pośrednictwem. Żadnych bezpośrednich kontaktów.

– My nie działamy w ten sposób. Poza tym chyba zapominasz, kto tu dowodzi, Robie.

Dziadek zaczynał pokazywać rogi. Robie był pod wrażeniem. Ale tylko trochę.

– Macie u siebie kreta. Mój prowadzący zniknął, ale nie musiał działać sam. Na jego miejscu zostawiłbym kogoś. Przyprowadzicie tu dziewczynę, kret coś zwęszy i stracimy ją.

– Wydaje mi się, że potrafimy jej zapewnić ochronę.

– Wydawało wam się, że potraficie zapewnić ochronę Jane Wind, prawda? – powiedział z naciskiem Robie.

Blue Man znów poprawił sobie mankiety.

– Okej. Na razie zachowamy status quo – rzekł stłumionym głosem. – Ale oczekuję od ciebie szczegółowej relacji, a później raportów na bieżąco.

– Dostanie je pan – odparł Robie. – I oczekiwałbym tego samego.

– Nie postępujesz wbrew sobie, próbując komuś nadepnąć na odcisk?

– Robię to po to, żeby zapewnić bezpieczeństwo sobie i osobom, które mi zaufały. Tak samo jak postępuję wbrew sobie, zabijając ludzi, których każecie mi wyeliminować.

– Ale nie zabiłeś Jane Wind?

– Naprawdę chce pan to uznać za mój błąd?

– Powiedz mi coś o Vance.

– Dobra agentka.

– Spędziłeś u niej noc.

– A miałem jakiś wybór?

– Twoje mieszkanie jest bezpieczne.

– Czyżby?

– Mogę cię zapewnić, że twój oficer prowadzący nie miał tej informacji.

– Może pan zapewnić? – rzucił powątpiewająco Robie. Gówno możesz zapewnić, pomyślał.

– Posłuchaj, Robie, zaangażowaliśmy do tej misji spore środki. Nie zostawimy cię na pastwę losu. Jesteśmy zdeterminowani, żeby doprowadzić sprawę do końca. Musimy się dowiedzieć, co się dzieje. Ale motywy muszą być warte podjętego ryzyka. To niemal niemożliwe, by tak po prostu ktoś zwerbował naszych ludzi. Dlatego reakcja musi być ostra. A ostra reakcja występuje tylko wtedy, kiedy cel jest ważny.

– To najsensowniejsza rzecz, jaką pan do tej pory powiedział – odparł Robie.

– Nie mam złudzeń, że nasze relacje są w tej chwili napięte. Masz powody, żeby być sceptycznym i nieufnym. Na twoim miejscu reagowałbym tak samo.

– To już druga sensowna rzecz, jaką pan powiedział.

– Przekonajmy się, czy uda mi się powiedzieć trzecią sensowną rzecz. – Blue Man zebrał myśli. – Istnieją dwa możliwe powody, dla których agentka Jane Wind oraz jej mąż zostali zamordowani. Miało to związek albo z nią, albo z nim.

– Pan wie, czym zajmowała się Jane Wind. Czy to mogło mieć związek z nią?

– Możliwe. Nie mogę definitywnie stwierdzić, że nie. Powiedzmy jednak, że bardziej mnie interesuje to, czego się pan dowie o Ricku Windzie.

– Były wojskowy. Na emeryturze. Właściciel lombardu w kiepskiej dzielnicy Waszyngtonu. Został powieszony głową w dół i obcięto mu język.

– Niepokoi mnie to ostatnie.

– Jestem przekonany, że jego to bardziej niepokoiło.
– Dobrze pan wie, o czym mówię.
Robie odchylił się na krześle.
– Vance zastanawia się, czy to nie miało jakiegoś związku z mafią. Facet był donosicielem, więc symbolicznie obcięto mu język.
– Pan też tak uważa?
– Nie. Ja myślę o tym, o czym pewnie pan też myśli.
– Złodziejowi ucina się rękę.
– A zdrajcy język.
– Gdyby dotyczyło to świata islamskich terrorystów.
– Gdyby – powiedział Robie. – Ale facet był na emeryturze. W co on mógł być zamieszany?
– Komórki terrorystyczne działają dyskretnie. Przynajmniej te, które potrafią być skuteczne.
– Czy on był na Bliskim Wschodzie? Mógł zostać zwerbowany i przysłany tutaj w charakterze bomby zegarowej?
– Bomba zegarowa, która nagle się rozmyśliła? Być może. I owszem, spędził trochę czasu w Iraku i Afganistanie.
Robie przypomniał sobie własne misje na Bliskim Wschodzie. Ostatnia właściwie odbyła się gdzie indziej. Khalid bin Talal przebywał w Maroku, kiedy Robie go zabił. Ale pozostało wielu innych na pustyni, którzy pragnęli zniszczenia Ameryki. Prawdę mówiąc, zbyt wielu, by łatwo zawęzić poszukiwania.
– W takim razie może ja pójdę tym tropem, a pan spróbuje z drugiej strony?
– A co, jeśli w trakcie współpracy z Vance okaże się, że ma to coś wspólnego z agentką Wind?
– Powiem panu o tym.
– W takim razie doszliśmy do porozumienia.
Obaj mężczyźni wstali.
– Czy moje mieszkanie jest naprawdę bezpieczne? – zapytał Robie. – Chętnie bym się przebrał.

Blue Man zdobył się na uśmiech.

– Idź i przebierz się, Robie. To, co masz na sobie, wygląda na mocno wymięte.

– Ja sam czuję się wymięty – odpowiedział Robie.

39

Robie zaparkował przecznicę wcześniej i podszedł do swojego domu od tyłu. Wjechał windą serwisową na górę, dłuższą chwilę obserwował korytarz i wreszcie ruszył naprzód.

Zobaczył Annie Lambert wychodzącą z mieszkania z rowerem. Miała na sobie czarną spódnicę i różową parkę, a na nogach pończochy i tenisówki. Przez ramię przewiesiła plecak.

– Spóźniona do pracy? – zapytał Robie.

Odwróciła się z zaskoczoną miną, ale zaraz się uśmiechnęła.

– Mam wizytę u lekarza. Nawet pracownikom Białego Domu się to zdarza.

– Nic poważnego?

– Nie, rutynowe badania.

Uśmiechnął się.

– Więc doprowadzasz kraj do ruiny?

– Opozycja uznałaby, że tak. Ale moim zdaniem postępujemy słusznie. Czasy są ciężkie. Stoi przed nami mnóstwo wyzwań. A co u ciebie? Wszystko w porządku?

– Jak najbardziej.

Jeśli nawet zauważyła zgrubienie pod marynarką, tam, gdzie znajdował się opatrunek, nie skomentowała tego.

– Ten drink jest nadal aktualny? – zapytał, sam zaskoczony, że to zrobił.

Dużo nowego dowiedziałem się o sobie w tym tygodniu, pomyślał.

– Pewnie. Może dziś wieczorem? Mówiłeś, że nie chcesz z tym długo czekać.

– Jeśli prezydent cię puści.

Uśmiechnęła się promiennie.

– Myślę, że tak. Co powiesz na ósmą? W barze na dachu hotelu W? Stamtąd jest wspaniały widok.

– W takim razie jesteśmy umówieni.

Annie poszła dalej, a Robie wszedł do swojego mieszkania. Nie miał pojęcia, dlaczego to zrobił. Ale skoro się już zobowiązał, będzie tam o ósmej. Zwykle nie lubił się rozpraszać, kiedy pracował, lecz tym razem zdawał się nie mieć nic przeciwko temu.

Sprawdził wszystkie pułapki, które zastawił na nieproszonych gości, mimo że już wiedział, iż jego agencja potrafi je bez trudu ominąć. Wszystko wyglądało tak samo. Mogli założyć mu podsłuch, ale Robie nie zamierzał stąd dzwonić. W pewien sposób czuł się w swoim mieszkaniu jak w pułapce.

Przebrał się w czyste ubranie i zapakował do niedużej torby kilka rzeczy, które mogły okazać się potrzebne, gdyby przez dłuższy czas tu nie wracał.

Nie mógł się powstrzymać przed sprawdzeniem, co u Julie, i wysłał jej krótkiego esemesa z pytaniem, czy wszystko jest okej.

Kilka sekund później nadeszła odpowiedź: Przyjdź.

Przeszedł do budynku, w którym znajdowało się drugie mieszkanie, i wjechał windą na górę. Rozglądał się, szukając śladów zostawionych przez ludzi Blue Mana, ale nie znalazł niczego. Może to i dobrze, pomyślał.

Może.

Julie otworzyła drzwi, kiedy tylko zobaczyła go w wizjerze. Robie był zadowolony, słysząc, że wyłącza też alarm.

Wszedł i zamknął za sobą drzwi.

– Rozmawiałeś z jakąś lalunią na rowerze – powiedziała.

– Słucham?

Wskazała palcem teleskop.

– Solidny sprzęt. Działa świetnie i w nocy, i w dzień.

– Cóż, do tego służy. Ale wolałbym, żebyś nie podglądała przez niego ludzi.

– Obserwuję tylko swoje otoczenie, tak jak mi kazałeś.

– No dobrze, sam jestem sobie winny.

– Więc twoje kolejne mieszkanie jest po drugiej stronie ulicy?

– Tak.

– Zwykle ludzie mają rezydencje porozrzucane po całym świecie. No wiesz, Paryż, Londyn, Hongkong.

– Ja nie jestem zwykłym człowiekiem.

– Prawda, sama to zauważyłam. I czego się dowiedziałeś? Oglądałam telewizję. Wygląda na to, że wczoraj rozegrała się tam prawdziwa wojna. Masz szczęście, że nie zostałeś zabity. Bo podejrzewam, że to tam cię postrzelili. A tobie nawet nie przyszło do głowy, żeby powiedzieć mi, co jest z twoim ramieniem.

– Szczęście zawsze odgrywa jakąś rolę – odparł wymijająco.

– Mają już jakiś trop?

– Nic mi nie powiedzieli.

– A jak się współpracuje z FBI?

– Ujdzie.

– Ona jest śliczna.

– Kto?

– Agentka Vance. Była w telewizji, rozmawiała z reporterami. Nie wspomniała o tobie.

– To dobrze.

– Gdzie spałeś tej nocy? Wiem, że nie naprzeciwko. – Wskazała teleskop.

– Spałem – odpowiedział. – To wszystko, co powinnaś wiedzieć.

– Hu, hu, hu. Spałeś z nią, prawda?

Tym razem Robie o mało nie zamrugał oczami. O mało. Ten dzieciak naprawdę potrafił go rozszyfrować.

– Skąd ci to przyszło do głowy?

Spojrzała mu czujnie w oczy.

– Sama nie wiem. Bije od ciebie jakiś dziwny blask. Kobieta to wie.

– Cóż, jesteś w błędzie. A teraz muszę już iść.

– A kiedy pójdziemy razem, Robie?

Spojrzał na nią.

– Jesteśmy partnerami. Pamiętasz naszą umowę? Mamy się dowiedzieć, kto zabił moich rodziców.

– Pamiętam. I pracuję nad tym.

– Wiem, że nad tym pracujesz. Ale ja też chcę. Dałam ci tę listę. Co z nią do tej pory zrobiłeś?

– Zamierzam ją zweryfikować.

– Świetnie – powiedziała, zakładając bluzę z kapturem. – Jestem gotowa do wyjścia.

– To nie jest dobry pomysł.

– A moim zdaniem nie jest dobrym pomysłem, żebym siedziała tutaj na dupie i tylko patrzyła przez teleskop. Dlatego albo idę z tobą, albo sama. Tak czy owak, wychodzę.

Robie westchnął i otworzył jej drzwi.

– Ale to ja będę zadawał pytania – zastrzegł.

– Jakże by inaczej – odparła.

Kłamczucha, pomyślał Robie.

40

Siedzieli w wypożyczonym przez Robiego samochodzie i obserwowali domek jej rodziców.

Julie zaczęła się wiercić.

– Co nam z tego przyjdzie? – zapytała.

– Sprawdzamy, czy nie pojawi się ktoś interesujący. Zaczekamy jeszcze pół godziny, potem jedziemy dalej.

– Zajęcia świetlicowe, co? Chcesz, żeby tak mnie to znudziło, że dam sobie spokój, wrócę do mieszkania i będę grzecznie siedzieć. Mam rację?

– Do wszystkich jesteś tak sceptycznie nastawiona?

– Do większości. Chcesz mi powiedzieć, że ty nie jesteś sceptyczny?

– W granicach rozsądku.

– Co chciałeś przez to powiedzieć?

– Nic, przepraszam.

Wyjrzał przez okno. Chodnikiem biegł bezdomny kot. Zaczął kropić deszcz. Kot przyspieszył i zniknął w oddali.

– Jak długo twoi rodzice tu mieszkali?

– Mniej więcej dwa lata. Najdłużej w jednym miejscu.

Spojrzał na nią.

– W takim razie opowiedz mi w skrócie swój życiorys.

– Niewiele jest do opowiadania.

– To może pomóc w naszym śledztwie.

– Właśnie sobie coś przypomniałam. Coś, co powiedziała mama, kiedy był tam ten facet z pistoletem.

– Co takiego?

– Kiedy facet we mnie wycelował, mama powiedziała: „Ona nic nie wie".

Robie wyprostował się i zacisnął mocniej dłonie na kierownicy.

– Jak mogłaś zapomnieć, żeby mi o tym powiedzieć?

– Sama nie wiem. Przyszło mi to do głowy teraz, kiedy tu siedzę i patrzę na ten dom.

– Powiedziała facetowi, że nic nie wiesz – powtórzył Robie. – Co oznacza, że twoja mama coś wiedziała. A wcześniej facet pytał twojego tatę, czy coś wie.

– Rozumiem, do czego zmierzasz. Więc ktoś teraz myśli, że ja też coś wiem, chociaż mama zaprzeczała. Ale jeśli to ten sam człowiek, który zginął w eksplozji?

– To nie ma znaczenia. Mógł się skontaktować z kimś, dla kogo pracował.

– Może działał w pojedynkę?

– Nie sądzę.

– Dlaczego?

– To nie ten typ. Poza tym ktoś uprzątnął ciała twoich rodziców i wysadził w powietrze autobus. To nie był on. Nie miałby na to czasu ani okazji.

– Dlaczego wysadzili w powietrze autobus? Jeśli chcieli mnie zabić, to przecież mnie już w nim nie było.

– Mogli o tym nie wiedzieć. Załóżmy, że ktoś strzelił pociskiem zapalającym w zbiornik paliwa ze strony przeciwnej niż drzwi. Okna w autobusie były przyciemnione. Mogli nie wiedzieć, że wysiedliśmy. Wysadzili w powietrze autobus dla pewności, na wypadek gdyby ich człowiek zawiódł.

– Jak myślisz, nadal są przekonani, że zginęłam?

– Wątpię. Tego rodzaju ludzie mają dobre źródła informacji. Musimy zakładać, że wiedzą, że żyjesz.

Julie spojrzała za okno.

– W co moi rodzice mogli się wpakować?

– Przyjrzyjmy się ich życiu, może coś wyjdzie na jaw.

– Od czego zaczniemy?

– Od restauracji, w której pracowała twoja mama. Poprowadź mnie tam.

Wykorzystując Julie jako pilota, Robie dojechał do znajdującej się całkiem niedaleko knajpy. Zaparkował przecznicę dalej, po drugiej stronie ulicy.

Zgasił silnik.

– Znają cię tam, prawda?

– No pewnie.

– W takim razie lepiej chyba, żeby cię tam nie widziano.

– I mam tak siedzieć tu w samochodzie? Nie tak się umawialiśmy.

– Plany zawsze ewoluują w zależności od sytuacji.

Sięgnął po leżącą na tylnym siedzeniu torbę, którą zabrał ze swojego mieszkania, i wyjął z niej lornetkę.

– Plan jest taki. Ja idę i zadaję kilka pytań. Ty obserwujesz teren. Jeśli ktoś będzie za bardzo zainteresowany moją osobą, zrób mu zdjęcie swoim aparatem.

– Jak masz zamiar wyjaśnić, dlaczego zadajesz pytania?

Robie wyjął z torby miniaturową wkładkę do ucha i słuchawki z mikrofonem.

– Ty będziesz centrum dowodzenia – powiedział, wręczając jej słuchawki. – Kiedy będziesz mówić do mikrofonu, będę cię słyszał, okej? A ty będziesz słyszała wszystko, co będzie tam mówione. W razie potrzeby i według własnego uznania będziesz mi dostarczać tą drogą informacji. Okej?

– Okej. – Julie uśmiechnęła się. – Spoko.

Robie włożył sobie miniaturową słuchawkę do ucha, włączył zasilanie odbiornika umieszczonego przy pasku pod marynarką i wysiadł z samochodu. Wsunął jeszcze głowę do środka i powiedział:

– Jeśli coś wyda ci się dziwne, poczujesz złe wibracje, powiedz po prostu „wracaj", a ja za pięć sekund będę z powrotem. Okej?

– Okej.

Wyprostował się, rozejrzał się na prawo i lewo i ruszył w kierunku restauracji.

Julie obserwowała każdy jego krok przez lornetkę.

41

Robie usiadł na wolnym stołku i z koszyka na kontuarze wziął wyświechtaną kartkę z menu. Stanęła przed nim kelnerka w postrzępionym niebieskim uniformie i niezbyt świeżym fartuchu. Za prawe ucho miała zatknięty ołówek. Około pięćdziesiątki, szerokie biodra, siwe odrosty na blond włosach.

– Co panu podać? – zapytała.

– Na początek filiżankę czarnej kawy.

– Za chwilę będzie. Właśnie nastawiłam świeży dzbanek.

W uchu Robiego rozległ się głos Julie:

– Nazywa się Cheryl Kosmann. Jest przyjaciółką mojej mamy. To dobra kobieta.

Robie lekko skinął głową, dając Julie znać, że usłyszał informację.

Cheryl przyniosła filiżankę kawy i postawiła ją przed Robiem.

– Przydałoby się panu trochę mięśni na tych kościach. Nasze klopsiki są naprawdę bardzo dobre. Nie będą panu tak wystawać żebra. Ja mam ich już dość. Nie widziałam własnych żeber od jakichś dwudziestu lat. – Roześmiała się.

– Pani nazywa się Cheryl Kosmann?

Śmiech urwał się w jednej chwili.

– A kto pyta?

Robie wyjął dokumenty. Najpierw machnął odznaką, potem pokazał legitymację.

Cheryl zesztywniała.

– Mam jakieś kłopoty?

– A spodziewa się ich pani?

– Nie. Chyba że urabianie się po pachy za nędzne grosze jest przestępstwem.

– Nie ma pani żadnych kłopotów, pani Kosmann.

– Proszę mi mówić Cheryl. To jest co prawda modny czterogwiazdkowy lokal, ale staramy się tu utrzymać miłą, nieformalną atmosferę.

– Jak długo tu pracujesz, Cheryl?

– Zbyt długo. Trafiłam tu prosto po szkole średniej. Miałam przepracować jedno lato, a zostałam do dziś. Kiedy o tym myślę, zbiera mi się na płacz. Zasrane życie.

Robie wyjął fotografię Julie z rodzicami, którą zabrał z ich domu.

– Co możesz mi powiedzieć o tych ludziach?

Kosmann spojrzała na zdjęcie.

– Interesuje cię rodzina Gettych? Dlaczego? Czy to oni mają kłopoty?

– A znasz jakiś powód, dla którego mogliby mieć kłopoty?

– Nie. To dobrzy ludzie, tylko wpakowali się kiedyś w coś niedobrego i nie umieli się wycofać. A ta ich mała to prawdziwy skarb. Naprawdę. Gdyby tylko dać jej szansę, na pewno do czegoś by doszła w życiu. Jest diabelnie bystra. I ma naprawdę dobre oceny w szkole. Ciężko na to pracuje. Nieraz siedziała tutaj obłożona stertą książek. Raz próbowałam jej pomóc w matematyce. Nie, żartuję. Ledwie potrafię dodać cyfry na rachunku klienta. Julie jest wyjątkowa. Uwielbiam tę dziewczynę.

– Ale jest w rodzinie zastępczej.

– Cóż, i jest, i nie jest. Sara, jej mama, robi wszystko, co może, żeby ją odzyskać.

– A ojciec?

– Curtis też ją kocha, tyle że to ruina człowieka. Jeśli chcesz znać moje zdanie, za dużo się w życiu nawciągał koki.

Co potem zostaje z mózgu? Nawet Einstein skretyniałby od takiej ilości białego proszku.

– Kiedy ostatnio widziałaś któreś z nich?

Kosmann skrzyżowała ręce na piersi.

– To zabawne, że o to pytasz. Sara miała dzisiaj pracować, ale nie przyszła. I nie zadzwoniła. To nie w jej stylu, no chyba że coś się stało.

– Na przykład poszła w tango? – zasugerował Robie.

– Albo Curtis nie mógł wstać z łóżka i musiała się nim zająć. Ale pewnie jutro się pojawi.

Nie, nie pojawi się, pomyślał Robie.

W słuchawce usłyszał, jak Julie pociąga nosem.

– Właściciel to toleruje?

– Właściciel to kompletny nieudacznik, który też miał do czynienia z prochami. Dlatego rozumie sytuację. Przymyka oko. Ale kiedy Sara już przyjdzie, nikt nie pracuje tak ciężko jak ona.

– Więc kiedy ostatnio była w pracy?

– Przedwczoraj. Wczoraj miała wolne. Skończyła o szóstej. Po dwunastu godzinach. Cały dzień na nogach to naprawdę mordęga. Curtis po nią przyszedł.

– Wracając z pracy?

– Zgadza się. Z magazynu oddalonego o jakieś pięć minut drogi stąd. Często po nią przychodzi i odprowadza do domu. Uważa, że ulice w tej okolicy nie są bezpieczne. I faktycznie, czasami nie są. Moim zdaniem to urocze. On naprawdę ją kocha, a ona jego. Kiedyś nie mieli absolutnie niczego. Mieszkali w norze. Nie mieli samochodu. Żadnych oszczędności. Żadnego funduszu emerytalnego. Mieli tylko Julie. To na pewno jest coś. Chcieli dla niej jak najlepiej. Nie chcieli, żeby skończyła tak jak oni. Wydawali ostatnie grosze, żeby móc ją posyłać do dobrej szkoły z programem dla specjalnie utalentowanych dzieci. Sara bez przerwy brała nadgodziny, żeby opłacić czesne. Często na ten temat rozmawiałyśmy, kiedy pracowałyśmy na tę samą zmianę. Curtis też brał dodatkowe godziny w magazynie. Był ćpunem, ale kiedy chciał, potrafił ciężko pracować. A dla swojej córeczki chciał.

Robie słyszał w słuchawce, że oddech Julie stał się szybki i ciężki.

Sięgnął do nadajnika przy pasku i wyłączył go.

– Często widujesz Julie? – zapytał.

– O, tak. Siedzi tu przy kontuarze albo przy stoliku i odrabia lekcje, czekając, aż jej mama skończy swoją zmianę. Potem całą trójką idą razem do domu.

– Kiedy akurat nie jest w rodzinie zastępczej.

– Zgadza się. Ja wiem, wygląda na to, że Julie jest częściej w rodzinie zastępczej niż w swojej.

– Zauważyłaś, żeby w ostatnich tygodniach kręcił się tutaj ktoś nieznajomy?

Kosmann zmarszczyła czoło.

– Czy coś się stało Sarze, Curtisowi albo Julie?

– Zbieram tylko informacje.

– Masz odznakę DCIS.

Robie był zaskoczony. Większość ludzi nie zwraca uwagi na takie szczegóły.

– Znasz tę agencję?

– Mamy kilku weteranów wśród naszych stałych klientów. Jeden pracował w DCIS, stąd znam ten symbol. Ale jaki to ma związek z rodziną Gettych? Ani Curtis, ani Sara nigdy nie służyli w wojsku. Przynajmniej ja nic o tym nie wiem.

– Powtarzam, zbieram tylko informacje. Czy kiedy ostatnio ich widziałaś, któreś z nich było podenerwowane albo zmartwione?

– Coś im się stało, tak? – Kosmann sprawiała wrażenie, że za chwilę wybuchnie płaczem. Kilku stałych gości przy innych stolikach zaczęło im się przyglądać.

– Ja tylko wykonuję swoje obowiązki. Jeśli nie chcesz odpowiadać na moje pytania, to w porządku. Możemy spróbować innym razem.

– Nie, nie. W porządku. – Wytarła oczy serwetką i wzięła się w garść. – Ale ja chyba też muszę się napić kawy, żeby uspokoić nerwy.

Robie zaczekał, aż Cheryl naleje sobie kawy i ponownie stanie przed nim.

– Byli zdenerwowani albo zmartwieni? – powtórzył pytanie Robie.

– Teraz, kiedy o to pytasz… tak. Przynajmniej Sara. O Curtisie nic nie wiem. On jest zawsze zdenerwowany i sprawia wrażenie, jakby miał za chwilę wyjść z siebie. Ale to wina prochów.

– Pytałaś Sarę, co ją trapi?

– Nie, nigdy. Podejrzewałam, że to z powodu Curtisa albo dlatego, że Julie trafiła do rodziny zastępczej. Nic na to nie mogłam poradzić.

– Wymieniała jakieś nazwiska? Były do niej jakieś telefony, które mogły wydać się dziwne?

– Nie.

– A czy ostatniego dnia, kiedy tu była, zdarzyło się coś niezwykłego?

– Nie, ale dzień wcześniej, wieczorem, jedli tu kolację ze znajomymi.

– Co to za znajomi?

– Po prostu – znajomi. Siedzieli przy stoliku, tam. Sara ma tu darmowe jedzenie i zniżkę dla znajomych. Jak nie ma się za dużo pieniędzy, każdy grosz się liczy.

– Znasz ich?

– To małżeństwo. Leo i Ida Broome.

Robie wypił łyk kawy i zapisał nazwisko.

– Opowiedz mi o nich.

Pojawiło się kilku klientów i Robie zaczekał, aż Sara usadzi ich przy stoliku i przyjmie zamówienie na napoje. Kiedy już ich obsłużyła i przyjęła zamówienie na posiłek, wróciła do Robiego. On przyjrzał się nowo przybyłym, ale nie dostrzegł żadnego zagrożenia. Gdy Cheryl była zajęta gośćmi, włączył ponownie nadajnik i natychmiast usłyszał w słuchawce głos Julie.

– Nie wyłączaj tego więcej. Nie rozpłaczę się. Okej?

Kiwnął lekko głową.

– Przepraszam – powiedziała Cheryl, podchodząc do niego.

– Nie szkodzi. Rozmawialiśmy o Broome'ach.

– Niewiele mam do powiedzenia. Miła para dobiegająca pięćdziesiątki. Wydaje mi się, że Ida pracuje w salonie fryzjerskim. A Leo robi coś dla miasta, ale nie wiem dokładnie co. Nie orientuję się, jak się poznali. Może byli wszyscy razem na odwyku. Kto wie? Znam ich długo. Od czasu do czasu jedli tu razem z Sarą i Curtisem.

– Masz ich adres albo numer telefonu?

– Nie.

– Ja mam – usłyszał w słuchawce głos Julie.

– A zauważyłaś coś niezwykłego, kiedy jedli tę kolację? – zapytał Robie.

– Obsługiwałam ich. Miałam tego dnia wieczorną zmianę. Wychwyciłam urywki rozmowy. To nie było nic naprawdę ważnego, ale oni wszyscy wyglądali…

Czekał cierpliwie, aż Cheryl znajdzie odpowiednie słowo.

– Wyglądali wszyscy, jakby zobaczyli ducha.

– I nie zapytałaś ich, co było tego przyczyną?

– Nie. Pomyślałam sobie, że to albo z powodu narkotyków, albo Julie znowu trafiła do rodziny zastępczej, albo coś związanego z tymi Broome'ami. Jestem tylko kelnerką w podrzędnej knajpie. Kiedy ludzie chcą mówić, słucham, ale nie lubię wtrącać się w sprawy, które mnie nie powinny obchodzić. Mam dość własnych problemów. Jeśli według ciebie skoro tak myślę, to jestem złym człowiekiem, no to jestem.

– Nie jesteś złym człowiekiem, Cheryl – zapewnił ją Robie. Przyszło mu coś jeszcze do głowy. – Masz jakiś zaległy urlop?

Wydawała się kompletnie zaskoczona tym pytaniem.
– Został mi tydzień do wykorzystania.
– A masz rodzinę za miastem?
– W Tallahassee.
– Na twoim miejscu odwiedziłbym ją.
Spojrzała na Robiego zaniepokojona, kiedy zaczął do niej docierać sens jego słów.
– Myślisz… myślisz, że jestem…?
– Po prostu weź sobie urlop, Cheryl. Od zaraz.
Robie zapłacił za kawę, wstał i wyszedł.

42

Robie wsiadł do samochodu i włożył słuchawkę i nadajnik do schowka znajdującego się między przednimi fotelami. Zerknął na Julie siedzącą z wzrokiem utkwionym przed siebie.

– Wszystko w porządku?

– Tak. – Patrzyła cały czas na knajpę. – To miejsce było dla mnie bardziej domem niż mój prawdziwy dom. A na pewno bardziej niż którykolwiek z domów rodziny zastępczej.

– Widzę – odparł Robie.

– Lubiłam tu odrabiać lekcje. Mama dawała mi ciastko i pozwalała napić się kawy. Czułam się naprawdę dorosła.

– I pewnie miło było z nią posiedzieć.

– Lubiłam patrzeć, jak pracuje. Była w tym dobra. Żonglowała tymi zamówieniami. I nigdy niczego nie zapisywała. Miała świetną pamięć.

– Otrzymałaś te same geny.

– Być może.

– W wieczór, kiedy twoi rodzice zostali zamordowani, wyszli z knajpy około szóstej. Ale w domu pojawili się kilka godzin później, w towarzystwie zabójcy. Zastanawiam się, gdzie byli przez ten czas?

– Nie wiem.

– Okej, a Broome'owie?

– Mieszkają w północno-wschodnim kwadrancie.

Robie uruchomił silnik.

– Co możesz mi o nich powiedzieć?

Nim zdążyła otworzyć usta, zadzwonił jego telefon.

– Robie – rzucił do słuchawki.

– Gdzie ty, do diabła, jesteś?

To była Vance.

– Szperam tu i tam. Przecież ci mówiłem.

– Musisz tu zaraz przyjechać.

– Co się dzieje? – zapytał.

– Po pierwsze, dziennikarze nie dają mi spokoju. Po drugie, policja metropolitalna, połączone jednostki antyterrorystyczne i Departament Bezpieczeństwa Wewnętrznego próbują mnie pouczać, jak mam prowadzić śledztwo. Po trzecie, po prostu jestem wkurzona.

– Okej. Daj mi godzinę. Przyjadę.

– Naprawdę nie dasz rady szybciej?

– Naprawdę.

Rozłączył się i skręcił w lewo, w kierunku Union Station. Nagle zatrzymał się przy krawężniku i rozpiął pasy bezpieczeństwa.

– Co robisz? – zapytała Julie.

– Zaczekaj minutę.

Robie wysiadł i zatrzasnął za sobą drzwi. Zadzwonił.

Zgłosił się sekretariat Blue Mana. Natychmiast go z nim połączono.

Robie przekazał Blue Manowi, co powiedziała mu Vance.

– Mógłby pan użyć swoich wpływów i załatwić, żeby DHS, antyterroryści i MPD trzymali się z dala od tej sprawy. W przeciwnym razie wszystko może się skomplikować.

– Załatwione – odparł Blue Man.

Robie wsiadł z powrotem do samochodu i uruchomił silnik.

– Ściśle tajne sprawy? – odezwała się Julie, patrząc na niego nieprzyjaźnie.

– Nie, dzwoniłem do pralni.

– No to jak, spałeś z nią? – zapytała Julie.

Teraz Robie siedział z wzrokiem utkwionym przed siebie.

– Już ci mówiłem. Nie! Poza tym to nie twój interes, z kim sypiam.

– Ale ona ma ochotę na seks z tobą.

Rzucił jej krótkie spojrzenie.

– Skąd ty, u diabła, możesz to wiedzieć?

– Jest teraz na ciebie wkurzona. Słyszałam jej głos w telefonie. Nie byłaby taka wściekła, gdyby nie czuła do ciebie mięty.

– Ona jest z FBI. Pewnie traktuje tak wszystkich facetów, którzy przysparzają jej kłopotów.

– Może, ale w tym wypadku jest inaczej. Ja to wiem. To babskie sprawy. Faceci nie potrafią zrozumieć takich rzeczy.

– Masz czternaście lat. Nie powinnaś nic wiedzieć o babskich sprawach.

– Will, w jakich czasach ty żyjesz? Pięć dziewczyn z mojej szkoły jest w ciąży. I żadna z nich nie jest starsza ode mnie.

– Chyba jestem niedzisiejszy.

– Czasami też chciałabym być niedzisiejsza. Ale przyszło mi żyć w takim świecie.

– Wróćmy do Broome'ów – zaproponował Robie.

– Moi rodzice znali ich od lat. Cheryl mówiła prawdę, Ida pracuje w salonie fryzjerskim. Chodziłam tam z moją mamą. Ida obcinała mi włosy za darmo, a mama piekła jej za to ciasta. Moja mama jest dobrą kucharką. – Urwała. – Była dobrą kucharką.

– A jej mąż? – zapytał szybko Robie, zmieniając temat. – Cheryl powiedziała, że robił coś dla miasta.

– Tego nie jestem pewna – odparła Julie.

– Jest w nich coś nietypowego?

– Wydawali mi się całkiem normalni, ale nie znam ich aż tak dobrze.

– W takim razie musimy zapytać ich o to osobiście. – Jeśli jeszcze żyją, pomyślał. – Jak twoi rodzice ich poznali?

– Wydaje mi się, że pan Broome był przyjacielem taty. Ale nie wiem, co ich łączyło.

– Myślisz, że Broome'owie mogą mieć coś wspólnego z tym, co się stało z twoimi rodzicami?

– Nie powiedziałabym. Ona pracuje w salonie fryzjerskim, oboje jadają w kiepskich knajpach. Nie wyglądają na szpiegów czy kogoś takiego.

– Nie możesz wiedzieć tego na pewno.

– Żartujesz?

– Szpiedzy zwykle nie wyglądają na szpiegów. Na tym to polega.

– Za to ty wyglądasz na szpiega.

– To dobrze, bo nim nie jestem.

– Ty tak twierdzisz.

Przez kilka sekund jechali w milczeniu.

– Więc sypiasz z nią? – zapytała ponownie.

– Co cię to, u diabła, obchodzi?

– Jestem z natury ciekawska.

– Tak, to wiem. Ale nawet jeśli z nią sypiam, to ci o tym nie powiem.

– Dlaczego?

– To się nazywa: być dżentelmenem.

– Teraz naprawdę jesteś staroświecki.

– W porównaniu z tobą chyba starożytny – odparł Robie.

43

Blok mieszkalny pochodził z lat sześćdziesiątych, ale był odnowiony. Robie zauważył nową markizę nad drzwiami, oczyszczone cegły i świeżą farbę. Siedząc z Julie w samochodzie, dostrzegł też, że jakiś mężczyzna otworzył drzwi wejściowe przez przytknięcie karty magnetycznej do czytnika domofonu. Drzwi otworzyły się, a następnie automatycznie zatrzasnęły.

Julie spojrzała na Robiego.

– I co teraz?

– Znasz numer mieszkania?

– Nie. Raz tylko przechodziłam w pobliżu tego domu z mamą. Mama powiedziała mi wtedy, że tu mieszkają Broome'owie. Nigdy u nich nie byłam.

– Okej. Daj mi chwilę.

Wysiadł z samochodu i przebiegł zygzakiem między jadącymi samochodami przez ulicę. Przyjrzał się skrzynce domofonu przy drzwiach i wcisnął guzik.

– Tak? – odezwał się czyjś głos.

– Przyszedłem do Leo i Idy Broome'ów.

– Chwileczkę.

Po dwudziestu sekundach głos odezwał się ponownie:

– Dzwoniłam do ich mieszkania. Nikt nie odpowiada.

– Na pewno dzwoniła pani do ich mieszkania? Numer trzysta pięć?

– Nie, numer czterysta dziesięć.

– Aha, dobrze, dziękuję.

Robie rozejrzał się w poszukiwaniu kamery monitoringu, ale nie znalazł żadnej.

Zbliżała się do niego para starszych ludzi. Kobieta miała chustkę na głowie i szła o lasce. W wolnej ręce trzymała plastikową torbę z zakupami. Mężczyzna poruszał się z pomocą balkonika z piłeczkami tenisowymi zatkniętymi na końcach przednich nóżek.

Robie zobaczył, że kobieta sięga po kartę magnetyczną.

– Może pani pomóc? – zapytał.

Staruszka spojrzała na niego podejrzliwie.

– Nie, damy sobie radę sami.

– Okej. – Robie cofnął się o krok, czekając, aż kobieta otworzy drzwi za pomocą karty.

Ona jednak przystanęła i zaczęła mu się przyglądać.

– Mogę w czymś pomóc, młody człowieku?

Robie już zamierzał coś odpowiedzieć, kiedy usłyszał za swoimi plecami głos.

– Tatusiu, mówiłam, żebyś na mnie zaczekał.

Odwrócił się i zobaczył podbiegającą do niego Julie. Przez ramię miała przewieszony plecak. Spojrzała na parę staruszków i uśmiechnęła się.

– Dzień dobry, mam na imię Julie. Państwo mieszkają w tym domu? Mój tata i ja myślimy o przeprowadzeniu się tutaj. Przyszliśmy obejrzeć jedno z mieszkań. Mama miała się tu z nami spotkać. – Zwróciła się teraz do Robiego. – Ale zadzwoniła i powiedziała, że się spóźni. A to ona ma kartę, którą dał jej agent nieruchomości. Musimy zaczekać na zewnątrz. – Ponownie zwróciła się do staruszków: – Po raz pierwszy w życiu będę miała własną łazienkę. Obiecałeś, tato, prawda?

Robie pokiwał głową.

– Dla mojej kochanej córeczki wszystko.

Starszy mężczyzna uśmiechnął się.

– Dobrze jest mieć przy sobie kogoś młodego. Ja czuję się staro.

– Bo jesteś stary – skwitowała kobieta. – Naprawdę stary. – Spojrzała na Julie z sympatią. – A skąd się przeprowadzacie, skarbie?

– Z Jersey – odpowiedziała bez wahania Julie. – Tutaj podobno jest cieplej.

– A z której części Jersey? – zapytała kobieta. – Ja stamtąd pochodzę.

– Z Wayne – powiedziała Julie. – Tam jest ładnie, ale tata dostał przeniesienie z pracy.

– W Wayne jest bardzo ładnie – zgodziła się kobieta.

Julie spojrzała na Robiego.

– Mama powiedziała, że będzie za jakieś czterdzieści pięć minut. Utknęła w korku.

– Tutaj wszyscy stoją w korkach – odezwał się staruszek. – Do diabła, w tym mieście nawet piesi utykają w korkach.

– Proszę, wpuścimy was – powiedziała kobieta. – Nie ma sensu, żebyście tak tutaj stali.

Robie wziął od niej torbę z zakupami. Wjechali windą na szóste piętro. Staruszkowie wysiedli, a kobieta dała Julie wyjęte z torby ciastko i uszczypnęła ją w policzek.

– Wyglądasz zupełnie tak samo jak moja prawnuczka. Mam nadzieję, że będziemy się widywać częściej.

Robie i Julie zjechali na czwarte piętro i wysiedli z windy.

– Świetna robota – powiedział Robie. – Ale kiedy okazało się, że są z Jersey, kłamstwo mogło wyjść na jaw.

– Byłam w Wayne. Pierwsza zasada, nie mów, że pochodzisz z miasta, w którym nigdy nie byłeś.

– Dobra zasada.

Znaleźli mieszkanie 410. Znajdowało się na końcu korytarza. Naprzeciwko nie było żadnych drzwi. Robie sprawdził korytarz, ale tu też nie zauważył ani jednej kamery. Zapukał trzykrotnie do drzwi. Żadnej odpowiedzi.

– Obróć się tyłem do mnie – polecił Julie.
– Zamierzasz się włamać?
– Po prostu się obróć.
Zajęło mu to pięć sekund. To nie była zasuwka. Wystarczył jeden zamiast dwóch cienkich stalowych drutów.
– Chyba właśnie staliśmy się przestępcami – zauważyła Julie.
– Chyba tak.
W środku śmierdziało smażonym jedzeniem. Mieszkanie było niewielkie, skromnie umeblowane i nie było w nim nikogo. Stanęli pośrodku salonu. Robie rozejrzał się uważnie.
– Trochę tu za czysto, nie uważasz? – zwrócił się do Julie.
– Może są pedantyczni?
Pokręcił głową.
– To mieszkanie zostało wyczyszczone.
– Co chcesz przez to powiedzieć?
– Nie wiem, czy coś się stało Broome'om. Może są cali i zdrowi. Ale ktoś dokładnie tu posprzątał i znał się na rzeczy.
Julie rozejrzała się wokół.
– Powinniśmy poszukać jakichś odcisków palców czy czegoś takiego?
– Strata czasu. Musimy się dowiedzieć, czym zajmował się Leo Broome.
– Możemy pójść do salonu fryzjerskiego i popytać.
– Mam lepszy pomysł. Ty pójdziesz do salonu i popytasz. Nie chcę, żeby ktoś wiedział, co robimy. Ludzie nie będą podejrzewać dziecka.
– Nie jestem dzieckiem. Właściwie mogłabym już prowadzić samochód.
– Ale z tobą będą rozmawiać. Znają cię przecież, prawda?
– Tak. Byłam tam wiele razy.
Wyszli z budynku, wsiedli do samochodu i ruszyli.
– Twoim zdaniem Broome'owie nie żyją, prawda? – zapytała.

– Biorąc pod uwagę to, co się stało z twoimi rodzicami, i wygląd mieszkania Broome'ów, tak, uważam, że prawdopodobnie nie żyją. Ale jeśli Ida Broome będzie w salonie, to będzie znaczyło, że się myliłem.

– Mam nadzieję, że się mylisz, Will.

– Ja też.

44

Robie został w samochodzie, a Julie weszła do salonu fryzjerskiego pełnego klientek. Julie rozejrzała się, szukając wzrokiem pracujących tego dnia fryzjerek.

Idy Broome nie było.

W powietrzu unosił się zapach kosmetyków do włosów i środka do trwałej ondulacji. Słychać też było nieustanny gwar rozmów fryzjerek i stałych klientek, dzielących się najświeższymi plotkami. Julie podeszła do recepcji.

– Ty jesteś Julie, prawda? – odezwała się młoda kobieta za kontuarem. Wyglądała na studentkę college'u i była ubrana w czarne spodnie i głęboko wycięty top, odsłaniający wytatuowany nad lewą piersią kwiat. Na głowie miała oczywiście bardzo modną fryzurę.

– Zgadza się. Ida jest dzisiaj? Chciałam, żeby mi podcięła grzywkę.

Julie modliła się, by się okazało, że Ida jest na zapleczu albo wyszła na uliczkę od strony zaplecza na papierosa, jednak kobieta pokręciła przecząco głową.

– Miała się pojawić o dziesiątej, ale nie przyszła. Dzwoniłam do niej do domu, nikt nie odbierał. Ładnie nas urządziła. Miała na dziś umówione siedem strzyżeń, dwie trwałe i jedno farbowanie. Jej klientki nie były zadowolone, kiedy odwoływałam wizyty przez telefon.

– Ciekawe, co się stało – powiedziała Julie.

– Może wypadło jej coś pilnego.

– Może.

– Mogłabym poprosić Marię, żeby ci przycięła grzywkę. Będzie miała chwilę wolnego po tej klientce, którą się teraz zajmuje.

– Byłoby super.

Maria miała około dwudziestu pięciu lat i była Latynoską o krótkich, ciemnych włosach, starannie przyciętych wokół kanciastej twarzy. Przywitała Julie szerokim uśmiechem.

– Spójrz na siebie, dziewczyno. Trzeba ci chyba przyciąć grzywkę, co?

– Skąd wiedziałaś?

– Jestem profesjonalistką.

Fryzjerka obok zachichotała.

– A ty nie w szkole? – zapytała Maria.

– Rada pedagogiczna.

– Jak tam mama?

Julie nie mrugnęła okiem. Spodziewała się tego pytania.

– W porządku.

Julie usiadła w fotelu, a Maria założyła jej czarny fartuch i zawiązała go na szyi.

– Wiesz co? – odezwała się Maria. – Byłoby ci naprawdę dobrze z taką fryzurą, jaką ma Zooey Deschanel. Świetnie się komponuje z okularami.

– Ale ja mam dobry wzrok – odparła Julie.

– Nie o to chodzi. Liczy się wygląd.

– Widziałaś ostatnio Idę? Dziewczyna na recepcji powiedziała, że Ida nie przyszła dziś do pracy.

– Wiem. Sama jestem zdziwiona. Nigdy nie opuściła ani jednego dnia, a na dziś miała mnóstwo klientek. Szef jest wściekły. Firma ledwie zipie i liczy się każdy grosz.

– Przecież wygląda na to, że interes kwitnie.

– Nie codziennie tak jest.

– *Apreciar todo lo bueno que viene su manera* – powiedziała Julie.

Maria roześmiała się i lekko stuknęła Julie w głowę nożyczkami.

– Wiesz przecież, że nie mówię po hiszpańsku.

– Ciekawe, gdzie może być Ida? – zastanawiała się głośno Julie.

– Nie mam pojęcia. Przedwczoraj zachowywała się cholernie zabawnie.

– Ale zabawnie normalnie czy zabawnie dziwnie?

– Zdecydowanie dziwnie. Schrzaniła klientce trwałą, a potem innej skróciła włosy o pięć centymetrów zamiast o dwa. Wyobraź sobie, jak tamta była wkurzona. Wiesz, jak my, kobiety, traktujemy włosy. To jak religia. Włosy i buty.

– Zapytałaś ją, co się dzieje?

– Tak, ale nie była zbyt rozmowna. Powiedziała tylko, że to z powodu Leo.

– Jej męża? Stracił pracę czy co?

– Wątpię. On pracuje dla rządu. Tacy nie tracą pracy.

– No, nie wiem. W instytucjach rządowych są cięcia.

– Może i tak. Ale nie sądzę, żeby Leo stracił pracę.

– A czym on się zajmuje?

– Pracuje dla rządu, mówiłam.

– Tak, ale dla kogo? Dla władz stanowych czy federalnych?

– A coś ty dzisiaj taka wścibska?

– Zwyczajnie ciekawa, wszystkie nastolatki takie są.

– Akurat. Moja najmłodsza siostra ma siedemnaście lat i nie obchodzi ją nic ani nikt prócz niej samej.

– Ja jestem jedynaczką. Jedynacy są z natury bardziej wścibscy.

– Nie wiem, gdzie dokładnie pracuje Leo. Ale Ida powiedziała mi kiedyś, że to coś bardzo ważnego. Gdzieś na Kapitolu.

– W takim razie może pracować dla rządu federalnego.

– Być może.

– A wczoraj Idy nie było?

– Nie, ale to akurat nic dziwnego. Miała dzień wolny. Dzisiaj to co innego.

Maria w tym czasie skończyła skracanie grzywki.

– Gotowe. Wyglądasz świetnie. Ale pomyśl o tych okularach.

Julie przejrzała się w lustrze.

– Dzięki, Mario.

Maria zdjęła jej fartuch, a Julie sięgnęła po pieniądze. Fryzjerka machnęła ręką.

– Tym razem na mój koszt.

– Należy ci się zapłata.

– Coś ci powiem. Jak przyjdziesz następnym razem, zaczniesz mnie uczyć hiszpańskiego. Matka mnie goni do nauki.

Julia uśmiechnęła się.

– Umowa stoi.

45

Robie nie czekał na Julie cały czas w samochodzie. Włóczył się po okolicy. I się rozglądał. Wiedział, że gdzieś czai się ktoś, kto może ich obserwować. Chciał tego kogoś znaleźć, nim on coś zrobi.

Poza tym miał nad czym myśleć.

Zajmował się dwiema sprawami jednocześnie.

Została zabita Jane Wind i jej syn. Pracowała w Departamencie Obrony. Podróżowała do Iraku i Afganistanu i pewnie do innych zapalnych miejsc. Oficer prowadzący Robiego został zwerbowany i kazał mu zabić Jane Wind. Teraz prowadzący zniknął i Robie miał na karku śledztwo w sprawie morderstw, których sam był świadkiem. Nicole Vance jest bystra i on musiał wykazać się wyjątkową ostrożnością, żeby się przed nią nie zdradzić. Rick Wind został znaleziony w swoim lombardzie z obciętym językiem, powieszony głową w dół. Żadnego tropu.

No i ma jeszcze na głowie Julie Getty. Rodzice zamordowani, miejsce zbrodni wyczyszczone. Robotę miał zakończyć zabójca w autobusie. Ale autobus wylatuje w powietrze. W miejscu wybuchu zostaje znaleziona broń Robiego i federalni uznają, że te dwie sprawy są ze sobą powiązane. Facet, który zaatakował ich w alejce, znika. Mieszkanie Broome'ów też zostało wysprzątane i Robie nie wie, gdzie oni są. I czy żyją.

Spojrzał na witrynę salonu i zobaczył, że Julie szykuje się do wyjścia. Gdyby miał się zakładać, założyłby się, że Idy Broome nie było w pracy.

Spotkał się z Julie przy samochodzie. Wsiedli do środka.

– Mów – polecił.

Opowieść zajęła Julie kilka minut.

– Więc nadal nie wiemy, czym zajmuje się Leo – podsumował Robie.

– Nie możesz tego sprawdzić w jakiejś rządowej bazie danych?

– Być może. Spróbuję.

– Broome'owie najprawdopodobniej nie żyją – stwierdziła Julie.

– Albo się ukrywają – odparł Robie. – To wersja optymistyczna.

– Myślisz, że powodem tego wszystkiego jest pan Broome, skoro robił coś ważnego dla rządu?

– Niewykluczone.

– Ale co z tym mogli mieć wspólnego moi rodzice?

– Byli przyjaciółmi. Spotykali się, jadali razem. Broome'owi mogło się coś wypsnąć.

– Wspaniale – powiedziała lekko łamiącym się głosem. – Moi rodzice zostali zamordowani dlatego, że jedli z tym facetem klopsiki?

– Zdarzają się dziwniejsze historie.

– Co teraz? – zapytała.

– Odstawię cię do domu. Muszę jechać.

– Oczywiście. Żeby się zobaczyć ze specjalną superagentką Vance.

– Po prostu z agentką specjalną Vance.

– Ale była super, prawda?

– Nie odpuścisz?

– Czy to znaczy, że mam wrócić do mieszkania i umierać z nudów?

– Nie masz przypadkiem lekcji do odrobienia?

– Zamiast zajmować się śledztwem mam odrabiać rachunki? Super.

– Masz czternaście lat i już robisz rachunki?

– Mówiłam ci, że uczę się według programu dla utalentowanych dzieci. Właściwie to nie lubię matematyki. Ale jestem w niej dobra.

– Nauka to klucz do sukcesu.

– Mówisz jak stary dziad.

– A nie mam racji?

– Nie robię dalekosiężnych planów.

– To całkiem niezła filozofia.

– Moim kolegom z klasy rodzice zaplanowali już całe życie. Najlepsze szkoły. Najlepsze programy nauczania. Wall Street, akademia medyczna, kancelaria prawnicza. Kolejny Steve Jobs, następny Warren Buffett. Rzygać się chce.

– Co widzisz złego w robieniu kariery?

– Uważasz, że nie ma nic złego w zarabianiu wielkich pieniędzy kosztem innych? Na ziemi żyje ponad siedem miliardów ludzi, ale zbyt wiele w nędzy. Nie mam zamiaru wymyślać algorytmów, które pozwolą mi zbić fortunę na Wall Street i jednocześnie napędzać gospodarkę, przez co przybędzie tylko biednych ludzi na świecie.

– Rób w takim razie coś innego. Coś, co będzie ludziom pomagać.

Spojrzała na niego z ukosa.

– Tak jak ty?

Uciekł wzrokiem przed jej spojrzeniem.

Nie, nie jak ja, pomyślał.

46

Robie odstawił Julie do mieszkania, a sam zaczął przedzierać się przez uliczne korki do restauracji Donnelly's, gdzie dotarł dwadzieścia pięć minut później. Ciała zostały już zabrane, ale na ulicy wciąż było pełno policyjnych radiowozów, furgonetek ekip kryminalistycznych i samochodów Biura. Na samym środku chodnika znajdował się mobilny punkt dowodzenia FBI.

Z drugiej strony drewnianych barierek policyjnych kłębił się tłum reporterów. Za plecami przepychających się dziennikarzy stały rzędy wozów transmisyjnych z wycelowanymi w niebo masztami anten. Robie machnął swoją odznaką i został przepuszczony przez policyjny kordon. Ścigały go pytania wykrzykiwane przez żądnych sensacji reporterów, żywiących się każdym nowym, którego ludzie nieustannie potrzebowali.

Vance powitała go na ulicy. Sprawiała wrażenie udręczonej. Widząc panujący wokół chaos, który wynikał ze zderzenia Pierwszej Poprawki z należącym do władz obowiązkiem wyjaśnienia sprawy zabójstwa kilku obywateli, Robie przestał się dziwić jej stanowi.

– Masz wszystko pod kontrolą? – zapytał.

– Chcesz, żebym cię zastrzeliła?

Poszedł za nią do restauracji, gdzie federalni technicy kryminalistyczni i agenci specjalni w granatowych kurtkach w pocie czoła badali miejsce zbrodni. Porozstawiane na podłodze tabliczki z numerami wskazywały miejsca, gdzie leżały ciała ofiar. Kawałki kolorowego plastiku zdawały się wyjątkowo niewłaściwym symbolem śmierci ludzkich istot.

– Co nowego? – zapytał Robie.

– W nocy zmarły w szpitalu dwie kolejne ofiary – odpowiedziała ponurym głosem. – W sumie mamy sześć ofiar. I niewykluczone, że ich liczba jeszcze wzrośnie.

– Mówiłaś, że DHS i MPD nie dają ci spokoju.

– Już się uspokoili. Zwinęli swoje namioty i wrócili do domu.

– Dobrze wiedzieć.

Przyjrzała mu się uważnie.

– Miałeś z tym coś wspólnego?

Robie podniósł do góry ręce.

– Nie mam takich środków nacisku. Jeśli FBI nie jest w stanie poruszyć góry, nie spodziewaj się tego po maleńkim DCIS.

– Jasne – odpowiedziała, wcale nieprzekonana.

– Jakieś tropy?

– Czarny SUV został porzucony półtora kilometra stąd. W karoserii były wgniecenia od kul. Słusznie podejrzewałeś, był opancerzony.

– A kto jest jego właścicielem?

– Rząd Stanów Zjednoczonych.

Więc to ja miałem rację, pomyślał Robie. A Blue Man się mylił. Wcale nie poprawiło mu to humoru. Przeciwnie, poczuł się gorzej.

– A konkretnie?

– Secret Service.

Robie spojrzał na nią zaskoczony.

– Zginął z jednego z ich parkingów.

– Jakim cudem? Te miejsca są monitorowane non stop.

– Właśnie to wyjaśniamy.

– To niedobrze, jeśli mają kogoś w swoich szeregach. W końcu oni ochraniają prezydenta.

– Dzięki, Robie. Nie wiedziałam – warknęła Vance.

– A co na to Secret Service? – zapytał, nie zważając na jej ton.

– Są zaniepokojeni. I zaostrzyli środki bezpieczeństwa.

– Coś jeszcze?

– Na ulicy jest pełno łusek od MP-5. Miejmy nadzieję, że znajdziemy pasującą do nich broń.

– Nikt nic nie widział? Żadnych twarzy?

– Rozpytywaliśmy całą noc i cały dzień. Na razie nic.

– Czy to na pewno my byliśmy celem? A nie ktoś inny w restauracji albo na ulicy?

– Tego nie wiemy. Robimy profil wszystkich ofiar i wszystkich osób znajdujących się wczoraj w restauracji. Może nam się poszczęści i jedna z nich wskaże nam motyw tej rzezi.

– A jeśli to my byliśmy celem? – zastanawiał się głośno Robie. I pomyślał: jeśli to ja byłem celem?

Vance pokręciła głową.

– Po co mieliby tracić na nas czas? Tylko dlatego, że wyjaśniamy sprawę wybuchu w autobusie i zabójstwa Jane Wind? Gdyby nas zabili, śledztwem zająłby się ktoś inny, sprawa nie stanęłaby w miejscu. Poza tym jak sam powiedziałeś, zabicie agenta federalnego może tylko przysporzyć kłopotów. Nic z tego nie rozumiem.

– A co nowego w sprawie Ricka Winda?

– Dzisiaj jest przeprowadzana sekcja. Prosiłam, żeby się pospieszyli z wynikami.

– Autobus?

– Już samo uporanie się z ciałami, a raczej ze szczątkami ciał, zajmie dużo czasu. Autobus przewozimy do laboratorium kryminalistycznego FBI. Przeczeszemy go dokładnie, może uda się ustalić, co spowodowało wybuch. Zwróciliśmy się o pomoc do Antyterrorystycznej Grupy Zadaniowej. Oni są w tym najlepsi. Zwykle udaje im się znaleźć źródło eksplozji. Ale to trochę potrwa.

Robie odchrząknął i zadał pytanie, które od dawna już nie dawało mu spokoju.

– Czy w tamtej okolicy znajdują się jakieś kamery? Mogły zarejestrować przebieg wypadków. Ułatwiłyby pracę twoich ludzi.

– Jest kilka. Właśnie zbieramy nagrania. Nie wiem, co zarejestrowały, ale mogą coś nam dać.

– Gdzie gromadzicie te nagrania? – zapytał.

– W ruchomym punkcie dowodzenia, tam na miejscu, na ulicy. Jeszcze dziś powinniśmy mieć komplet. Jedna kamera była na pewno zainstalowana przy bankomacie, a druga na narożniku budynku, ale widok z niej może być ograniczony. Powiedziano mi, że są też inne kamery.

Robie pokiwał głową, zastanawiając się, jak wyrazić to, co chciał powiedzieć.

– Wiem, że formalnie nie jestem oddelegowany do sprawy autobusu, ale skoro obie te sprawy są ze sobą powiązane, to miałabyś coś przeciwko temu, żebym nią też się zajmował?

Vance zastanowiła się chwilę.

– Świeże spojrzenie drugiej pary oczu nigdy nie zawadzi – powiedziała w końcu.

Vance podpisała kilka dokumentów, które przyniósł technik, a Robie w tym czasie patrzył przez okno na ruchomy punkt dowodzenia.

Co będzie, jeśli na którymś z nagrań pojawi się moja twarz? Albo twarz Julie?

– O czym tak rozmyślasz?

Obrócił się. Vance wpatrywała się w niego.

– Więc jak mogę pomóc? – zapytał, ignorując jej pytanie.

– Możemy pójść kilkoma tropami.

– To znaczy?

– Pierwszy to praca Jane Wind w DCIS. W wypadku tego tropu możesz być wyjątkowo przydatny. Dalej mamy jej męża. Czy w jej życiu było coś, co przyczyniło się do jego śmierci?

– Sądząc ze stanu, w jakim znaleźliśmy zwłoki, on zginął wcześniej.

– Co pozwala mi wysnuć wniosek, że przyczyną wszystkiego był Rick Wind – powiedziała Vance. – Wiesz o nim coś więcej?

– Kiedy służył w wojsku, był i w Iraku, i w Afganistanie – odparł Robie.

– To dotyczy prawie wszystkich mundurowych w ostatnich dziesięciu latach.

– Z wojska odszedł z czystą kartoteką. Jego żona, z racji pracy w DCIS, też kilka razy odwiedziła Irak i Afganistan.

– W tym samym czasie co mąż?

– Nie, później.

– Mówisz, że Wind odszedł z wojska czysty. A inne sprawy? Jak długo był na Bliskim Wschodzie? Czy był ranny albo trafił do niewoli? A może zmienił poglądy?

– Zastanawiasz się, czy nie został zwerbowany? Czy nie zdradził własnego kraju?

– No właśnie.

– Nie mogę odpowiedzieć na to pytanie.

– Nie możesz czy nie chcesz?

– Nie znam odpowiedzi.

– Obcięli mu język.

– Widziałem to, agentko Vance.

– Pogrzebałam wczoraj wieczorem trochę w komputerze.

– To może być niebezpieczne.

– I wysłałam kilka maili do naszych ekspertów od Bliskiego Wschodu. Islamscy fundamentaliści obcinają czasem języki ludziom, którzy ich zdaniem dopuścili się zdrady.

– Owszem, robią takie rzeczy.

– Tak mogło być w tym wypadku.

– Musimy wiedzieć dużo więcej, żeby potwierdzić coś takiego.

– Obcięty język, wysadzony w powietrze autobus. To coraz bardziej wygląda mi na międzynarodowy terroryzm.

– Ale dlaczego autobus?

– Liczne ofiary. W kraju wybucha panika.

– Może masz rację.

– Rick Wind musiał być w coś wplątany. Stchórzył. Zrobili z nim porządek. A potem zabili jego żonę, bo bali się, że coś jej powiedział.

– Jego byłą żonę. Pracującą w DCIS. Gdyby jej coś powiedział, ona powiedziałaby nam. A nie zrobiła tego, zapewniam cię.

– Może nie zdążyła.

– Może.

– To całkiem prawdopodobna teoria.

– Chyba tak – powiedział Robie, drapiąc się po policzku.

– Nie wydajesz się przekonany.

– Bo nie jestem.

47

Godzinę później, po omówieniu wszystkich szczegółów dotyczących strzelaniny, Robie wyszedł z restauracji. Był ciepły dzień i z każdą chwilą robiło się coraz przyjemniej. Był to jeden z tych bezchmurnych dni w Waszyngtonie, o których wiadomo, że nie potrwają długo. Nie o tej porze roku. Stolica była niczym środek tarczy strzelniczej na mapie pogody. Fronty atmosferyczne z północy, południa i zachodu regularnie przekraczały linię Appalachów, ścierając się właśnie tutaj i psując aurę.

Dziś było wyjątkowo ładnie. Ale tylko to wyróżniało ten dzień na korzyść.

Robie spojrzał na kolorowe tabliczki z numerami, wskazujące miejsca, gdzie na chodniku leżały ciała ofiar. Tak, tylko pogoda jest dziś dobra.

Zastanawiał się nad tym, co powiedziała mu Vance.

Strzelano z SUV-a należącego do Secret Service.

Samochód wcześniej zginął.

Secret Service niczego nie gubi.

Robie współpracował kiedyś z tą agencją, sprzątając bałagan w pewnym kraju, do którego nie chciałby już wracać. Agencja jest mała w porównaniu z takimi kolosami jak FBI czy DHS. Ale pracują w niej wspaniali, lojalni i oddani ludzie, jedyni agenci federalni, którzy systematycznie szkolą się w przyjmowaniu kuli przeznaczonej dla chronionej przez nich osoby.

Spojrzał w lewo i jego wzrok zatrzymał się na ruchomym punkcie dowodzenia FBI.

Podszedł i zastukał do drzwi. Agentowi, który mu otworzył, pokazał swoją odznakę. Powołał się na Vance i pozwolono mu wejść. Wnętrze było wypełnione nowoczesnym sprzętem pomocnym w prowadzeniu dochodzenia. Siedziały tu cztery osoby. Robie szybko podzielił ich w myślach na agentów specjalnych i techników. Dwóch techników waliło palcami w klawiatury komputerów, a na licznych ekranach, którymi zastawiony był długi stół, płynęły posłusznie strumienie danych.

– Vance powiedziała, że gromadzicie nagrania z monitoringu w pobliżu miejsca, gdzie nastąpiła eksplozja autobusu. Macie już coś zgrane z kamer?

Agent, który wpuścił go do środka, skinął głową.

– Jedną chwileczkę.

Napisał i wysłał esemesa. Robie dobrze wiedział jakiego.

Pyta Vance o zgodę na pokazanie mi nagrań.

Robie nie mógł się spodziewać niczego innego. FBI nie zatrudnia głupców.

Po chwili usłyszał sygnał obwieszczający nadejście odpowiedzi. Mężczyzna spojrzał na wyświetlacz i powiedział:

– Proszę tutaj, agencie Robie.

Zaprowadził go w kąt pomieszczenia i wskazał na pusty ekran.

– To wszystko, co na razie mamy.

Wcisnął kilka klawiszy.

Robie usiadł na obrotowym krześle, skrzyżował ręce na piersi i czekał na pojawienie się obrazu.

– Oglądał pan to już? – zwrócił się do agenta.

– Nie, to będzie pierwszy raz.

Robie poczuł, że serce zaczyna mu szybciej bić.

To naprawdę może być dla wszystkich objawieniem, pomyślał.

Drzwi otworzyły się i zobaczył Vance. Agentka zamknęła za sobą i podeszła do nich.

– Zdążyłam na pokaz? – zapytała.

– Tak jest – zameldował z szacunkiem w głosie agent.

Vance usiadła obok Robiego. Ich kolana prawie się zetknęły. Wbiła wzrok w ekran, który właśnie zaczął ożywać.

W polu widzenia znalazł się autobus. Przejechał kilkaset metrów. Robie odetchnął z ulgą, widząc, że kamera nie objęła boku autobusu, tam gdzie są drzwi. Kilka sekund później pojazd eksplodował.

Robie znowu zesztywniał. Po eksplozji nic już nie przesłaniało widoku drugiej strony ulicy, gdzie toczyły się w tej chwili spikselizowane postacie Robiego i Julie. Za kilka sekund wstaną, a wtedy...

Ekran pociemniał.

Robie spojrzał na agenta zajmującego się prezentacją.

– Co się stało?

– Wybuch musiał uszkodzić kamerę. Ten sprzęt nie jest wystarczająco odporny.

Wcisnął jeszcze kilka klawiszy i w końcu zawołał technika. Technik przejął klawiaturę, ale po pięciu minutach prób wciąż nie było obrazu.

Robie obejrzał jeszcze dwa inne nagrania, które niewiele różniły się od pierwszego. Kamery pokazywały drugi bok autobusu, ale widocznie też uległy uszkodzeniu po eksplozji.

– A nagranie z kamery na dworcu pokazujące wsiadających pasażerów? – zapytał Robie. Szukał w pamięci takich urządzeń, ale nie przypominał sobie, żeby je widział.

– Na razie nic takiego nie mamy – odparła Vance. – Ale to dopiero początek. Spróbujemy znaleźć jakieś nagrania. Zwłaszcza z drugiej strony ulicy. Poza tym dziś każdy nosi telefon komórkowy, a większość telefonów ma wbudowany aparat albo kamerę. Spróbujemy odszukać osoby, które widziały albo nawet sfotografowały tamto zdarzenie. Chociaż gdyby ktoś uchwycił ten moment, to zdjęcie już dawno znalazłoby się w gazetach albo na YouTube. Zamierzam dziś posłać swoich ludzi na poszukiwanie kamer zainstalowanych wzdłuż trasy autobusu.

Co oznacza, że ja muszę znaleźć je pierwszy, pomyślał Robie.

48

Robie stał blisko tego, co według niego było punktem zerowym wybuchu.

Szczątki autobusu zostały już dokładnie przesiane przez tuzin techników kryminalistycznych i specjalny wóz FBI czekał, by zabrać je do laboratorium. Podobnie jak w okolicy Donnelly's, wszędzie stały barierki trzymające na dystans chcących wszystko wiedzieć i widzieć dziennikarzy.

Spojrzał w lewo i w prawo. W górę i w dół. Vance miała rację – na pierwszy rzut oka niczego szczególnego nie było widać. Nagranie z kamery banku po drugiej stronie ulicy znalazło się już w bazie danych, ale na szczęście ono też się urywało w momencie eksplozji. Zadarł głowę wyżej. Na wysokości trzech metrów nad ziemią dostrzegł kamerę na jednym z rogów skrzyżowania. Była skierowana w dół i także uległa zniszczeniu podczas wybuchu. Gdyby była skierowana w nieco innym kierunku, mogłaby uchwycić moment, w którym razem z Julie wysiadał z autobusu.

Zupełnie jak w piłce nożnej liczyły się centymetry, by wygrać mecz. Nad niektórymi rzeczami nie można mieć kontroli. Trzeba wtedy liczyć na szczęście.

Tylko na ile szczęścia mogę jeszcze liczyć?

Skupił teraz uwagę na drugiej, kłopotliwej części ulicy, tej, gdzie stał z Julie. Ruszył w tamtym kierunku. Ocenił, gdzie musiałaby się znajdować kamera, która objęłaby ten obszar, i dodał dla pewności dziesięć procent. Metodycznie sprawdził cały teren.

Szybko dostrzegł jedną na ścianie budynku, sześć metrów na lewo od punktu, gdzie stał autobus. Wydawała się skierowana dokładnie w miejsce eksplozji. Spojrzał na szyld mieszczącej się w budynku firmy.

Biuro poręczyciela. Oczywiście. W takiej okolicy właściciel z pewnością miał grono stałych klientów. Zajrzał do środka przez szybę za zardzewiałymi żelaznymi prętami.

Na prawo od drzwi widniała tabliczka: „Proszę dzwonić".

Robie wcisnął dzwonek.

Z niewielkiej białej skrzynki umocowanej na drzwiach dobiegł głos:

– Tak?

– Agent federalny. Muszę z panem porozmawiać.

– To proszę mówić.

– Twarzą w twarz.

Robie usłyszał odgłos kroków. Za szybą zobaczył niskiego, krępego mężczyznę po pięćdziesiątce, którego siwe wąsy były bujniejsze niż fryzura na głowie.

– Proszę pokazać odznakę.

Robie przyłożył ją do szyby.

– DCIS?

– Departament Obrony. Wojsko.

– Czego pan ode mnie chce?

– Proszę otworzyć drzwi.

Mężczyzna posłuchał. Miał na sobie czarne spodnie i białą koszulę z podwiniętymi do łokci rękawami. Nad butami, zamiast skarpetek, wystawała różowa skóra.

Robie wszedł do środka i zamknął za sobą drzwi.

– Czego pan chce? – zapytał ponownie mężczyzna.

– Chodzi o ten autobus, który wyleciał w powietrze po drugiej stronie ulicy.

– I co z tego?

– Ma pan kamerę.

– Zgadza się. I co?

– FBI już pana o nią pytało?

– Nie.

– Będę musiał zarekwirować film, płytę czy jakiego tam pan nośnika używa.

– To na nic.

– Słucham?

– Ta kamera od roku nie działa. Jak pan myśli, bystrzaku, dlaczego muszę podchodzić do okna, żeby zobaczyć, kto stoi pod drzwiami?

– Po co w takim razie tam wisi?

– Dla odstraszania. To nie jest zbyt bezpieczna okolica.

– Muszę to sprawdzić sam.

– Po co?

– Bo bystrzaki lubią mieć pewność.

Okazało się, że mężczyzna mówił prawdę. Monitoring ewidentnie był uszkodzony od dłuższego czasu, a sprawdzając kamerę, Robie zauważył, że kabel prowadzący do wnętrza budynku nie był nawet podłączony.

Zostawił mężczyznę w spokoju i poszedł dalej. Dotarł już prawie do końca wyznaczonego przez siebie sektora, kiedy dostrzegł bezdomnego, którego widział tamtej nocy. Tego samego, który tańczył wokół autobusu, wołając, czy ktoś ma coś na grilla. Wyglądało na to, że wraz ze swoim kumplem został wyeksmitowany z miejsca tragedii i przeniósł się za policyjne barierki. Było ich teraz troje. Każde miało swój worek na śmieci, w którym mieścił się cały ich dobytek.

Mężczyzna sprawiał wrażenie człowieka żyjącego na ulicy od dawna. Jego ubranie i ciało były brudne. Paznokcie długie, z czarną obwódką, zęby zepsute. Robie zauważył, że dziennikarze omijają całą trójkę szerokim łukiem. Zastanawiał się, czy żadnemu z reporterów nie przyszło do głowy, że ci bezdomni mogli coś widzieć tamtej nocy.

A potem zadał sobie pytanie, czy FBI próbowało ich przesłuchać. Ludzie Vance pewnie sobie nawet nie zdawali sprawy, że tamci byli tu w chwili wybuchu i być może dostarczyliby cennych informacji. A także informacji, które mogłyby się okazać zgubne dla niego.

Robie przeszedł przez policyjną barierkę i został natychmiast otoczony przez reporterów. Nie spojrzał na żadnego, nawet nie próbował odpowiadać na wykrzykiwane przez nich pytania. Odsuwając od swojej twarzy mikrofony i notesy, dotarł do bezdomnych.

– Jesteście głodni? – zapytał.

Ten od grilla, facet sprawiający wrażenie, jakby dawno już stracił rozum, pokiwał głową i roześmiał się.

– Ciągle głodni.

Przynajmniej zrozumiał, co mówię, pomyślał Robie. Przyjrzał się pozostałej dwójce. To były kobiety. Jedna drobna o wzdętym brzuchu i skórze pociemniałej od życia na ulicy. Jej worek pełen był koców i chyba pustych puszek. Mogła mieć równie dobrze dwadzieścia, jak i pięćdziesiąt lat. Warstwa brudu nie pozwalała tego stwierdzić z absolutną pewnością.

– A ty jesteś głodna?

Tylko spojrzała na niego. W przeciwieństwie do szalonego starca chyba nie rozumiała po angielsku.

Zaprowadził ich dalej od reporterów, a potem przyjrzał się trzeciej osobie. Wyglądała bardziej obiecująco. Miała około czterdziestki i życie na ulicy jeszcze nie odcisnęło na niej swego piętna. W jej oczach dostrzegł zarówno inteligencję, jak i przerażenie. Robie zastanawiał się, czy to nie najnowszy kryzys ekonomiczny postawił ją w takiej samej sytuacji jak miliony innych ludzi z klasy robotniczej i średniej, którzy nagle stracili wszystko.

– Mogę ci zafundować coś do jedzenia?

Cofnęła się o krok, ściskając kurczowo torbę z płótna. Był na niej monogram, kolejny znak niedawnej lepszej przeszłości. Bezdomni zwykle nie mają takich toreb. Po kilku latach bezdomności takie rzeczy niszczeją albo zostają skradzione.

Pokręciła przecząco głową. Robie rozumiał jej niepokój. Następna rzecz, którą zamierzał zrobić, pewnie potwierdzi jego podejrzenia.

Wyciągnął swoją odznakę.

– Jestem agentem federalnym – powiedział.

Kobieta podeszła bliżej – na jej twarzy malowała się ulga. Za to zgasł uśmiech na twarzy staruszka. Druga kobieta po prostu stała, zdając się niczego nie rozumieć.

Robie znał wyjaśnienie. Ludzie od niedawna bezdomni wciąż mają szacunek dla władzy. Wręcz tęsknią za prawem i porządkiem będącymi częścią ich dotychczasowego życia, które zmuszeni byli porzucić dla anarchii panującej na bruku. Ludzie od dawna mieszkający na ulicy po latach słuchania poleceń, żeby się wynosili, zabierali tyłki, posprzątali swoje graty i poszli do diabła, bo nie są tu mile widziani, tracili ten szacunek. Bali się odznaki i nie znosili jej.

– Tam jest kafejka – odezwał się Robie do staruszka. – Kupię ci coś do jedzenia i przyniosę tutaj. Dla niej też – dodał, wskazując na bezmyślnie patrzącą przed siebie kobietę. – Zaczekacie, aż wrócę?

Staruszek pokiwał niespiesznie głową, zerkając podejrzliwie na Robiego. Żeby go uspokoić, Robie wręczył mu dziesięciodolarowy banknot.

– Chcesz kawę, kanapkę?

– Taaa… – mruknął staruszek.

– A ona? – Robie wskazał na kobietę.

– Taaa…

– Pójdziesz ze mną? – Robie zwrócił się do trzeciej bezdomnej osoby. – I zaczekasz tam, aż zaniosę im jedzenie?

– Wpakowałam się w kłopoty? – zapytała. Tym razem odezwała się jak typowa mieszkanka ulicy.

– Nie, absolutnie. Byłaś tu tamtej nocy, kiedy wyleciał w powietrze autobus?

Staruszek klepnął się w pierś i powiedział:

– Ja.

Robie o mało nie rzucił „wiem", ale w porę ugryzł się w język. Staruszek zaczął go niepokoić. Zaczynał mówić jak osoba przy zdrowych zmysłach.

A jeśli sobie przypomni, że mnie widział?

– Rozmawiali z wami jacyś inni agenci? – zapytał Robie, przyglądając się całej trójce.

Staruszek, usłyszawszy dźwięk policyjnej syreny, odwrócił wzrok. Rozchylił wargi i wyglądał, jakby miał zacząć warczeć. Wreszcie wydał z siebie długi skowyt.

– Wszyscy tu byliśmy – odpowiedziała druga kobieta. – Ale zaraz potem uciekliśmy. Policja chyba nie wie, że coś widzieliśmy.

Robie skupił na niej swoją uwagę.

– Jak się nazywasz?

– Diana.

– A nazwisko?

W jej oczach pojawił się ponownie strach.

– Nie wpadłaś w żadne kłopoty, Diano – odezwał się uspokajająco Robie. – Przysięgam. Próbujemy tylko ustalić, kto wysadził w powietrze autobus, i chciałbym zadać ci kilka pytań. To wszystko.

– Nazywam się Jordison.

Staruszek złapał go za ramię.

– Ciepłe żarcie?

– Zaraz będzie. – Robie pociągnął za sobą Jordison w stronę kafejki. Kiedy weszli do środka, mężczyzna za barem zaczął przeganiać kobietę, ale Robie machnął mu przed nosem odznaką. – Ona zostaje – oświadczył.

Mężczyzna wycofał się, a Robie posadził Jordison przy stoliku w głębi.

– Zamów to, na co masz ochotę – powiedział, wręczając jej menu zabrane z innego stolika.

Podszedł do baru.

– Chcę wziąć coś na wynos – rzekł i złożył zamówienie. Wrócił i usiadł naprzeciwko Jordison. Pojawiła się młoda kelnerka, żeby przyjąć od nich zamówienie.

– Dla mnie tylko kawa – rzucił Robie i spojrzał na Jordison.

Zaczerwieniła się i spojrzała na niego niepewnie. Robie zastanawiał się, ile czasu minęło od chwili, kiedy po raz ostatni zamawiała coś w restauracji. To niezwykłe, że tak prosta dla większości ludzi czynność stawała się czymś wyjątkowo skomplikowanym, kiedy mieszkało się na ulicy czy w parku i szukało chleba swojego powszedniego w śmietnikach.

Robie wskazał palcem jedną pozycję w menu.

– Amerykańskie śniadanie to prawie wszystko: jajka, tosty, bekon, kasza kukurydziana, kawa, soki. Co powiesz na to? Jajecznica? Sok pomarańczowy?

Jej wygląd mówił, że przydałaby się jej solidna dawka witaminy C i białka.

Jordison skinęła potulnie głową i oddała kartę kelnerce, która wzięła ją z wyraźną niechęcią.

Robie zmierzył ją wzrokiem.

– Moja znajoma – wycedził – zje amerykańskie śniadanie. Czy mogłaby pani przynieść kawę i sok już teraz? Dziękuję.

Kelnerka oddaliła się. Po chwili przyniosła kawę i sok. Robie wypił czarną, za to Jordison dodała do niej śmietankę i kilka kostek cukru. Robie zauważył, że resztę porcji cukru wsunęła sobie do kieszeni. Podniósł wzrok i zauważył, że właściciel daje mu znaki, wskazując na dwie torby i podstawkę z kubkami kawy.

– Zaniosę jedzenie tamtym dwojgu i zaraz wracam, zgoda?

Jordison kiwnęła głową, unikając jego spojrzenia.

Robie zapłacił, wziął do ręki torby i wyszedł.

49

Kiedy Robie wrócił do staruszka i drugiej kobiety, krążył już wokół nich, niczym rekin, reporter, na którego wcześniej zwrócił uwagę.

– Bawimy się w dobrego samarytanina? – zapytał reporter, dostrzegając w rękach Robiego torby z jedzeniem.

– To z twoich podatków – odparł Robie. Wręczył bezdomnym po jednej torbie i po kubku kawy. Kobieta chwyciła zdobycz, zabrała swój plastikowy worek z całym dobytkiem i zniknęła w głębi ulicy. Robie pozwolił jej uciec, wątpił bowiem, czy byłaby w stanie cokolwiek mu powiedzieć.

Tymczasem staruszek stał i pił małymi łykami kawę.

Reporter zwrócił się do Robiego:

– Czy mógłby pan odpowiedzieć na kilka pytań, agencie...?

Robie chwycił staruszka za ramię i odciągnął na bok.

– Rozumiem, że to oznacza „bez komentarza"! – zawołał za nimi reporter.

Kiedy dotarli do następnego skrzyżowania, Robie zwrócił się do bezdomnego:

– Powiedz mi, co widziałeś tamtej nocy.

Staruszek otworzył torbę i zaczął niecierpliwie i łakomie grzebać w kanapkach z bekonem, jajkiem i serem. Wepchnął sobie do ust garść ziemniaczanych talarków i szybko je schrupał.

– Powoli, przyjacielu – upomniał go Robie – bo się udławisz.

Mężczyzna przełknął, popił kawą i wzruszył ramionami.

– Czego pan chce?

– Chcę wiedzieć wszystko, co widziałeś albo słyszałeś.

Staruszek ugryzł kolejny, tym razem mniejszy kęs.

– Bum! Ogień. Jasna cholera! – zrelacjonował.

I wypił łyk kawy.

– A bardziej szczegółowo? – dopytywał się Robie. – Widziałeś kogoś w pobliżu autobusu? Może ktoś wysiadał albo wsiadał?

Staruszek znów wepchnął sobie ziemniaki do ust.

– Bum! – powtórzył. – Ogień. Jasna cholera! – A potem wybuchnął śmiechem. – Upiekli się.

Robie uznał, że jego pierwsze wrażenie na temat poczytalności dziadka było właściwe. Brakowało mu piątej klepki.

– Nie widziałeś nikogo? – zapytał bez przekonania.

– Upiekli się. – Roześmiał się i dokończył kanapkę jednym gryzem.

– Życzę szczęścia – powiedział Robie.

Mężczyzna dopił kawę.

Robie zostawił go i szybkim krokiem wrócił do kafejki.

Jordison dostała już swój posiłek i jadła powoli, bez łapczywej desperacji staruszka. Jej racjonalne zachowanie dawało nadzieję, że powie Robiemu coś interesującego, a przynajmniej zrozumiałego.

Usiadł naprzeciwko niej.

– Dziękuję – powiedziała Jordison.

– Nie ma za co.

Przez kilka chwil patrzył, jak je, i w końcu zapytał:

– Jak długo już tu jesteś?

– Za długo – odpowiedziała, wycierając usta papierową serwetką.

– Nie jestem tu po to, żeby cię dręczyć. To nie moja sprawa.

– Miałam dom, pracę, męża.

– Przykro mi.

– Mnie też. To niesamowite, jak szybko wszystko diabli wzięli. Nie mam pracy, nie mam domu, nie mam męża. Niczego prócz rachunków, których nie jestem w stanie płacić. Człowiek słyszy, że takie rzeczy się dzieją, ale nie dopuszcza do siebie myśli, że może się to przytrafić jemu.

Robie milczał.

– Z tego co wiem, on też jest bezdomny – ciągnęła Jordison. – To znaczy mój były. Nazywam go byłym. Ale nie zatroszczył się o to, żeby złożyć pozew o rozwód. Po prostu wstał i wyszedł. A mnie nie stać na adwokata. – Przerwała na chwilę. – Skończyłam college.

– Ostatnie lata są rzeczywiście fatalne – stwierdził Robie.

– Ciężko pracowałam, robiłam co trzeba. Amerykański sen.

Robie przestraszył się, że kobieta za chwilę wybuchnie płaczem.

Ale ona wypiła łyk kawy i zapytała:

– Co pan chce wiedzieć?

– Co możesz mi powiedzieć o tamtej nocy, kiedy wyleciał w powietrze autobus?

– Od kilku tygodni sypiałam za kontenerem na śmieci. Noce nie są jeszcze bardzo zimne. Poprzednia zima była koszmarna. Myślałam, że jej nie przeżyję. Wylądowałam na ulicy w styczniu.

– To straszne.

– Połowę moich znajomych spotkał ten sam los co mnie. Druga połowa nie chce mieć ze mną nic wspólnego.

– A rodzina?

– Nie jest w stanie mi pomagać. Jestem zdana na siebie.

– Gdzie pracowałaś wcześniej?

– Zajmowałam się papierkową robotą w firmie budowlanej. Najgorsze stanowisko na czasy kryzysu. Generowałam koszty, a nie przynosiłam zysków. Byłam pierwsza do zwolnienia, mimo że przepracowałam tam dwanaście lat. Nie dostałam odprawy, nie miałam ubezpieczenia zdrowotnego. Pensja przestała przychodzić, a rachunki nie. Wreszcie straciłam prawo do zasiłku dla bezrobotnych. Walczyłam o zachowanie domu przez rok. Potem zachorował mój mąż. Oszczędności nie mieliśmy prawie wcale, a sterta rachunków rosła. A kiedy mąż wyzdrowiał, odszedł. Na lepsze pastwiska, tak powiedział. Uwierzy pan? A co z przysięgą małżeńską, na dobre i na złe?

Spojrzała na Robiego zawstydzona.

– Wiem, że nie musi pan mieć ochoty tego słuchać.

– Rozumiem cię. Chcesz to z siebie wyrzucić.

– Ulżyłam sobie, już mi lepiej, dziękuję. – Skończyła śniadanie i odsunęła talerz.

Przez chwilę zbierała myśli.

– Widziałam jadący ulicą autobus. Obudził mnie, bo strasznie hałasował. A ja czujnie śpię na ulicy. Bruk nie jest zbyt wygodny. I nie jest tu bezpiecznie. Boję się.

– Rozumiem.

– Autobus zatrzymał się tam, na środku ulicy. Pamiętam, że usiadłam i wychyliłam się zza kontenera. Byłam ciekawa, dlaczego przystanął. Chodzę na dworzec, z którego ten autobus odjeżdża, grzebię tam w kubłach na śmieci. To nie był miejski autobus. Jechał do Nowego Jorku. Codziennie odjeżdża o tej samej porze. Widywałam go już wcześniej. Czasem marzyłam, żeby do niego wsiąść.

Na pewno nie tamtej nocy, pomyślał Robie.

– Po której stronie ulicy byłaś? Po tej co drzwi autobusu czy po przeciwnej?

– Drzwi były po przeciwnej stronie.

– Okej, mów dalej.

– Cóż, po prostu wyleciał w powietrze. Najadłam się strachu. Wszystko fruwało w powietrzu. Fotele, części ciał, opony. To było straszne. Czułam się, jakbym była na wojnie.

– Spostrzegłaś coś, co mogło być przyczyną eksplozji?

– Pomyślałam sobie wtedy, że to musiała być bomba. A pan myśli, że nie?

– Próbujemy to ustalić – odparł Robie. – Ale jeśli widziałaś, że coś trafiło w autobus, to może być ważne. Może strzał w zbiornik paliwa? Widziałaś albo słyszałaś coś takiego?

Jordison pokręciła przecząco głową.

– Na pewno nie słyszałam strzału.

– A widziałaś kogoś?

Robie patrzył jej prosto w oczy, starannie ukrywając napięcie.

– Kiedy autobus wyleciał w powietrze, zobaczyłam dwie osoby po drugiej stronie ulicy. Wcześniej autobus je zasłaniał. To był jakiś mężczyzna i dziewczyna, chyba nastolatka.

Robie oparł się wygodnie, ale nie spuszczał z niej wzroku.

– Możesz ich opisać?

Niech to już wreszcie się skończy, pomyślał.

– Dziewczyna była niskiego wzrostu i miała kurtkę z kapturem, więc nie widziałam jej twarzy.

– Co robili?

– Wstawali. A właściwie ten facet wstawał. Wybuch musiał ich oboje rzucić na ziemię. Ja byłam dość daleko od autobusu i osłonił mnie kontener na śmieci. Ale oni musieli być bliżej. Stali za zaparkowanymi samochodami.

– Co działo się później?

– Facet podniósł się, podszedł do dziewczyny i pomógł jej stanąć na nogi. Rozmawiali przez kilka chwil, a potem facet zaczął czegoś szukać. I wtedy ten bezdomny staruszek zaczął tańczyć dookoła autobusu. A facet z dziewczyną poszli sobie.

– Wiesz, skąd mogli się tam wziąć?

– Nie.

– Jak ten facet wyglądał?

Spojrzała na Robiego znacząco.

– Był bardzo podobny do ciebie.

Robie uśmiechnął się.

– Wiele osób jest podobnych do mnie. Możesz opisać go bardziej szczegółowo?

– Mam świetny wzrok. Zanim mi się życie zawaliło, przeszłam operację oczu.

– Ale tam był ogień i dym. Poza tym było ciemno.

– To prawda. Nie potrafiłabym go wskazać podczas konfrontacji, jeśli o to ci chodzi. Chociaż dzięki płomieniom zrobiło się jasno jak w dzień.

– Więc był z grubsza mojego wzrostu, mojej postury i w moim wieku?

– Tak.

– I na pewno nie widziałaś, żeby coś trafiło w autobus przed eksplozją?

– Zdążyłam się już całkiem obudzić. I nie widziałam ani nie słyszałam niczego, co mogłoby spowodować wybuch.

– Dziękuję, Diano. Gdybym chciał się jeszcze kiedyś z tobą skontaktować, będziesz tu w okolicy?

– Nie mam dokąd pójść – odpowiedziała ze spuszczonymi oczami.

Robie dał jej swoją wizytówkę.

– Zobaczę, co uda mi się zrobić, żeby cię zabrać z ulicy.

– Cokolwiek pan zrobi, będę wdzięczna – powiedziała drżącym głosem, wpatrując się w wizytówkę. – Był czas, że nie przyjmowałam jałmużny. Myślałam, że sama sobie jakoś poradzę. Ale to było kiedyś.

– Rozumiem.

Robie wrócił do Donnelly's i wysiadał właśnie z samochodu, kiedy dostrzegła go Vance.

– Mamy przełom w śledztwie! – zawołała, podbiegając do niego.

– Co się stało?

– Antyterroryści znaleźli źródło eksplozji.

– Gdzie? – zapytał Robie niecierpliwie.

– W nadkolu, z lewej strony. Detonator był wyposażony w czujnik ruchu. Kiedy autobus ruszył, uruchomił się zegar. A kilka minut później, bum!

Robie patrzył na nią zamyślony.

Facet, który ścigał Julie, na pewno nie wsiadłby do autobusu, gdyby wiedział, że za chwilę nastąpi eksplozja.

Było tylko jedno wytłumaczenie.

To ja byłem celem.

50

Robie przez godzinę omawiał z Vance odkrycie antyterrorystów, a potem wymknął się i zadzwonił do Blue Mana.

– Nazywa się Diane Jordison. – Robie opisał bezdomną kobietę. – Kręci się w okolicy, gdzie wyleciał w powietrze autobus. Bardzo mi pomogła i moim zdaniem może być też pomocna w przyszłości. Trzeba ją tylko zabrać z ulicy. To zbyt ryzykowne, żeby tam została.

Blue Man obiecał, że się tym zajmie, i Robie musiał mu uwierzyć na słowo. Przynajmniej na razie. Zamierzał później to zweryfikować. W ostatecznym rozrachunku nie mógł ufać nikomu.

– Chcę też, żeby pan sprawdził, czy uda się coś znaleźć na temat Leo Broome'a. Pracuje gdzieś na Kapitolu.

– A co on ma do naszej sprawy? – zapytał Blue Man.

– Nie wiem, czy w ogóle coś ma. Ale trzeba to sprawdzić.

– Raport, Robie – przypomniał mu Blue Man. – Chcę mieć go szybko. – I rozłączył się.

Ja też chcę wielu rzeczy, pomyślał Robie. Chcę się wydostać z tego koszmaru.

Godzinę później był z powrotem w swoim mieszkaniu. Wziął prysznic i przebrał się. Włożył broń do kabury przymocowanej do paska z tyłu i wsiadł do volvo. Napisał esemesa do Julie i po kilku sekundach otrzymał odpowiedź, że u niej wszystko okej. Wysłał kolejną wiadomość, informując ją, że wpadnie do niej później i prawdopodobnie zostanie na noc.

Przeciął całe miasto i zaparkował w podziemnym garażu za rogiem charakterystycznego budynku mieszczącego restaurację Old Ebbitt Grill, który znajdował się w pobliżu Białego Domu. Udało mu się znaleźć miejsce blisko wejścia.

Robie przybył tu na umówione spotkanie z Annie Lambert. Wszedł do Hotelu W i wjechał windą do znajdującego się na szczycie budynku baru na świeżym powietrzu, który jak się okazało, w tej chwili był przykryty dachem. Widać stamtąd było nie tylko Biały Dom, ale również całą panoramę miasta aż po cmentarz Arlington w Wirginii.

Był środek tygodnia, więc sporo stolików stało wolnych, ale i tak około dwudziestu osób popijało drinki, chrupało przekąski i zamawiało coś przy barze. Robie rozejrzał się, ale nie dostrzegł Lambert. Spojrzał na zegarek. Był dwie minuty przed czasem.

Zajął miejsce przy stoliku obok barierki i zapatrzył się w panoramę miasta. Budynki wokół robiły wrażenie. Każdy musiał to przyznać. No, może z wyjątkiem ludzi, którzy czynili wszystko co w ich mocy, żeby je wysadzić w powietrze. Podeszła kelnerka i Robie zamówił piwo imbirowe. Sączył je, co chwila spoglądając na drzwi baru. Obejrzawszy się po raz piąty, zerknął na zegarek. Piętnaście minut spóźnienia. Mogło się okazać, że Lambert nie przyjdzie. Być może zadzwoniłaby do niego, ale nie wymienili się numerami telefonów. Może obowiązki w Białym Domu pokrzyżowały jej plany.

Miał już wstać, kiedy pojawiła się w drzwiach, dostrzegła go i ruszyła w kierunku stolika.

– Przepraszam – usprawiedliwiła się. Przewiesiła płaszcz przez oparcie krzesła i usiadła, kładąc obok siebie torebkę. Zauważył, że ma buty na wysokim obcasie. Tenisówki pewnie były w torebce. Włosy spadały jej swobodnie na ramiona, stanowiąc atrakcyjne tło dla jej długiej szyi.

– Szybki spacer?

– Skąd wiesz? – wysapała.

– Nie przyjechałaś na rowerze w butach na wysokim obcasie, za to od jazdy windą dostałaś niezłej zadyszki.

Roześmiała się.

– Cóż za dedukcja. Zgadza się, zostawiłam rower w pracy i przybiegłam tu na piechotę. Utknęłam w pracy od piątej do ósmej. Musiałam coś zrobić. I zrobiłam.

– To zasługuje na nagrodę.

Robie przywołał kelnerkę. Lambert zamówiła wódkę z tonikiem.

Kelnerka prócz drinka przyniosła półmisek z orzeszkami i preclami i postawiła go między Robiem i Lambert.

Robie rozgryzł jeden orzeszek i wypił łyk piwa. Lambert wzięła z półmiska całą garść orzeszków i szybko je pochłonęła.

– Głodna?

– Nie miałam dziś czasu na lunch – wyjaśniła. – Na śniadanie zresztą też.

– Chcesz wziąć coś z karty?

Zamówiła cheeseburgera z frytkami, a on sajgonki.

– Moja dieta nie należy do najzdrowszych na świecie – powiedziała. – To rodzaj ryzyka zawodowego.

Robie usadowił się wygodniej na krześle, jakby przygotowując się do niezobowiązującej rozmowy. To on chciał pójść na drinka z Lambert. A teraz, kiedy był z nią w restauracji, wszystko to wydało mu się szaleństwem.

Nie umiem żyć normalnie, choćbym nie wiem jak się starał.

– Potrafię to zrozumieć. Często podróżujesz służbowo? – zapytał, robiąc minę, jakby nie mógł się doczekać odpowiedzi.

– Nie. Nie jestem oficjalnie wystarczająco wysoko w hierarchii, żeby marzyć o lataniu Air Force One albo choćby innym drugorzędnym samolotem. Ale ciężko pracuję, wyrabiam sobie nazwisko, więc może pewnego dnia, kto wie?

– Jasne. Czyli lubisz politykę?

– Lubię prawdziwą politykę – odparła. – Nie obchodzą mnie kampanie wyborcze i same wybory. Moją specjalnością jest energetyka. Przygotowuję białe księgi, raporty i pomagam w pisaniu analiz dla rządu.

– Studiowałaś energetykę?

– Jestem inżynierem. A doktorat obroniłam z biochemii, na temat odnawialnych źródeł energii. Zasoby paliw kopalnych są na wyczerpaniu. Nie wspominając o ich katastrofalnym wpływie na klimat.

Robie uśmiechnął się szeroko.

– Co takiego? – zapytała.

– Teraz mówisz jak polityk.

Roześmiała się.

– To miejsce ma pewnie na ciebie duży wpływ.

– Chyba tak.

Kelnerka przyniosła zamówione dania. Annie wgryzła się w swojego hamburgera, a następnie włożyła do ust kilka frytek, umoczywszy je w keczupie.

Robie polał sajgonkę sosem i ugryzł.

– A ty? – zapytała Lambert. – Mówiłeś, że zajmujesz się inwestycjami i pracujesz na własny rachunek.

– W tej chwili raczej się obijam.

– Nie wyglądasz na takiego. Emanuje z ciebie za dużo energii, żebyś mógł usiedzieć na miejscu.

– Nie siedzę na miejscu. Trochę podróżuję, robię kilka interesujących rzeczy, ale znajduję też czas dla siebie. Dlatego mówię, że staram się nie przepracowywać. Ale to wszystko do czasu. Masz rację, rozpiera mnie energia.

– To brzmi miło. Cieszyć się życiem.

– Jednak to bywa nudne.

– Nie miałabym nic przeciwko temu, żeby spróbować takiego życia.

– Mam nadzieję, że ci się uda.

– Jak trafiłeś do Waszyngtonu? Skąd pochodzisz?

– Znam naprawdę niewielu ludzi urodzonych w Waszyngtonie. Pochodzę ze Środkowego Zachodu. A ty?

– Z Connecticut. Moi rodzice są z Anglii. A ja zostałam adoptowana. Jestem jedynaczką.

– Nie mówisz z akcentem.

– Mieszkałam w Anglii do piątego roku życia. Teraz mam akcent z Nowej Anglii, ale niezbyt silny. A ty masz braci albo siostry?

– Nie, też jestem jedynakiem. Chociaż nie zaszkodziłoby mieć rodzeństwo.

– Niestety dzieci nie mają w tej sprawie nic do powiedzenia.

– Mówisz tak, jakbyś też chciała mieć braci i siostry – rzekł Robie i popatrzył ponad jej ramieniem, słysząc odgłos syreny.

Spojrzała na niego z rezygnacją.

– Wygląda na to, że próbujemy tylko zachować pozory, zgodzisz się?

Robie nie od razu zrozumiał.

– Jakie pozory? – zapytał, kiedy dotarł do niego sens jej słów.

– Mówiłeś, że chciałbyś częściej wychodzić i pomysł wspólnego drinka był dobry. Ale mam wątpliwości, czy jesteś tu obecny. Rozumiesz, co mam na myśli? – Wzięła do ust frytkę i spuściła wzrok. – Ja mam fioła na punkcie polityki. Nigdy nie dorobię się majątku. Spędzę życie przy biurku, pisząc opracowania i raporty, których nikt nie będzie czytał. A jeśli nawet przeczytają, to obrócą kota ogonem. Ty zarabiasz mnóstwo pieniędzy, podróżujesz po świecie. Muszę ci się wydawać nudna. – Nerwowo podniosła do ust kolejną frytkę, lecz jej nie zjadła. Patrzyła na nią, jakby nie wiedziała, co trzyma w palcach.

Robie pochylił się i porzucił chroniącą go skorupę. Wziął z jej ręki frytkę i odgryzł połowę.

– Chciałem pójść z tobą na drinka. Gdybym nie chciał, nie zaproponowałbym tego. A jeśli uważasz, że zachowuję tylko pozory, przepraszam. Naprawdę. Nie wydajesz mi się nudna.

Uśmiechnęła się.

– Lubisz frytki?

– Tak. Chcesz moją sajgonkę?

– Myślałam, że nigdy nie zaproponujesz.

Zaczęli wyjadać sobie nawzajem z talerzy.

– Pewnie rzadko jadasz tłuste rzeczy – zauważyła. – Widziałam, jak ćwiczysz. Biegasz też?

– Tylko kiedy ktoś mnie goni.

Roześmiała się.

– Muszę mieć szybką przemianę materii. Jem, co popadnie, a nie przybywa mi ani gram.

– Wiele osób dużo by dało, żeby mieć taki problem.

– Wiem. Kobiety, z którymi pracuję, mówią to samo. – Wzięła do ręki hamburgera. – Chcesz gryza? Jest naprawdę dobry.

Odgryzł kęs i wytarł usta serwetką.

– Domyślam się, że praca w Białym Domu to długie godziny za biurkiem, mało ruchu, jedzenie byle czego i napięty harmonogram – odezwał się, kiedy przełknął.

– Pracowałeś tam kiedyś? Bo dobrze to podsumowałeś.

– Nie sądzę, żebym nadawał się do pracy w Białym Domu. To miejsce dla najlepszych i najbłyskotliwszych.

– Przynajmniej połowa narodu nie zgodziłaby się z tobą.

Robie uśmiechnął się i patrzył, jak Annie pałaszuje frytki. Następnie spojrzał na panoramę miasta.

Lambert podążyła za jego wzrokiem.

– Chociaż pracuję tu od jakiegoś czasu, widok snajperów na dachu Białego Domu wciąż wydaje mi się dziwny.

– Kontrsnajperów – wyrwało mu się bezwiednie i zaraz tego pożałował. – Oglądam często *NCIS*. Stamtąd znam to słowo.

– Ja sobie nagrywam – powiedziała Lambert. – Fajny serial.

Nastała długa chwila ciszy. W końcu przerwał ją Robie.

– Przepraszam, kiepski ze mnie rozmówca. To nie wynika z moich złych intencji.

– Ja też, więc może pasujemy do siebie.

– Może – odparł Robie. I nagle przyszła mu ochota na rozmowę. Spojrzał w dal, tam, gdzie na szczycie wzgórza znajdował się cmentarz Arlington. – Kiedy Unia zabrała ziemię Robertowi E. Lee i założyła tam wojskowy cmentarz, generałowi powiedziano, że może odzyskać grunty, jeśli zapłaci zaległe podatki. Haczyk polegał na tym, że miał zapłacić osobiście. Generał Lee, co zrozumiałe, nie przyjął propozycji Lincolna.

– Nigdy wcześniej o tym nie słyszałam.

– Nie wiem nawet, czy ta historia jest prawdziwa, ale jest ciekawa.

– I właśnie zaprzeczyłeś swoim słowom. Jesteś dobrym rozmówcą.

– Chwilami.

– Lubisz zajmować się inwestycjami?

– Raczej do tego przywykłem, niż lubię – odpowiedział. – Samo pomnażanie pieniędzy szybko przestaje wystarczać. Życie jest ważniejsze.

– Życie zawsze jest ważniejsze od pieniędzy, Will – stwierdziła Annie. – Pieniądze są tylko środkiem do celu, same w sobie nie mogą być celem.

– Wielu ludzi myśli inaczej.

– Bo wielu ludzi ma niewłaściwe priorytety. Szczególnie w tym mieście.

– I znów mówisz jak polityk. Chcesz, żebym został szefem twojej kampanii wyborczej?

Annie zarumieniła się.

– Pewnie. Wystartuję z hasłem troski o innych ludzi zamiast o siebie. To zostanie świetnie przyjęte przez establishment.

– Chrzanić establishment. Skieruj swoje przesłanie do ludzi.

Patrzył, jak Annie kończy swój posiłek.

– A tak naprawdę co zamierzasz robić po przygodzie z Białym Domem?

Wzruszyła ramionami.

– Prawie wszyscy mają życie zaplanowane czterdzieści lat naprzód. Wiedzą, czego chcą, i wiedzą, jak to osiągnąć. Prymusi.

Robie przypomniał sobie, że podobnej odpowiedzi udzieliła mu Julie, kiedy zapytał ją o przyszłość.

– A pracując w Białym Domu, człowiek tak naprawdę poświęca swoje życie komuś innemu, prezydentowi – ciągnęła Lambert. – Podporządkowuje je sukcesowi innej osoby.

– Takie życie musi być niełatwe.

– Szczerze mówiąc, nigdy nie sądziłam, że zajdę tak daleko.

– Jakoś sobie na to zasłużyłaś. Ivy League? Znajomości?

– W obu wypadkach odpowiedź brzmi: tak. Moi rodzice są zamożni i zaangażowani w politykę, więc nie mam wątpliwości, że użyli swoich wpływów, żebym trafiła właśnie tutaj.

– Moim zdaniem dostałaś się do wielkiego białego domu przede wszystkim dzięki własnym zasługom, bo wszyscy tu mają jakieś znajomości.

– Dzięki za te słowa. Nieczęsto można usłyszeć coś takiego. – Przyłożyła serwetkę do ust i zaczęła mu się przypatrywać. – A co z tobą?

– Może czas na zmiany? Zbyt długo zajmuję się tym samym.

– Zmiany nie są niczym złym.

– Być może. Ale o tym moglibyśmy porozmawiać następnym razem.

Jej twarz rozjaśniła się.

– Zapraszasz mnie?

– Pominąłem jakiś etap przejściowy? Nie możemy przejść od razu od drinka do randki?

– To się nie kłóci z moimi zasadami – odparła szybko.

Kiedy przyniesiono rachunek, Robie zabrał go, mimo jej protestów.

– Rachunki wyrównane – powiedział. Uśmiechnęła się na te słowa.

Odprowadził ją do Białego Domu. Wyjaśniła, że musi dokończyć jakąś pracę i zabrać rower. Po drodze wzięła go pod rękę.

Kiedy dotarli do bramy, wyjęła wizytówkę.

– Tu są wszystkie dane na mój temat. Nawet lokalizacja biurka, przy którym siedzę.

– Dziękuję – rzekł Robie, biorąc od niej wizytówkę.

– Jest z tobą jakiś kontakt?

Robie podyktował jej numer swojej komórki. Wpisała go do pamięci telefonu.

Zbliżyła twarz do jego twarzy i pocałowała go w policzek.

– Dziękuję za naprawdę mile spędzony czas, Will. I pomyślmy o tej wspólnej „randce".

– Liczę na to – odparł Robie.

Chwilę później zniknęła za bramą Białego Domu.

Robie poszedł w swoją stronę, starając się nie myśleć o tym spotkaniu, ale czując wciąż ciepło jej warg na policzku.

To był naprawdę niezwykły dzień.

51

Robie stał przed dworcem, z którego odjechał feralny autobus. Jeszcze raz odtworzył w pamięci wypadki tamtej nocy. Nie zabił Jane Wind, więc zrobił to za niego strzelec wyborowy. Robie skorzystał z planu awaryjnego i dotarł na dworzec, żeby się wydostać z miasta. Z nikim nie rozmawiał. Nie zostawił żadnych śladów.

Ale zarezerwowałem bilet na ten dzień i na ten konkretny autobus, na fikcyjne nazwisko, które tylko mnie powinno być znane. Tymczasem znał je jeszcze ktoś. I nie zawahał się zabić tych wszystkich ludzi, byle mnie dopaść.

Rozejrzał się. Nie było możliwości, żeby ktoś umieścił bombę pod nadkolem w tym miejscu. Autobus podjechał na dworzec i ludzie zaczęli wsiadać. Ledwo zamknęły się drzwi za ostatnim pasażerem, kierowca ruszył. Poza tym na dworcu kręcili się też inni ludzie. Chwilę później odjeżdżał autobus do Miami. Osoba podkładająca bombę zostałaby zauważona. Nie, ładunek wybuchowy nie mógł zostać umieszczony w autobusie na dworcu.

Robie podszedł do budynku. Zajrzał wtedy przez szybę, sprawdzając, czy kobieta siedząca w kasie to przez przypadek nie ta sama, która sprzedała mu wtedy bilet. Ale nie. Wcześniej już zauważył, że ani w środku, ani na zewnątrz nie ma kamer. Firmy pewnie nie stać na taki wydatek.

Wszedł do środka. Wnętrze dworca było tak samo obskurne jak wykorzystywane przez firmę autobusy. Podszedł do kasy i stanął w kolejce za tęgą kobietą z dzieckiem przytulonym do jej piersi. Drugie dziecko leżało w foteliku samochodowym, którym kobieta kołysała w ręku. Ten widok przywołał wspomnienie Jane Wind i jej dzieci.

Robie stanął wreszcie przed kasą. Młoda kobieta obrzuciła go znudzonym spojrzeniem. Dochodziła jedenasta i pewnie chciała już iść do domu.

– Czym mogę służyć? – wymamrotała.

Robie wyjął odznakę.

– Prowadzę śledztwo w sprawie zamachu bombowego na jeden z waszych autobusów.

Kobieta wyprostowała się na krześle, a na jej twarzy pojawił się wyraz zainteresowania.

– Słucham?

– Proszę mi powiedzieć, gdzie stoją autobusy przed przyjazdem na dworzec i zabraniem pasażerów.

– Dwie przecznice dalej mamy zajezdnię. Kierowcy przychodzą tam, odbierają dokumenty i sprawdzają, czy pojazd jest sprawny. Tam też tankuje się paliwo i sprząta wozy.

– Proszę mi podać dokładny adres.

Zapisała mu adres na kartce.

– Dziękuję – powiedział Robie. – O której pani kończy pracę?

Uniosła brwi, jakby podejrzewała, że ją podrywa, i nie była z tego zadowolona.

– O północy – odpowiedziała ostrożnie. – Mam chłopaka – dodała.

– Jasne. Studiuje pani?

– Na katolickim uniwersytecie.

Omiótł spojrzeniem przygnębiające wnętrze budynku z pustaków.

– Niech się pani uczy. I nie wraca tutaj.

Wsiadł do volvo i przejechał dwie przecznice.

Brama prowadząca na parking z warsztatem była zamknięta. Robie zdołał wreszcie zwrócić na siebie uwagę robiącego obchód ochroniarza. Mężczyzna zachowywał się podejrzliwie, dopóki nie zobaczył odznaki. Wtedy otworzył bramę.

– Byli już tutaj agenci FBI – powiedział ochroniarz. – Byli też ludzie z Narodowej Rady Bezpieczeństwa Transportu, sprawdzali, czy z autobusem było coś nie w porządku.

– Naprawdę?

– Słowo daję. W czym mogę pomóc?

– Niech mnie pan oprowadzi po miejscu, gdzie przygotowuje się autobusy do drogi.

– Ja niespecjalnie się na tym znam. Płacą mi za chodzenie w kółko z bronią i sprawdzanie, czy nic się nie dzieje. A w tej okolicy ciągle coś się dzieje.

– A kto się zna? Jest tu ktoś jeszcze?

Ochroniarz wskazał stary budynek z cegły.

– Tam jest dwóch kolesi. Zostają do drugiej w nocy.

– Jak się nazywają?

– Chester i Willie.

– Od dawna tu pracują?

– Ja tu jestem od miesiąca. Oni dłużej. Ale nie wiem ile.

– Dziękuję.

Robie otworzył drzwi i rozejrzał się po przestronnej hali z wysokim sufitem, rozświetlonej rzędami jarzeniówek. W środku stało pięć autobusów, były tam także wózki warsztatowe na kółkach i generatory. Śmierdziało olejem, smarami i paliwem.

– Jest tu kto?! – zawołał.

Zza jednego z autobusów wychylił się wysoki i szczupły czarny mężczyzna w kombinezonie roboczym.

– W czym mogę panu pomóc? – zapytał, wycierając ręce o brudne nogawki.

Robie pokazał odznakę.

– Muszę panu zadać kilka pytań.

– Gliny już tu były.

– No to przyszedł jeszcze jeden gliniarz – odparł Robie. – Ty jesteś Chester czy Willie? Strażnik mi powiedział – dodał, widząc podejrzliwą minę tamtego.

– Willie. Chester leży pod autobusem, demontuje skrzynię biegów.

– Opowiedz mi w takim razie, jak się przygotowuje autobusy do drogi.

– Autobus pojawia się tutaj jakieś sześć godzin przed planowym odjazdem. Robimy codzienną obsługę. Sprawdzamy silnik, płyn chłodzący, bieżniki opon, hamulce, płyn przekładniowy, czystość wnętrza. Zbieramy cały syf, który ludzie zostawili w środku. Potem jedziemy na myjnię. Myjemy go z zewnątrz. Później tankujemy z dystrybutora przy bramie. No i autobus czeka, aż zjawi się kierowca i odjedzie nim na dworzec.

– Okej.

– Niech pan posłucha, pokazałem pana kolegom wszystkie papiery dotyczące przeglądu. Nic w tamtym autobusie nie miało prawa wybuchnąć. Wiem, że nie wygląda to wszystko za bogato, ale traktujemy naszą pracę poważnie. To musiała być jakaś bomba.

– Możesz mi pokazać miejsce, gdzie autobusy czekają na kierowcę?

– Człowieku, mam kupę roboty przy trzech autobusach.

– Będę bardzo wdzięczny – powiedział Robie, wskazując drzwi.

Willie westchnął, wyszedł przed budynek i skręcił za róg. Wskazał palcem miejsce przy płocie.

– Tam stoją.

– Ile stało tu autobusów tamtej nocy?

– Dwa. Jeden obok drugiego. Pierwszy jechał do Nowego Jorku, a drugi do Miami.

– Okej, załóżmy, że ktoś chce podłożyć bombę w konkretnym wozie. Skąd będzie wiedział, który jest który?

– Mam myśleć jak jakiś maniak?

– Nic na zewnątrz nie świadczy o tym, który autobus dokąd jedzie?

– Pewnie, że tak. Z przodu jest numer. 112 jedzie do Nowego Jorku, a 97 do Miami.

– Więc ten, kto podłożył bombę, jeśli tylko miał rozkład jazdy w ręku albo sprawdził to w internecie, wiedział, który autobus jest który.

– Myślę, że tak.

– Albo jeśli tu pracował.

Willie cofnął się o krok.

– Posłuchaj, człowieku, nie mam pojęcia, jak ktoś podłożył bombę w tym autobusie. Jeśli to rzeczywiście była bomba. Ja na pewno im nie pomagałem. Znałem dwie osoby z tych, które zginęły. Jedną był mój przyjaciel, a drugą znajoma mojej mamy. Jechała do Nowego Jorku odwiedzić swoją wnuczkę. Miała na sobie tradycyjną afrykańską suknię. Wtedy myślałem, że to zabawne. Teraz już tak nie uważam. Moja mama o mało nie dostała zawału, kiedy się dowiedziała, co się stało.

Robie przypomniał sobie starszą kobietę w dziwnej sukni, która głośno krzyczała w autobusie.

– Więc 112 jeździ do Nowego Jorku. – Robie przyjrzał się ogrodzeniu. Łatwo było je przeskoczyć. Wystarczyło zaczekać, aż ochroniarz znajdzie się na drugim końcu placu. Podłożyć bombę i uciec. Niecała minuta.

Spojrzał na Williego.

– A tamtej nocy ile czasu autobus tu stał, czekając na kierowcę?

Willie zastanowił się.

– Nie miałem przy nim dużo roboty. Autobus wcześnie wrócił z poprzedniego kursu. Chester zrobił przegląd i odkurzył wnętrze. Ja umyłem go od zewnątrz, zatankowałem i odstawiłem na plac. Może dwie, trzy godziny.

Robie pokiwał głową.

– Zauważyłeś kogoś podejrzanego w okolicy?

– Większość czasu spędzam w środku, przy autobusach. Ochroniarz mógł coś widzieć, chociaż wątpię.

– Dlaczego?

– On więcej się obżera w tej swojej kanciapie, niż chodzi. Dlatego jest taki gruby.

– Okej.

– Mogę już wracać do roboty?

– Dzięki za informacje.

Willie zostawił Robiego i wrócił do budynku.

Robie stał w ciemności i wpatrywał się w miejsce, gdzie stał kiedyś autobus 112. Zamachowiec podłożył bombę. Robie wsiadł do autobusu. Robie wysiadł z autobusu. Autobus wyleciał w powietrze. Posłali snajpera, żeby w alejce dokończył robotę. Ktoś naprawdę źle mu życzył.

I wtedy przyszła mu do głowy myśl: a może wcale nie tak źle.

– Prowadzisz prywatne śledztwo po godzinach?

Obrócił się i spojrzał na ulicę za siatką.

Stała tam i patrzyła na niego Nicole Vance.

52

Robie przeszedł przez otwartą bramę.

– Gdzie byłeś przez cały ten czas? – zapytała Vance.

– Wracajmy do Donnelly's – zaproponował Robie.

– Po co?

– Chcę sprawdzić coś, co powinienem był sprawdzić już dawno.

Piętnaście minut później Robie stał w tym samym miejscu co tamtej nocy, kiedy strzały z MP-5 próbowały pozbawić go życia. Spojrzał tam, gdzie zatrzymał się SUV, i tam, gdzie on schronił się za kontenerami, a w końcu, przez ramię, na rozbitą szybę restauracji. Chodził tam i z powrotem, odtwarzając w myślach całe zdarzenie.

– Jaka jest całkowita liczba zabitych i rannych na tę chwilę? – zapytał Vance, która obserwowała jego poczynania.

– Sześć osób zabitych, pięć rannych. Jedna osoba pozostaje w szpitalu, ale wygląda na to, że wyjdzie z tego.

– A nas wśród nich nie ma – powiedział Robie.

– Słucham?

– Nie jesteśmy martwi.

– Dość oczywisty wniosek – zauważyła cierpko Vance.

– Jedenaście osób trafionych, sześć śmiertelnie, a w nas strzelec nie trafił. Byliśmy najbliższym celem, na wyciągnięcie ręki. Od magazynków z trzydziestoma nabojami każdy i półką w chłodni prosektorium dzieliły nas tylko aluminiowe kubły.

– Chcesz powiedzieć, że strzelec celowo chybił?

Obejrzał się i zobaczył zdumioną minę Vance.

– Jaki to ma sens? – zapytała.

– A jaki sens ma to, że facet spudłował z tak niewielkiej odległości, strzelając z karabinu przeznaczonego do masowych zniszczeń w wąskim polu rażenia? Powinno być co najmniej osiem ofiar śmiertelnych, w tym ty i ja. Spójrz, jak padały strzały. On strzelał dookoła nas.

– Po co w takim razie zabili tamtych ludzi? To miało być ostrzeżenie? Czy to ma coś wspólnego ze sprawą Jane Wind? Z bombą w autobusie?

Robie nie odpowiedział. Przez głowę przebiegały mu różne myśli, prowadząc go do wniosków, których nigdy by się nie spodziewał.

– Robie?

Obrócił się w jej stronę.

– To, co mówisz, ma sens – wydusiła z siebie powoli Vance. – Powinniśmy być martwi. I to musi mieć związek z Jane Wind albo z autobusem, a może z jednym i z drugim.

– Nie, to nie trzyma się kupy.

– Ale…

Obrócił się ponownie i spojrzał na miejsce, gdzie stał SUV.

Ktoś się na mnie uwziął. Ktoś się ze mną bawi w kotka i myszkę. Ktoś w moim najbliższym otoczeniu próbuje mnie dopaść.

– Robie, czy ty masz jakichś wrogów? – zapytała.

– Nikt mi nie przychodzi do głowy – odpowiedział z roztargnieniem.

Prócz kilkuset osób, pomyślał.

– Czy o czymś zapomniałeś mi powiedzieć? – zapytała.

Wyrwał się z zamyślenia i potarł dłonią kark.

– A ty o wszystkim mi mówisz?

– Słucham?

Spojrzał jej prosto w oczy i powtórzył:

– Mówisz mi o wszystkim?

– Chyba nie.

– Więc masz odpowiedź na swoje pytanie.

– Ale powiedziałeś, że mogę ci zaufać.

– Możesz, ale ty masz swoją agencję, a ja swoją. Zakładam, że ty mówisz mi wszystko, co ci wolno, i ja postępuję podobnie. Ja mam swoich szefów, którym muszę składać raporty, a ty swoich. Ale to nie znaczy, że nie możemy razem pracować.

Vance wbiła wzrok w ziemię i rozgniotła butem niedopałek papierosa.

– W takim razie czy znalazłeś w warsztacie coś, o czym możesz mi powiedzieć?

– Ten autobus stał długo na placu. Dostatecznie długo, żeby ktoś zdążył podłożyć w nim bombę.

– Wobec tego zamachowiec musiał wiedzieć, że jego cel będzie w autobusie.

– Mamy listę pasażerów?

– Tylko częściową. Znamy nazwiska tych, którzy zapłacili kartą kredytową, nie znamy tych, którzy zapłacili gotówką. Chyba że zgłosiła się rodzina albo znajomi i powiedzieli, że dana osoba była w autobusie.

– Ile osób w nim było?

– Trzydzieści sześć plus kierowca. Sprawdzamy teraz wszystkie zidentyfikowane ofiary. To w sumie dwadzieścia dziewięć osób. Pozostaje osiem nieznanych. Ci pewnie zapłacili za bilet gotówką.

W tej liczbie była Julie i facet, który chciał ją zabić, pomyślał Robie.

– Mogę zobaczyć listę?

Sięgnęła po telefon, wcisnęła kilka guzików i podsunęła mu do oczu wyświetlacz.

Przejrzał spis. Julie na nim nie było. Na szczęście nie było też Geralda Dixona, co oznaczało, że Julie nie skorzystała z jego karty kredytowej, kupując bilet. Żadne nazwisko na liście nic nie mówiło Robiemu, prócz tego jednego, fałszywego, na które sam zarezerwował bilet.

Więc to on był celem, nie Julie. Ale skoro tak, to po co próbowano go zlikwidować w autobusie, a potem celowo nie zabito pod restauracją?

Widocznie plany uległy zmianie. Wcześniej chcieli mnie zabić. Teraz potrzebny byłem żywy. Tylko dlaczego?

– Robie?

Oderwał wzrok od wyświetlacza telefonu i zobaczył utkwione w nim spojrzenie Vance.

– Nie kojarzę nikogo z tej listy. – Liczba kłamstw, którymi zasypywał agentkę, rosła.

– W takim razie nadal nie wiemy, kto był celem.

Robie nie chciał jej po raz kolejny okłamać, więc zmienił temat.

– Mamy coś nowego na temat Ricka Winda?

– Przeprowadzono sekcję. Przyczyną śmierci było uduszenie.

– W jaki sposób?

– Głównym śladem są krwawe wybroczyny. Ale początkowo lekarz nie miał pewności, jak doszło do uduszenia. Na pewno nie była to poduszka przyciśnięta do twarzy.

– Po co ukrywać sposób zabójstwa? – zastanawiał się Robie.

– Żeby trudniej było znaleźć zabójcę.

– Może tak, może nie.

– Ale lekarz sądowy w końcu odkrył ten sposób.

– Nie mogłaś powiedzieć od razu?

– Lubię melodramaty.

– Jak on został zabity, Vance? – zapytał szorstko Robie.

– Wepchnięto mu do gardła język. Tak, zabili go jego własnym odciętym językiem – odpowiedziała równie szorstko.

– Dziękuję – rzucił krótko.

– Posłuchaj, Robie. Jeśli zabójstwo Jane Wind i jej męża łączy coś z bombą w autobusie, to musi być jakiś wspólny mianownik.

– Jedyne, co pozwala ci wiązać ze sobą te sprawy, to znaleziona broń. Tej broni nie użyto do zabicia Jane Wind i jej dziecka. Już mówiłem, że osoba, która była w mieszkaniu Wind, mogła po wyjściu stamtąd po prostu wyrzucić pistolet. To może nie mieć nic wspólnego z eksplozją autobusu.

– Ale równie dobrze może mieć.

– Naprawdę w to wierzysz czy chcesz mieć w swoim życiorysie aresztowanie terrorystów?

– Mój życiorys jest dostatecznie dobry i bez takiej sprawy – warknęła.

– Chciałem tylko powiedzieć, żebyś nie zawężała sobie pola widzenia. Jeśli te sprawy nie są ze sobą powiązane, łączenie ich na siłę nie byłoby rozsądne. Przyjmujesz pewne założenia i na ich podstawie podejmujesz decyzje, których w innym wypadku byś nie podjęła. W rezultacie dochodzisz do niewłaściwych wniosków. A drugiej okazji do wyciągnięcia tych właściwych może już nie być.

Vance skrzyżowała ręce na piersi.

– Okej, a co ty byś zrobił?

– Zajmował się obiema sprawami równolegle. Nie można ich ze sobą łączyć bez mocnych dowodów. A pistolet znaleziony niedaleko autobusu nie jest dostatecznie mocnym dowodem.

– Okej, to brzmi sensownie.

Robie zerknął na zegarek.

– Muszę się kilka godzin przespać. Obudź mnie, jeśli wydarzy się coś ważnego.

– Masz już gdzie spać? Jeśli nie, zapraszam do siebie.

Robie przyjrzał się jej uważnie.

– Jesteś pewna?

– A dlaczego nie?

– Bałaś się, że ludzie będą plotkować, chociaż spałem na sofie.

– Ty będziesz milczał, ja też będę milczała. A jeśli nawet się wyda, to chrzanić to. Więc mogę ci wyświadczyć tę przysługę.

– Mam gdzie spać. Jeśli coś się zmieni, dam ci znać. Dzięki.

Poszedł do swojego samochodu. Nie bez powodu odrzucił propozycję Vance.

W jego fachu przysługi prawie zawsze trzeba odwzajemniać.

Poza tym chciał sprawdzić, co z Julie.

53

Robie otworzył drzwi i wyłączył alarm. Wszedł do środka, zamknął za sobą drzwi i ponownie włączył alarm.

– Julie?

Ruszył korytarzem z dłonią na kolbie pistoletu.

– Julie?

Sprawdził trzy pokoje, na koniec dotarł do sypialni. Otworzył. Julie spała na łóżku. Żeby się upewnić, przez chwilę patrzył, jak miarowo unosi się i opada jej klatka piersiowa. Zamknął drzwi i poszedł do swojej sypialni.

Usiadł na łóżku, ale się nie rozebrał. Było mu jednocześnie gorąco i zimno.

Zadzwonił jego telefon. W pierwszej chwili pomyślał, że to Vance, ale nie.

To był Blue Man.

– Ma pan coś dla mnie? – zapytał od razu.

– Leo Broome jest funkcjonariuszem federalnym. Pracuje jako oficer łącznikowy.

– Dla jakiej agencji? Pracuje w Departamencie Obrony?

– Nie. W Departamencie Rolnictwa.

– Rolnictwa? – zawołał Robie. – Chyba pan żartuje.

– Nie, nie żartuję.

– Coś jeszcze na jego temat?

– Wysyłam ci maila. Przeczytaj sam. Zobacz, czy coś zwróci twoją uwagę.

– Tam musi coś być – stwierdził Robie na koniec.

– W takim razie znajdź to.

Rozległ się sygnał oznaczający nadejście wiadomości. Robie wcisnął odpowiedni klawisz i jego oczom ukazał się zawodowy życiorys Leo Broome'a. Przeczytał go uważnie. Potem przeczytał jeszcze raz, zwracając uwagę na pewne najbardziej obiecujące elementy.

– Co tu robisz? – zapytał, nie odrywając oczu od ekranu.

Julie stała w spodniach od dresu i bluzce z długimi rękawami. Wyglądała na zaspaną.

– Skąd wiedziałeś, że tu stoję? Nie robiłam hałasu.

– Każdy robi hałas.

– A ja pomyślałam, że masz oczy z tyłu głowy.

– Chciałbym mieć.

Usiadła na krześle naprzeciw niego.

– Dowiedziałeś się czegoś?

– Tak. Ale większość nie ma sensu.

– Opowiedz mi o tym, co ma sens.

– Podejrzewam, że to ja byłem celem zamachu bombowego, nie ty.

– Od razu mi ulżyło. Więc mnie chciała zabić tylko jedna osoba?

– Leo Broome pracuje w Departamencie Rolnictwa.

– Tam pracują jacyś szpiedzy?

– Wątpię. Subwencje na kukurydzę, chociaż lukratywne, aż tak bardzo nie podniecają złych ludzi.

– W takim razie jaki jest związek?

– Być może żaden. A może jednak jakiś jest.

Robie pokazał jej ekran swojego telefonu.

– Broome był też w wojsku. Pierwsza wojna w Zatoce.

– I co z tego?

– A ta zabita kobieta z dzieckiem? Jej były mąż też został zamordowany. I też był wojskowym. Może znali się z Leo Broome'em.

– Jeśli nawet, to co takiego wiedzieli, że musieli zginąć? I jak to wszystko się ma do zabójstwa moich rodziców?

– Nie wiem. Wciąż pracuję nad różnymi możliwymi teoriami.

– Powiedziałeś, że osoba, która wysadziła w powietrze autobus, chciała zabić ciebie. Dlaczego?

– Nie mogę z tobą rozmawiać na temat powodów.

Julie wpatrywała się w niego uważnie. Robie nie wiedział jeszcze, jakie zada mu następne pytanie, ale wątpił, czy będzie mógł na nie szczerze odpowiedzieć. Rozejrzał się po pokoju. Przez długą chwilę pomieszczenie przyprawiało go o klaustrofobię.

– Jak myślisz, co oni zrobili z ciałami moich rodziców?

Takiego pytania Robie się nie spodziewał, choć wydawało się jak najbardziej zrozumiałe. Przyglądał się Julie, próbując wyczytać z jej twarzy, czy w tym pytaniu nie kryje się coś głębszego. Mimo bystrego umysłu, mimo wychowania na ulicy jest wciąż dzieckiem. Rozpaczała po stracie rodziców. Chciała wiedzieć, gdzie teraz są. Rozumiał ją.

– Pewnie ukryto ich w miejscu, którego nigdy nie znajdziemy – odpowiedział. – Zapamiętaj ich takimi, jakimi byli. Nie myśl o tym, gdzie są teraz, zgoda? To nie przyniesie nic dobrego.

– Łatwo powiedzieć.

– Tak, łatwo powiedzieć, ale to musiało zostać powiedziane.

Robie czekał, kiedy Julie się załamie i zacznie płakać. Dzieci zwykle tak robią, a przynajmniej tak Robie słyszał. Kiedy sam był dzieckiem, nigdy nie zachowywał się w ten sposób. No, ale jego dzieciństwo w żadnej mierze nie było normalne.

Tymczasem ona się nie załamała. Nie rozpłakała się. Nawet nie pociągnęła nosem. Spojrzała mu prosto w oczy i to było zimne spojrzenie.

– Mam ochotę zabić tego, kto to zrobił.

– Człowiek, który to zrobił, był w autobusie. Z niego został już tylko popiół. Możesz o nim zapomnieć.

– Nie o nim mówię, dobrze wiesz.

– Zabicie człowieka nie jest takie łatwe, jak się wydaje.

– Dla mnie byłoby łatwe.

– Kiedy kogoś zabijasz, zostawiasz w nim cząstkę siebie.

– To brzmi jak cytat z jakiegoś głupiego filmu.

– Może i tak brzmi, ale tak właśnie będziesz się czuła.

– Chyba sporo wiesz na ten temat.

– A jak myślisz? – odparł chłodno.

Odwróciła wzrok i nerwowo potarła dłonie.

– Czy to możliwe – zapytała – że ten cały Wind powiedział coś Broome'owi, a on z kolei moim rodzicom?

– Owszem, to możliwe. Prawdę mówiąc, w tym kierunku prowadzę śledztwo.

– I robisz to razem z superagentką Vance?

Robie nie odpowiedział.

– Więc nie współpracujesz z nią?

– Współpracuję z nią częściowo.

– Okej, rozumiem.

– Czyżby?

– Ja też chcę brać w tym udział.

– Bierzesz. Pomagasz mi.

– Ale chciałabym bardziej pomagać.

– Czyli chciałabyś znaleźć ludzi odpowiedzialnych za to, co się stało, i zabić ich?

– A ty nie?

– Być może. Ale ty powinnaś to dobrze przemyśleć.

– Pomożesz mi ich zabić? Wiem, że jesteś w stanie.

– Powinnaś wracać do łóżka – odparł spokojnie.

– Dzieci tylko przeszkadzają, tak? Tak sobie myślisz, prawda? Wolisz mnie tu zamknąć.

– Nie zamierzam cię nigdzie zamykać, ale nie chcę, żeby cię zamknęli w trumnie.

Julie wyraźnie zesztywniała, słysząc te słowa.

– Musisz sobie zdać sprawę, Julie, że to nie jest zabawa – tłumaczył Robie. – To nie film, telewizyjny show czy gra na PlayStation. Chcesz ich zabić. Świetnie, rozumiem. To naturalne. Ale nie jesteś zabójczynią. Nienawidzisz tych ludzi, jednak kiedy przyjdzie co do czego, nie będziesz w stanie ich zabić. Zapamiętaj sobie jedno...

– Co takiego? – zapytała napiętym głosem.

– To oni chcą cię zabić. I kiedy tylko będą mieli okazję, nie zawahają się ani przez chwilę. Zabiją cię. I nie da się wcisnąć przycisku „reset".

– A jeśli ci powiem, że nie dbam o to?

– To ja ci powiem, że jesteś młoda i wydaje ci się, że jesteś nieśmiertelna.

– Wiem, że pewnego dnia umrę. Pytanie tylko kiedy i jak.

– I odpowiedź powinna brzmieć: za jakieś osiemdziesiąt lat, spokojnie, we śnie.

– W życiu tak nie jest. Przynajmniej w moim.

– To nierozsądne myśleć w ten sposób.

– I kto to mówi? Ty sam nie prowadzisz bezpiecznego życia.

– To mój wybór.

– No właśnie. Jest wybór. I to jest mój wybór.

Wstała i wróciła do swojego pokoju.

A Robie siedział wpatrzony w miejsce, gdzie jeszcze przed chwilą siedziała.

54

Była druga w nocy. Robie spał dokładnie godzinę i teraz otworzył oczy. Z doświadczenia wiedział, że dalsze leżenie w łóżku jest bezcelowe. Wstał, powlókł się do salonu i podszedł do okna. Waszyngton był pogrążony we śnie, a przynajmniej zwykli obywatele miasta. Jednak cała rzesza ludzi nigdy nie zasypiała. Doskonale wyszkolonych, wysoce zmotywowanych, zapewniających pozostałym bezpieczny sen.

Tak się składało, że Robie był jednym z nich. Ale nie od zawsze. Dorastał do tego zajęcia latami. Co wcale nie oznaczało, że je lubi.

Przyłożył oko do teleskopu. Zobaczył w dużym zbliżeniu dom naprzeciwko. Skierował lunetę na swoje piętro. Światło paliło się tylko w jednym oknie.

Annie Lambert kręciła się po mieszkaniu. Robie widział, jak przechodzi z sypialni do kuchni. Miała na sobie czarne rajstopy i sięgającą połowy uda koszulkę drużyny New England Patriots. W Waszyngtonie ta drużyna nie była zbyt popularna – tu królowali Redskins. No, ale Annie pochodzi z Connecticut i jest teraz sama w swoim domu.

Sama, pomyślał z poczuciem winy. Ale obserwował ją dalej.

Sięgnęła po książkę z półki na ścianie, usiadła i otworzyła ją. Zaczęła czytać, wyjadając łyżeczką jogurt z kubeczka.

Tej nocy nie tylko ona cierpiała na bezsenność.

Czuł się zakłopotany, obserwując ją znowu. Wmawiał sobie, że to z powodów zawodowych. Ale to nie była prawda.

Wziął do ręki wizytówkę, którą od niej dostał. Nim zdążył się rozmyślić, wybrał numer jej komórki. Przez teleskop widział, jak odkłada książkę i sięga po leżący na stole telefon.

– Halo?

– Mówi Will.

Widział, jak prostuje się na krześle i odkłada łyżeczkę.

– Cześć, co słychać?

– Nie mogę spać. Mam nadzieję, że cię nie obudziłem.

– Nie śpię. Siedzę i jem jogurt.

– Szybka przemiana materii? Po cheeseburgerze nie ma już śladu?

– Można tak powiedzieć.

Robie zamilkł i przypatrywał się jej przez teleskop. Skręcała palcem kosmyk włosów, nogi miała podwinięte pod siebie. Zauważył, że wilgotnieją mu dłonie i zaczyna go drapać w gardle. Poczuł się tak, jakby znów był w szkole średniej i zbierał się do zagadnięcia dziewczyny, w której się durzy.

– Z dachu naszego domu jest piękny widok – odezwał się w końcu. – Byłaś tam kiedyś?

– Nie przypuszczałam, że tam można się dostać. Wejście nie jest zamknięte?

– Żaden zamek niestraszny, kiedy ma się klucz.

– A ty masz klucz? – zapytała. W jej głosie pobrzmiewała dziewczęca radość z poznania pilnie strzeżonego sekretu.

– Co powiesz na spotkanie za dziesięć minut na schodach?

– Naprawdę? Mówisz poważnie?

– Nie dzwonię do ludzi o drugiej w nocy z niepoważnymi propozycjami.

– Zaraz będę.

Rozłączyła się, a Robie z rozbawieniem patrzył, jak zrywa się z krzesła i biegnie korytarzem, pewnie po to, żeby się przebrać.

Dziewięć minut później stał przy wejściu na klatkę schodową. Pojawiła się też Annie. Miała teraz na sobie spódnicę do kolan, bluzkę i sandały. Wzięła też dwa swetry, ponieważ noc była chłodna.

– Melduję się na rozkaz, sir – powiedziała.

– W takim razie chodźmy – odparł Robie.

Ruszyli schodami na górę. Kiedy dotarli do zamkniętych drzwi prowadzących na dach, Robie wyjął z kieszeni wytrych i po krótkiej chwili drzwi stanęły przed nimi otworem.

– To nie był klucz – zauważyła Annie, uśmiechając się z podziwem dla jego umiejętności. – Otworzyłeś zamek wytrychem.

– Wytrych to inna nazwa klucza. To najbardziej poetycka rzecz, jaka w tej chwili przychodzi mi do głowy.

Pokonali jeszcze kilka stopni i otworzyli kolejne drzwi. Dach był płaski, pokryty uszczelniającą warstwą bitumiczną. Emanowało z niej ciepło.

Robie wyciągnął zza pazuchy butelkę wina.

– Mam nadzieję, że lubisz czerwone.

– Uwielbiam. Będziemy na zmianę pić z butelki?

Z kieszeni wyjął dwa plastikowe kieliszki do wina.

Odkorkował butelkę i napełnił kieliszki.

Stali na skraju dachu, opierając ramiona na sięgającym im do piersi murku.

– Jaki piękny widok – zachwyciła się Lambert. – Nigdy nie przyszło mi do głowy, że stąd może być widać panoramę miasta. Kiedy wyglądam przez okno swojego mieszkania, widzę tylko dom naprzeciwko.

Robie poczuł wyrzuty sumienia na myśl o swoim punkcie obserwacyjnym.

– Zewsząd roztacza się jakiś widok – odparł z wahaniem. – Tyle że z niektórych miejsc lepszy niż z innych.

– To dopiero było poetyckie – powiedziała, szturchając go łokciem.

Wiał lekki, łagodny wiatr. Popijali wino i rozmawiali na niewinne tematy. Taka konwersacja dawała Robiemu wreszcie wytchnienie, uspokajała. Dawniej nie miał czasu na tego rodzaju pogawędki i właśnie dlatego była ona tak ważna.

– Nigdy dotąd czegoś takiego nie robiłam – stwierdziła Annie.

– Przychodziłem tu już wcześniej, ale nigdy z kimś.

– W takim razie czuję się zaszczycona – odrzekła. Spojrzała jeszcze raz na rozciągającą się przed nimi panoramę. – To może być dobre miejsce, żeby przyjść i porozmyślać.

– Mogę ci pokazać, jak otworzyć wytrychem zamek – zaoferował się Robie.

Uśmiechnęła się.

– To mogłoby się przydać. Zawsze zapominam kluczy.

– Cóż, chyba pora iść spać – stwierdził Robie po upływie kolejnej półgodziny. Spojrzał na zegarek. – A ty właściwie możesz już wziąć prysznic i szykować się do pracy. Chyba nie potrzebujesz dużo snu.

– I kto to mówi.

Odprowadził ją pod drzwi jej mieszkania.

– Naprawdę bardzo mi się podobało – zapewniła go.

– Mnie też.

– Nie poznałam zbyt wielu ludzi, odkąd tu jestem.

– Poznasz. Potrzeba tylko trochę czasu.

– Chciałam powiedzieć, że cieszę się, że poznałam ciebie.

Pocałowała go w usta i przeciągnęła palcami po jego klatce piersiowej.

– Dobranoc – pożegnała się.

Weszła do mieszkania, Robie zaś nadal stał bez ruchu. Nie był pewny, co czuje. Może dlatego, że nie czuł czegoś takiego od bardzo dawna.

W końcu obrócił się na pięcie i odszedł, zakłopotany i niepewny siebie jak nigdy dotąd.

55

Kilka minut później Robie wrócił do drugiego budynku. Miał ochotę popatrzeć na Lambert przez teleskop, przekonać się, jaka jest jej reakcja na ich spotkanie. Chociaż pocałunek powiedział mu chyba wszystko, co chciał wiedzieć. Wyobraził sobie, jak Annie myje się pod prysznicem i szykuje się do wyjścia do pracy. Może i ona podczas wykonywania ważnych obowiązków wobec kraju pomyśli o nim dzisiaj.

Robie otrząsnął się z rozmarzenia i wrócił myślami do tego, co go czekało. Pora zająć się pracą.

Zajrzał do Julie. Twardo spała.

Wziął prysznic, ubrał się i wyszedł, włączając alarm.

Jechał pustymi ulicami. Ale to nie była podróż bez celu. Musiał odwiedzić kilka miejsc, musiał przemyśleć kilka spraw.

Minął jadący w przeciwnym kierunku i błyskający niebieskimi światłami samochód policji metropolitalnej. Ktoś miał kłopoty. Albo leżał martwy.

Pierwszym przystankiem Robiego był dom rodzinny Julie.

Zaparkował przecznicę dalej i zaszedł od tyłu. Chwilę później znalazł się w środku. Poruszał się po mrocznym wnętrzu, oświetlając sobie drogę miniaturową latarką. Wiedział, czego szuka.

Zabójstwo dwóch osób w tym domu zmusiło Julie do ucieczki. Ciała zostały usunięte, a dom dokładnie wysprzątany. Do jakiego stopnia dokładnie – to właśnie był powód wizyty Robiego. W pewnym momencie zniknięcie Gettych może skłonić kogoś do zadzwonienia na policję. Policjanci przyjadą i zastaną opuszczony dom. Szybko skojarzą, że Julie trafiła do rodziny zastępczej. Będą próbowali ją odszukać. Ale na próżno. Dojdą do wniosku, że z jakiegoś powodu rodzina Gettych wyjechała, może uciekając przed wierzycielami albo dilerami domagającymi się zapłaty za narkotyki.

Policja będzie się interesować sprawą przez jakiś czas, ale nie długo. Z braku dowodów gwałtownej śmierci Gettych śledztwo zostanie odsunięte na boczny tor. Policja w wielkich miastach nie ma dość czasu i środków na zajmowanie się podobnymi sprawami.

Robie pochylił się i przyjrzał się śladowi na ścianie. Jego zdaniem to była krew, ale policja może tego nawet nie zauważyć. A jeśli nawet zauważy, to i tak nie przeprowadzi badań. Bo oznaczałoby to masę papierkowej roboty, marnowanie cennego czasu techników i laboratorium. I po co?

Ale ta mała smużka coś Robiemu powiedziała.

Plamka krwi. Wysprzątali cały dom prócz tego jednego punktu. Ta plamka znajduje się w dobrze widocznym miejscu. Powinni ją usunąć albo zamalować, tak jak zrobili wszędzie indziej.

Robie wyprostował się. Ta plamka jest wiadomością.

Małżeństwo Gettych nie żyje. Co do tego nie miał żadnych wątpliwości.

Dla kogo była przeznaczona ta informacja?

Przecież oni wiedzieli, że Julie była świadkiem śmierci swoich rodziców.

Czy to wiadomość dla jakiegoś znajomego Gettych? Który mógłby mieć ochotę porozmawiać z policją, ale nie zrobi tego, kiedy dowie się, że oni zostali zamordowani?

To naciągane, doszedł do wniosku Robie. Domniemany znajomy mógł nigdy nie zobaczyć tej plamki albo nie domyślić się, skąd się wzięła.

Za to ja ją zauważyłem. I wiem, skąd się wzięła.

Przeszukał pozostałą część domu, zostawiając na koniec sypialnię Julie. Omiótł słabym światłem latarki pokój. W kącie dostrzegł leżącego na boku pluszowego misia. Podniósł go i schował do plecaka, który miał ze sobą. Obok łóżka stała fotografia przedstawiająca Julie z rodzicami. Ją też włożył do plecaka.

Da jej te rzeczy, kiedy znów się z nią zobaczy.

Teraz z kolei wybierał się do Ricka Winda. Ale nie do jego miejsca pracy, do lombardu, gdzie ktoś obciął mu język i wepchnął do gardła. Jechał do domu Ricka Winda w Maryland.

Lecz nie miał tam dotrzeć. Przynajmniej nie tej nocy.

Zadzwonił jego telefon.

To był Blue Man.

– Znaleźliśmy twojego prowadzącego. Możesz przyjechać i zobaczyć, co z niego zostało.

56

Nie czuć było smrodu. Spalone ciało nie cuchnie tak strasznie. Tkanki miękkie i gazy, dwa źródła trupiego odoru, spłonęły. Zwęglone szczątki wydzielały specyficzny zapach, ale był on do zniesienia. Zna go każdy, kto choć raz przechodził w pobliżu jakiegoś fast foodu.

Robie spojrzał na kupę sczerniałych kości, a potem na Blue Mana. Jego biała koszula była starannie wykrochmalona, krawat wskazywał idealnie godzinę szóstą. Mężczyzna pachniał wodą toaletową Kiehla. Było nieco po piątej rano, a on wyglądał na gotowego do wystąpienia z prezentacją przed zarządem Fortune 500.

Blue Man wpatrywał się w czarne pozostałości tego, co niegdyś było ludzką istotą. Człowiekiem, który kazał Robiemu zabić kobietę i jej dziecko.

– Wiem, że trudno zdobyć się na współczucie – odezwał się Blue Man, najwyraźniej czytając w myślach Robiego.

– O współczuciu w ogóle nie ma w tym przypadku mowy – stwierdził Robie. – Co wiemy?

– Znamy jego nazwisko, pełnioną funkcję i cały przebieg kariery zawodowej. Nie wiemy, gdzie ostatnio przebywał, dlaczego dał się przewerbować i kto go zabił.

Znajdowali się na samym środku stadionu sportowego w hrabstwie Fairfax w stanie Wirginia. Po lewej było boisko małej ligi baseballowej, po prawej korty tenisowe.

– Podejrzewam, że został upieczony i pozostawiony tu całkiem niedawno – stwierdził Robie.

– Możemy przyjąć takie założenie, biorąc pod uwagę, że wczoraj wieczorem odbywał się tu mecz, a żaden z rodziców kibicujących swoim dzieciakom nie zgłosił znalezienia sterty ludzkich szczątków – zgodził się Blue Man.

– Jak na niego natrafiliście?

– Otrzymaliśmy anonimowy telefon ze szczegółową informacją.

– Jesteśmy pewni, że to ten facet? Ze zwęglonych kości nie da się chyba pobrać materiału DNA?

Blue Man wskazał mały palec lewej ręki, a przynajmniej miejsce, gdzie się ten palec kiedyś znajdował.

– Na szczęście ten palec był pokryty materiałem ognioodpornym. Odcięliśmy go i pobraliśmy z niego odciski i próbki DNA. To on.

– Anonimowy telefon. Nienaruszony palec. Bardzo starają się nam pomóc.

– Też mi to przyszło do głowy.

– Mówił pan, że nie wiadomo, dlaczego przeszedł na druga stronę.

– Sprawdzamy wszystko, co wydaje się najbardziej oczywiste: tajne konta bankowe, grożenie śmiercią członkom rodziny, zmiana poglądów politycznych. Na razie nie mamy nic konkretnego. Prawda jest taka, że możemy nigdy się tego nie dowiedzieć.

– Troszczą się o każdy szczegół – zauważył Robie. – Ten facet musiał sobie chyba zdawać sprawę, że jego szanse na przeżycie są zerowe.

– Wszyscy zdrajcy powinni być tego świadomi, a mimo to zdradzają.

– Ma pan coś nowego na temat Leo Broome'a?

– Jeszcze nie.

Blue Man wskazał stojącego nieopodal SUV-a.

– Pora na raport.

– Nie mam zbyt wiele do powiedzenia.

– Zapraszam na świeżą kawę do samochodu. Cokolwiek mi powiesz, będzie to więcej, niż wiem teraz.

– Myśli pan o przejściu na emeryturę albo zmianie zawodu? – zapytał Robie, kiedy szli w stronę samochodu.

– Codziennie.

– A mimo to wciąż jest pan tutaj.

Blue Man otworzył drzwi.

– Jestem. Podobnie jak ty.

Podobnie jak ja, powtórzył w myślach Robie.

Robie rozsiadł się na tylnym siedzeniu. Między nim a Blue Manem było sporo wolnej przestrzeni. Blue Man zamknął drzwi i wskazał dwa kubki z kawą umieszczone w uchwytach dzielącego ich podłokietnika.

– Obie czarne. Nie lubię psuć dobrej kawy dodatkiem śmietanki czy cukru.

– To tak samo jak ja – rzekł Robie.

Sięgnął po stojący bliżej niego kubek i podniósł go do ust. Blue Man zrobił to samo.

– Leo Broome? – zapytał Blue Man.

Robie mógł i chyba powinien powiedzieć mu wszystko. Tyle że odczuwał naturalną niechęć do mówienia wszystkiego, co wie. W gruncie rzeczy odczuwał naturalną niechęć do mówienia czegokolwiek.

– Mój oficer prowadzący leży tam usmażony – zaczął Robie.

– Ja też nie ufałbym nikomu – odparł Blue Man, jakby znów czytał w myślach Robiego. – Nie mogę cię zmusić do wyjawienia mi tego, co wiesz.

– A co z intensywnymi technikami przesłuchań?

– Nie wierzę w nie.

– Takie jest teraz oficjalne stanowisko agencji?

– Nie, moje prywatne.

Robie przez kilka chwil rozważał, co począć.

– Jak już mówiłem, w autobusie była dziewczyna. Nazywa się Julie Getty. Jakiś facet próbował ją zabić. Załatwiłem go.

Wysiedliśmy, a autobus wyleciał w powietrze. Podczas wybuchu zgubiłem pistolet. Udało nam się pozbyć strzelca w alejce i teraz dziewczyna jest w moim bezpiecznym mieszkaniu.

– Związki z Leo Broome'em?

– On był przyjacielem rodziców Julie, Curtisa i Sary. Nie wiem, dlaczego tamten facet z autobusu ich zabił. Może coś wiedzieli i trzeba było ich uciszyć. Musimy przyjrzeć się ich przeszłości. Ich zabójca był prawdopodobnie przekonany, że Julie wie to samo co ojciec i matka. Ona dała mi nazwiska znajomych swoich rodziców. Broome'owie są na tej liście. Byłem w ich mieszkaniu. Zniknęli. A mieszkanie zostało wysprzątane.

– W takim razie albo uciekli, albo też nie żyją – stwierdził Blue Man.

– Na to wygląda.

– Broome pracował w Departamencie Rolnictwa. To raczej nie jest epicentrum szpiegowskiego światka.

– Służył też w wojsku. Walczył w pierwszej wojnie w Zatoce – zauważył Robie.

– To otwiera nowe możliwości.

Robie pochylił się do przodu, skórzana tapicerka lekko zaskrzypiała. Na dworze trwały prace. Technicy kryminalistyczni próbowali znaleźć jakiś ślad człowieka, który przerobił ludzką istotę na kebab. Robiego nie cieszył szybki sukces z identyfikacją. Zabójca, który sam wskazuje, gdzie leży ofiara, zwykle nie zostawia istotnych śladów.

Wypił łyk kawy i poczekał, aż ciepły napój ogrzeje mu i nawilży gardło. Robie nie lubił mówić. Na jakikolwiek temat. Ale dzisiaj musiał zrobić wyjątek od tej reguły. Potrzebował pomocy.

– Jest coś jeszcze – powiedział.

– Tak myślałem – odparł Blue Man.

– Początkowo sądziłem, że celem zamachu bombowego na autobus była Julie. Teraz jestem przekonany, że to ja byłem celem.

– Dlaczego?

– Głównie ze względu na czas. Bomba musiała zostać podłożona w autobusie kilka godzin przed tym, nim ruszył w trasę. Julie spontanicznie podjęła decyzję, żeby nim jechać, kiedy bomba już tam była. Ja zarezerwowałem miejsce na fałszywe nazwisko, które jednak znał ktoś, kto nie powinien go znać. Zamachowcy nie mogli wiedzieć, że Julie będzie w tym autobusie. Ale wiedzieli, że ja będę. A bomba musiała się w nim znaleźć, zanim jeszcze wszedłem do mieszkania Jane Wind.

– Ale po co ktoś miałby cię zabijać? Co takiego wiesz, co mogłoby im zaszkodzić?

Robie pokręcił głową.

– Tego nie potrafię sobie wytłumaczyć. Przynajmniej na razie.

– Powinieneś być już trupem, wiesz o tym? – powiedział Blue Man.

– W wyniku wybuchu w autobusie?

– Nie, w wyniku strzelaniny pod Donnelly's.

– Wiem. Oszczędzili mnie.

– Więc wcześniej chcieli cię zabić, a teraz chcą, żebyś żył?

– Zmiana planów.

– Dlaczego? Jesteś im do czegoś potrzebny?

Sposób, w jaki Blue Man wypowiedział te słowa, sprawił, że Robie wbił w niego swoje spojrzenie.

– Myśli pan, że też zostałem zwerbowany?

Blue Man wpatrywał się przez ramię Robiego w miejsce, gdzie reflektory ekipy kryminalistycznej oświetlały ludzkie szczątki.

– Cóż, jeśli rzeczywiście tak jest, to sam widzisz, że to nie ma przyszłości.

57

Robie jechał na północ, w kierunku hrabstwa Prince George's w stanie Maryland. W Prince George's mieszkała głównie klasa robotnicza i średnia – gliniarze, strażacy, pracownicy średniego szczebla administracji. W sąsiednim, zamożniejszym hrabstwie Montgomery więcej było prawników, bankowców i dyrektorów, zajmujących olbrzymie domy postawione na stosunkowo niewielkich działkach.

Rick Wind mieszkał przy wąskiej uliczce, w okolicy, gdzie ludzie parkowali samochody na ulicy, a w garażach trzymali to wszystko, czego nie były w stanie pomieścić ich małe domki.

Na miejscu była obecna policja, ale domu nie otoczono taśmą odgradzającą miejsce zbrodni z tego prostego powodu, że żadna zbrodnia nie została tu popełniona. Blue Man zadzwonił zawczasu gdzie trzeba i pełniący służbę policjant przepuścił Robiego, kiedy tylko zobaczył jego odznakę.

Ponieważ mogły się tu znajdować jakieś wartościowe dowody, Robie przed wejściem do domu założył lateksowe rękawiczki i ochraniacze na buty. Gdy znalazł się w środku, zamknął za sobą drzwi. Zapalił światło i rozejrzał się. Interesy w lombardzie musiały iść zdecydowanie kiepsko. Meble w domu były stare i zniszczone, dywany poplamione i wytarte. Ściany wymagały odświeżenia. Nozdrza drażnił zapach smażonych w głębokim tłuszczu potraw. Jako że Wind już od pewnego czasu nie miał okazji niczego tu smażyć,

Robie podejrzewał, że cały dom przesiąkł tymi zapachami na wskroś i jedynym sposobem, żeby się ich pozbyć, było zburzenie go.

Na ścianie wisiała półka. Stało na niej kilka książek, głównie thrillerów wojennych, oraz oprawione w ramki fotografie. Robie wziął jedną po drugiej do ręki. Przedstawiały Ricka i Jane Wind oraz ich dwóch synów, z których żył już tylko jeden.

Na zdjęciach rodzina wyglądała na szczęśliwą, dlatego Robie zaczął się zastanawiać, co spowodowało rozpad tego małżeństwa. Odstawił na półkę ostatnią fotografię. Nie był ekspertem w sprawach sercowych.

Z parteru przeszedł na piętro. I nic tam nie znalazł.

Przeszukał piwnicę, również bez rezultatu. Zastał tylko wilgoć, pleśń i kartony pełne śmieci.

Wyszedł na dwór i przez boczne drzwi dostał się do garażu przeznaczonego na jeden samochód. Podejrzewał, że policja przeszukała już wcześniej i garaż, i dom, ale mogła przecież rozglądać się nie za tym, co trzeba.

Tak jakbym ja wiedział, za czym się rozglądać.

Pół godziny później siedział na krześle ogrodowym pośrodku garażu i patrzył wokół. Była tu ręczna kosiarka, kartonowe pudła, elektronarzędzia, stół warsztatowy, środek chwastobójczy, nawóz do trawy i roślin, jakiś sprzęt sportowy i hełm, który Wind zostawił sobie pewnie na pamiątkę czasów spędzonych w wojsku.

Z hełmu zwisał identyfikator Winda. Robie podszedł, wziął go do ręki i przeczytał napis. Nie dowiedział się niczego nowego. Odłożył hełm z identyfikatorem na miejsce.

Ta wyprawa okazała się stratą czasu. Ale przynajmniej mógł ją z czystym sumieniem wykreślić ze swojej listy spraw do załatwienia.

Spojrzał na zegarek. Było po ósmej. Zadzwonił do Vance.

– Znajdziesz czas na kawę? – zapytał Robie. – Ja stawiam.

– A co za to chcesz?

– Skąd wiesz, że czegoś chcę?

– Bo w końcu cię rozgryzłam. Dla ciebie nie liczy się nic prócz misji.

Może rzeczywiście mnie rozgryzła.

– Okej, co powiesz na raport z sekcji Ricka Winda?

– Po co ci on?

– W końcu prowadzimy śledztwo.

Usłyszał, jak westchnęła.

– Gdzie i kiedy?

Wybrał miejsce dogodne dla niej i niezbyt odległe dla siebie.

Skierował się na południe, przejechał przez most Woodrowa Wilsona i tam wpakował się w poranny korek, przez który udało mu się jakoś przedrzeć. Kiedy zatrzymał się pod kafejką przy King Street na starym mieście w Alexandrii, Vance już na niego czekała.

Usiadł przy stoliku i zauważył, że Vance zamówiła kawę również dla niego.

– Wiem, jaką lubisz kawę – powiedziała, sypiąc cukier do swojej filiżanki. – Od czasu, kiedy byłeś u mnie – dodała niepotrzebnie.

– Dziękuję. Masz raport?

Wyjęła teczkę z dokumentami i podała mu. Były tu zrobione pod każdym możliwym kątem zdjęcia zwłok Winda, a także szczegółowa analiza jego stanu fizycznego i przyczyny śmierci. Robie studiował raport, popijając kawę.

– Wyglądasz, jakbyś całą noc był na nogach – zauważyła Vance.

– Nie całą. Ale większą część.

– Nie potrzebujesz snu?

– Tak jak wszystkim innym wystarczą mi trzy godziny.

Vance prychnęła i sięgnęła po swoją filiżankę.

– Znalazłeś coś ciekawego? – zapytała.

– Wind nie był w najlepszej kondycji. Chore serce, chora nerka, w raporcie wspomina się też o niepewnym stanie wątroby i płuc.

– Facet walczył na Bliskim Wschodzie. Wiesz, jakiego syfu tam używali? To mogło mu zaszkodzić.

– Tak myślisz? – zapytał Robie.

– Mój starszy brat walczył w pierwszej wojnie w Zatoce. Zmarł w wieku czterdziestu sześciu lat. Jego mózg przypominał szwajcarski ser.

– Syndrom wojny w Zatoce?

– Tak. Nieczęsto się o tym mówi w mediach. Stawką są ogromne pieniądze na zbrojenia. Prawda nigdy nie wyjdzie na jaw.

– Przykro mi z powodu twojego brata.

Robie odłożył raport.

– No więc znalazłeś coś interesującego?

– Ma ciekawy tatuaż na lewym przedramieniu.

Wyciągnął zdjęcie przedstawiające rękę i pokazał jej.

– Wiem. Zastanawiałam się, co to jest – powiedziała Vance.

– Nie musisz się już zastanawiać. To spartański wojownik w postawie bojowej, hoplita.

– Co takiego?

– Widziałaś film *300*?

– Nie.

– Przedstawia bitwę Greków z Persami. Persja miała dużo liczniejszą armię, ale Grecy zatrzymali ją, wykorzystując zwężenie terenu. Jakiś zdrajca powiedział Persom, jak obejść wąskie gardło. Król Sparty odesłał znaczną część Greków, a sam, na czele niewielkiego oddziału Spartan, postanowił stawić czoło Persom. Oddział liczył trzystu wojowników. Spartanie użyli formacji bojowej hoplitów. Wiele ustawionych jeden za drugim zwartych szeregów, tarcze, włócznie. Zostali wybici co do jednego, ale Persom zajęło to dużo czasu. Do tej pory grecka armia zdążyła się wycofać.

– Interesująca lekcja historii.

– W przypadku Winda taki tatuaż miał sens. On służył w piechocie. Nie masz nic przeciwko temu, żebym zatrzymał ten raport?

– W porządku. Mam kopię. Coś jeszcze?

– Nie.

Zadzwonił jej telefon.

– Vance.

Kiedy słuchała słów rozmówcy, Robie zauważył, że jej oczy robią się okrągłe jak spodki.

Rozłączyła się i spojrzała na niego.

– Chyba mamy przełom w sprawie.

– Naprawdę? – Robie wypił łyk kawy i zerknął ostrożnie w jej stronę.

– Ktoś się zgłosił. Naoczny świadek eksplozji autobusu. Ta kobieta wszystko widziała.

– To wspaniale – powiedział Robie. – Naprawdę wspaniale.

58

Chcesz ze mną jechać? – zapytała Vance, wstając od stołu.

– Mamy w DCIS naradę, na której muszę być obecny. Gdzie będziesz przesłuchiwać tę kobietę? W waszym biurze terenowym?

– Tak.

– Złapiemy się później. A jak ona się nazywa? I co tam robiła? Dlaczego zgłosiła się dopiero teraz?

Czyżby ta bezdomna Diana Jordison minęła się jakoś z ludźmi Blue Mana i zgłosiła do FBI? Jeśli tak, to może opowiedzieć Vance o spotkaniu ze mną.

– Nazywa się Michele Cohen. Na razie nie mam więcej informacji, ale wkrótce je zdobędę. Zadzwoń do mnie, jak będziesz jechał.

Rozstali się przy drzwiach. Robie wskoczył do swojego samochodu i ruszył. Natychmiast zadzwonił do Blue Mana i poinformował go o wszystkim.

Reakcja Blue Mana była powściągliwa.

– Na twoim miejscu trzymałbym się od tego świadka z daleka.

– Niech pan spróbuje dowiedzieć się o niej jak najwięcej. Macie Jordison?

– Miewa się dobrze i dużo je. Umyła się i dostała nowe ubrania. Czy w ramach pomocy mamy jej znaleźć odpowiednią pracę?

– Owszem, najlepiej gdzieś daleko stąd. I to z pensją wyższą, niż się spodziewa.

Robie rozłączył się i dodał gazu. Nagle przyszło mu coś do głowy. Musiał porozmawiać z Julie. A nie chciał robić tego przez telefon.

Kiedy otworzył drzwi, czekała na niego.

– Nie wiem, jak długo jeszcze wysiedzę tu bezczynnie, Will.

Zamknął drzwi na klucz i usiadł naprzeciwko niej. Julie miała na sobie dżinsy, sportową bluzę, żółtozielone tenisówki Converse i była zdesperowana.

– Żongluję wieloma piłkami naraz – wyjaśnił. – Robię, co mogę.

– Nie chcę być jedną z twoich piłeczek – odpaliła.

– Mam do ciebie pytanie. Twoja odpowiedź może wszystko zmienić.

– O co chodzi?

– Dlaczego autobus? A konkretniej, dlaczego akurat ten autobus tamtej nocy?

– Nie rozumiem.

– To proste pytanie, Julie. Mogłaś się wydostać z miasta na wiele innych sposobów. Dlaczego wybrałaś autobus?

Jeśli udzieli mu takiej odpowiedzi, jak się spodziewał, wszystko stanie się jeszcze bardziej skomplikowane niż do tej pory. Na myśl o tym poczuł, że głowa mu pęka.

– Mama przesłała mi wiadomość.

– Jak? Powiedziałaś, że nie masz telefonu komórkowego.

– Zostawiła wiadomość w szkole. Często tak robiła. Wkładali taką kartkę do skrzynki pocztowej i wysyłali maila do opiekuna, że uczeń ma do odbioru wiadomość. Wystarczyło pójść do sekretariatu i odebrać.

– Kiedy ci przesłała wiadomość?

– Chyba dzień przed tym, jak uciekłam od Dixonów. Dostarczyła ją osobiście.

– W sekretariacie powiedzieli ci, że twoja mama dostarczyła ją osobiście?

– Nie. Tylko tak przypuszczałam.

– Co było w tej wiadomości?

– Mama napisała, żebym przyszła tamtego wieczoru do domu. Że razem z tatą planują jakieś zmiany. Że chcą zacząć wszystko od nowa.

– Wygląda na to, że chcieli się przeprowadzić.

– Nie byłam pewna, ale wiedziałam, że to możliwe. Pamiętam tylko, że kiedy dostałam tę wiadomość, chciałam od razu uciec od Dixonów. Po drodze podrzuciłam kompromitujące zdjęcia Dixonów do agencji zajmującej się rodzinami zastępczymi.

– A co z autobusem?

– O tym też była mowa w wiadomości. Mama napisała, że jeśli nie będzie ich w domu, kiedy przyjdę, mam pójść na dworzec i wsiąść do autobusu 112 jadącego do Nowego Jorku. Mieli mnie odebrać następnego ranka z dworca Port Authority. W kopercie dołączonej do wiadomości mama zostawiła pieniądze na bilet.

– Poznałaś charakter pisma mamy?

– Wiadomość była napisana na komputerze.

– Mama często wysyłała ci wiadomości napisane na komputerze?

– Czasami. Korzystała z komputera w barze. Mają tam drukarkę.

– Dlaczego nie przyszła po prostu do szkoły i nie porozmawiała z tobą osobiście?

– Nie było jej wolno. Ja byłam w rodzinie zastępczej. Nie pozwalali jej widywać się ze mną. Mogła tylko zostawiać wiadomości w sekretariacie szkoły. – Spojrzała na Robiego z niepokojem. – Myślisz, że moja mama nie napisała tej wiadomości?

– Moim zdaniem jest bardzo prawdopodobne, że nie.

– Po co ktoś miałby przysyłać mi tę wiadomość? I pieniądze?

– Ponieważ chcieli, żebyś wsiadła do tego autobusu. Natomiast to, że pojawiłaś się w domu, kiedy wrócili twoi rodzice z facetem, który zaczął strzelać, było zbiegiem okoliczności. Pomyśl tylko, Julie. Naprawdę uważasz, że człowiek, który zabił twoich rodziców, pozwoliłby ci uciec?

– Twoim zdaniem to wszystko było ukartowane? On pozwolił mi uciec po to, żebym wsiadła do autobusu?

– Tak. Zastanawialiśmy się, gdzie podziewali się twoi rodzice od chwili, kiedy mama skończyła pracę, do momentu powrotu do domu. Myślę, że zostali uprowadzeni i byli przetrzymywani dotąd, aż tamci ludzie zauważyli, jak wślizgnęłaś się do domu.

– Ale w autobusie podłożono bombę. Skoro zamierzali mnie przecież zabić, dlaczego tamten facet nie zastrzelił mnie w domu?

– Moim zdaniem bomba nie była podłączona do czujnika ruchu. Plan zakładał, że odpalą ją zdalnie, kiedy wysiądziemy z autobusu. Gdybyśmy nie wysiedli, bomba by nie wybuchła. A my szczęśliwie dojechalibyśmy do Nowego Jorku. Tylko że tak się nie miało stać.

– Dlaczego?

– Człowiekowi, który zabił twoich rodziców, kazano wsiąść do autobusu i cię zabić. Z całą pewnością nie wiedział o podłożonej bombie, bo inaczej by się na to nie zdecydował. Lojalność to jedno, a igranie ze śmiercią to coś zupełnie innego. Ci ludzie liczyli na to, że zareaguję, kiedy facet będzie próbował cię zabić. Najbardziej prawdopodobne było to, że po takiej historii oboje wysiądziemy.

Zwłaszcza jeżeli wiedzieli, dlaczego uciekam, pomyślał Robie.

– Cały czas mówisz „my", jakby ci ludzie powiązali nas ze sobą.

– Ponieważ tak się moim zdaniem stało. Mieliśmy działać wspólnie.

– Ale dlaczego? Nie chcieli nas po prostu zabić?

– Najwidoczniej nie.

– W sprawie zabójstwa rodziców mogłam pójść na policję. A teraz ty prowadzisz śledztwo? Dlaczego miałoby im na tym zależeć?

– Mogli, zresztą słusznie, założyć, że nie pójdziesz na policję. Mogli też chcieć, żebym to ja prowadził śledztwo.

– To nie ma sensu.

– Jeśli mam rację, to dla kogoś ma to sens.

– A nie obawiają się, że rodzice mi coś powiedzieli? Skoro zabili wszystkich tamtych ludzi, dlaczego nie zabili mnie?

– Już sobie odpowiedziałaś na to pytanie. Byłaś w rodzinie zastępczej, nie miałaś kontaktu z rodzicami. Nie miałaś telefonu komórkowego. Kiedy twoja mama powiedziała, że ty nic nie wiesz, oni wierzyli, że to prawda.

Robie rozpiął plecak, wyjął z niego zabranego z domu pluszowego misia i fotografię i wręczył jej.

– Po co tam wróciłeś? – zapytała, patrząc na otrzymane przedmioty.

– Żeby sprawdzić, czy coś nie umknęło mojej uwadze.

– I co, umknęło?

– Tak. Oni chcieli, żebym znalazł ślady krwi. Chcieli, żebym wiedział, że twoi rodzice nie żyją.

– Sama mogłam ci to powiedzieć.

– Nie w tym rzecz. Oni chcieli, żebym wiedział, że biorę udział w grze.

– A ten facet z karabinem w alejce? Jeśli chcieli, żebyśmy uciekli, po co go za nami posłali? Autobus już wyleciał w powietrze.

– Początkowo myślałem, że zmienili plany. Że najpierw chcieli mnie zabić, a potem chcieli, żebym żył. Ale teraz uważam, że według ich planu miałem uciec. Wiedzieli jednak, że nabiorę podejrzeń, jeśli pójdzie mi zbyt łatwo.

– Łatwo!

– Ja mam ustawioną wyżej poprzeczkę niż większość ludzi. Przynajmniej jeśli chodzi o przeżycie. Musieli kogoś za mną posłać. To był pewnie ten sam człowiek, który strzelał do Jane Wind.

– Jeśli chcieli, żebyś przeżył i ja też, to znaczy, że jesteśmy im do czegoś potrzebni – zauważyła Julie.

– Tak właśnie przypuszczam.

– Ale do czego?

– Nikt by się tak nie trudził, nie zabijał tylu osób, gdyby nie miał cholernie ważnego powodu.

– No i siedzimy w tym po uszy – stwierdziła Julie.

– Nie, stoimy przed wielkim wyzwaniem – poprawił ją Robie.

59

Robie, nie siląc się na tłumaczenia, kazał Julie spakować swoje rzeczy do plecaka. Jechali teraz samochodem. Od czasu do czasu zerkał na dziewczynę. Przyłapała go na tym kilka razy i w końcu zapytała:

– Czemu się tak na mnie gapisz?

Czemu się na nią gapię? Odpowiedź jest prosta, choć niemiła. Jest ktoś, za kogo jestem odpowiedzialny, i to mnie wkurza.

Zadzwonił jego telefon. To była Vance.

– Robie? Musisz tu przyjechać.

– Co się stało?

– Ta Michele Cohen, nasz naoczny świadek. Ona widziała, jak jakiś mężczyzna i nastolatka wysiadają z autobusu tuż przed eksplozją. Powiedziała też, że mężczyźnie wypadł z ręki pistolet i trafił pod samochód. To ten pistolet, który znaleźliśmy i który ma związek z zabójstwem Jane Wind. Okazuje się, że miałam rację.

– Gdzie ona była w chwili wybuchu? I dlaczego zgłosiła się dopiero teraz?

– Jest mężatką, a wychodziła akurat z hotelu, gdzie spędzała czas w towarzystwie innego mężczyzny.

– Rozumiem – wycedził Robie.

– Jeden z naszych techników sporządza teraz portret pamięciowy tego gościa i dziewczyny. Wkrótce powinny być gotowe.

– Czy ona widziała, dokąd tamci poszli?

– Przez kilka sekund leżeli ogłuszeni. A potem uciekli alejką.

– A twój świadek wrócił do domu, do swojego mężusia?

– Ona była przerażona i zdezorientowana. Kiedy już ochłonęła, postanowiła się do nas zgłosić.

– Co o niej wiemy?

– A jakie to ma znaczenie?

– Musimy sprawdzić, czy mówi prawdę.

– Dlaczego miałaby kłamać?

– Nie wiem. Ale ludzie kłamią. Bez przerwy.

– Przyjedź tu. Chcę, żebyś usłyszał jej opowieść. Może przyjdą ci do głowy jakieś pytania.

– Postaram się przyjechać jak najszybciej.

– Robie!

Robie zdążył się już rozłączyć. Wsunął komórkę z powrotem do kieszeni. Telefon zaczął ponownie dzwonić, ale zignorował to. Wiedział, że to Vance. Udzieliłby jej takiej samej odpowiedzi.

– Problemy? – zapytała Julie.

– Tak jakby.

– Nie do rozwiązania?

– Zobaczymy.

Julie wzięła do ręki leżącą między nimi teczkę.

– Co to jest?

– Nie powinnaś tego oglądać.

– Dlaczego? Czy to tajne?

– Nie. Ale to jest raport z sekcji zwłok pewnego człowieka.

– Jakiego człowieka?

– A co cię to obchodzi?

– Czy to ma związek z tym, co się stało z moimi rodzicami?

– Wątpię.

– Ale nie jesteś pewny?

– Niczego już nie jestem pewny.

Julie otworzyła teczkę i spojrzała na zdjęcia.

– To jest obrzydliwe!

– A czego się spodziewałaś? Facet nie żyje.

Zaczęły jej się trząść ręce.

Robie zwolnił.

– Tylko nie zacznij wymiotować w samochodzie. Zatrzymam się.

– Nie o to chodzi, Will.

– A o co?

Wyjęła z teczki fotografię. Było to zbliżenie prawego ramienia Ricka Winda.

Robie już miał opowiedzieć jej historię związaną z tym tatuażem. Ale Julie pierwsza przerwała ciszę.

– To spartański wojownik w postawie bojowej, hoplita – powiedziała łamiącym się głosem.

Robie spojrzał na nią z uznaniem.

– Skąd to wiesz?

– Mój tata miał taki sam tatuaż.

60

Robie zatrzymał się przy krawężniku i obrócił w swoim fotelu w jej stronę.

– Jesteś pewna, że twój tata miał taki sam tatuaż?

– Spójrz na to, Will. – Uniosła zdjęcie. – Jak myślisz, ile takich tatuaży widziałam w swoim życiu?

Robie wziął od niej fotografię i przyjrzał się jej uważnie.

– No dobrze. Nazywa się Rick Wind. Brzmi znajomo?

– Nie.

– Na pewno?

– Na pewno.

Spojrzał jeszcze raz na zdjęcie. O co tu chodzi?

– Czy twój tata był w wojsku?

– Nie sądzę.

– Ale nie wiesz tego na pewno?

– Nigdy nie mówił, że był w wojsku. Nie miał żadnych medali ani tym podobnych rzeczy.

– Ale miał ten tatuaż. Pytałaś, skąd go ma?

– Pewnie. To było naprawdę wyjątkowe. Powiedział, że interesował się historią i mitologią starożytnej Grecji. To on mi wytłumaczył, co przedstawia tatuaż.

– Kiedy twój tata zaczął brać narkotyki?

Julie wzruszyła ramionami.

– Brał, odkąd pamiętam.

– Masz czternaście lat. A ile on miał lat?

– Kiedyś widziałam jego prawo jazdy. Miał czterdzieści pięć lat.

– Więc miał mniej więcej trzydzieści jeden, kiedy pojawiłaś się na świecie. Przedtem mógł robić coś innego. Jak długo byli z twoją mamą małżeństwem?

– Nie wiem. Nigdy o tym nie mówili.

– Nie świętowali rocznic?

– Nie. Tylko urodziny. I tylko moje.

– Ale byli małżeństwem?

– Nosili obrączki. Podpisywali się tym samym nazwiskiem. Nic więcej nie wiem.

– Nigdy nie widziałaś żadnego zdjęcia ślubnego? Nigdy nie rozmawiałaś o tym z kimś innym z rodziny?

– Nie. Oni nie mieli żadnej rodziny. A przynajmniej nie wspominali o nikim. Oboje pochodzili z Kalifornii, tak mi mówili.

– Kiedy przeprowadzili się do Waszyngtonu?

Julie nie odpowiedziała. Patrzyła przez okno.

– Co się stało? – zapytał Robie.

– Kiedy zadajesz mi te wszystkie pytania, uświadamiam sobie, że gówno wiedziałam o swoich rodzicach.

– Mnóstwo dzieciaków mało co wie o swoich starych.

– Nie próbuj kłamstwami poprawiać mi humoru.

– Nie próbuję – odparł spokojnie Robie. – Ja w ogóle nie znałem swoich rodziców.

Przeniosła spojrzenie na niego.

– Zostałeś adoptowany?

– Tego nie powiedziałem.

– Ale powiedziałeś…

– Więc nie wiesz, czy twój tata był w wojsku? To ważne.

– Dlaczego?

– Jeśli był w wojsku i miał taki sam tatuaż jak Rick Wind, to może razem służyli. Żołnierze z tego samego oddziału często mają podobne tatuaże. Jeśli to prawda, wszystko zacznie się sensownie układać.

– Jesteś w stanie sprawdzić, czy mój tata był w wojsku? – zapytała Julie.

– To nie powinno być trudne. W Pentagonie są akta wszystkich, którzy służyli.

Robie wyjął telefon, nacisnął guzik szybkiego wybierania i chwilę potem rozmawiał z Blue Manem. Krótko powiedział, czego potrzebuje, i rozłączył się.

– Wkrótce się dowiemy – poinformował.

– Dlaczego pytałeś, kiedy tata zaczął brać narkotyki?

– Bez powodu.

– Nieprawda. Wszystko, co robisz, ma jakiś powód.

– Okej, mógł zacząć, kiedy był w wojsku.

– Dlaczego? Czy wszyscy żołnierze biorą narkotyki?

– Oczywiście, że nie wszyscy. Ale niektórzy tak. Zaczynają w wojsku i biorą nadal po przejściu do cywila. A jeśli twój ojciec służył za granicą, miał jeszcze łatwiejszy dostęp do narkotyków.

– Więc chodzi o prochy?

– Tego nie powiedziałem.

– To, co mówisz, nie trzyma się kupy – odrzekła zirytowana.

– Wiesz, jak oni się poznali?

– Na jakiejś imprezie. W San Francisco. I nie, nie sądzę, żeby to była narkotykowa impreza – dodała z goryczą.

Robie uruchomił silnik i ruszył. Ponownie zadzwonił jego telefon. Spojrzał na wyświetlacz. To była Vance.

Julie też to dostrzegła.

– Superagentka Vance naprawdę chce, żebyś tam pojechał i zobaczył się ze świadkiem.

– Cóż, superagentka Vance będzie musiała zaczekać – odparł Robie.

– To jest świadek eksplozji autobusu?

Robie spojrzał na nią pytająco.

– Superagentka Vance ma bardzo donośny głos – wyjaśniła Julie. – Nietrudno było podsłuchać.

– Rozumiem.

– Czy ten świadek nas widział?

– Na to wygląda.

– Nie pamiętam, żeby ktoś wtedy był w okolicy.

– Ja też.

– Myślisz, że ta osoba kłamie?

– To możliwe.

– A jeśli ten ktoś cię widział? Będzie duży problem.

– Zgadza się – odparł Robie.

– Jak zamierzasz to rozegrać?

– Jakoś rozegram.

Julie oparła policzek o plecak i zapatrzyła się w dal.

– Jeśli mój tata był w wojsku, to czemu o tym nie mówił?

– Wiele osób nie lubi opowiadać o swojej służbie wojskowej.

– Założę się, że bohaterowie lubią.

– Nie. Reguła jest akurat taka, że ci, którzy zrobili najwięcej, mówią najmniej.

– Nie mówisz tego tylko ot tak?

– Nie oszukiwałbym cię. Nie miałbym powodu.

– Żebym się lepiej poczuła.

– A poczułabyś się lepiej, gdybym cię okłamał?

– Pewnie nie…

Zauważył, że mu się przygląda.

– Jak twoje rachunki? Podejrzewam, że narobiłaś sobie zaległości.

– Skorzystałam z telefonu, który mi dałeś, i ściągnęłam zadania przez internet. Poza tym wysłałam do dwóch nauczycieli maile z pytaniami, które do nich miałam. Skontaktowałam się też z sekretariatem. Napisałam, że mam grypę i przez kilka dni nie będzie mnie w szkole, ale będę odrabiać lekcje przez internet.

– I wszystko to załatwiłaś, korzystając tylko z telefonu?

– Oczywiście. To żadna sztuka. Mam laptopa, ale nie jest podłączony do internetu. To kosztuje.

– Za moich szkolnych czasów używaliśmy gumek do wycierania i telefonów stacjonarnych.

Kilka kolejnych kilometrów przejechali w milczeniu.

– Jak myślisz, jeśli mój tata służył w wojsku, to mógł być bohaterem? – zapytała cicho Julie.

Tym razem Robie nie spojrzał na nią. Tęskny ton głosu powiedział mu, jakiej Julie oczekuje odpowiedzi.

– Mógł być – odrzekł.

61

Dokąd jedziemy? – zapytała Julie.

Przejechali przez most Memorial i znaleźli się w północnej Wirginii. Dzień był rześki i bezchmurny. Okolicę zalewały intensywne promienie słońca.

– Zmieniamy miejsce twojego pobytu.

– Dlaczego?

– Pozostawanie zbyt długo w jednym miejscu nie jest dobrym pomysłem.

Spojrzał w lusterko wsteczne. Robił to co sześćdziesiąt sekund.

Niemożliwe, żeby ktoś mnie śledził. A jeśli nawet, to niewiele im z tego przyjdzie.

Po przejechaniu kolejnych pięciu mil skręcił i zatrzymał się przed bramą. Do samochodu podszedł mężczyzna w mundurze, z karabinem MP-5 przewieszonym przez ramię na skórzanym pasku. Za jego plecami Robie dostrzegł drugiego, podobnie uzbrojonego i ubezpieczającego kolegę.

Robie opuścił szybę i wyjął odznakę.

– Jestem na liście – odezwał się do strażnika. Strażnik sprawdził to, dzwoniąc z telefonu komórkowego.

Kiedy czekali na potwierdzenie, podeszło dwóch kolejnych uzbrojonych mężczyzn. Jeden zajrzał do środka. Drugi przeszukał bagażnik i sprawdził podwozie. Strażnicy przetrząsnęli też plecak Julie i zbadali detektorem pulsu cały samochód w poszukiwaniu innych żywych istot. Kontrola potwierdziła, że w pojeździe biją tylko dwa serca.

Szlaban uniósł się i Robie ruszył. Po przejechaniu krótkiego dystansu zatrzymał się na pustym parkingu.

Rozpiął pasy, tymczasem Julie siedziała bez ruchu.

– Chodź – ponaglił ją.

– Dokąd? – zapytała. – Gdzie my jesteśmy?

– W bezpiecznym miejscu. Tego ci teraz najbardziej potrzeba.

– To coś w rodzaju CIA?

– A widziałaś tablicę z takim napisem?

– CIA nie ma tablic. Przecież to wszystko jest tajne, prawda?

– Gdyby nie było tablic, to jak szpiedzy mogliby znaleźć takie miejsce?

– To nie jest śmieszne – warknęła.

– Nie, to nie jest CIA. Nie zawiózłbym cię do Langley. Prawdę mówiąc, nie mógłbym cię zawieźć do Langley, nie narobiwszy sobie mnóstwa kłopotów. To miejsce jest znacznie mniej tajne, ale bezpieczne.

– I zamierzasz mnie tak po prostu tutaj zostawić?

– No, chodź – ponaglił ją znowu. – Tak trzeba, Julie.

Przeszli przez parking i minęli automatycznie otwierane szklane drzwi piętrowego budynku. W holu powitał ich uzbrojony strażnik i zaprowadził do długiej, wąskiej sali konferencyjnej.

Julie usiadła, a Robie przechadzał się w tę i z powrotem.

– Denerwujesz się? – zapytała go w końcu.

Spojrzał na nią i zdał sobie sprawę, że dziewczyna jest wystraszona. Dlaczego miałaby nie być?, pomyślał. To zbyt wiele, nawet jak na taką nad wiek dojrzałą nastolatkę.

Usiadł obok niej.

– Nie, nie denerwuję się. – Rozejrzał się po pomieszczeniu. – Tu ci będzie lepiej.

– Czy to coś w rodzaju więzienia?

– Nic z tych rzeczy. Nie jesteś więźniem. Ale musimy ci zapewnić bezpieczeństwo.

– Dajesz słowo?

– Mówię ci prawdę, Julie. Tyle i tylko tyle.

Otworzyła plecak.

– Mogę tu odrobić lekcje? Mam problem z matematyką.

– Proszę bardzo, tylko nie oczekuj ode mnie pomocy. Ja skończyłem edukację na czterech podstawowych działaniach.

Pięć minut później otworzyły się drzwi i do sali wszedł Blue Man. Ze starannie zawiązanym krawatem, w odprasowanych spodniach, wykrochmalonej koszuli, wypolerowanych butach. Minę miał obojętną, ale Robie czuł, że starszy pan jest poirytowany. W ręku trzymał kopertę.

Spojrzał najpierw na Julie, potem na Robiego.

– Czy to dobry pomysł? – zapytał Robiego, wskazując wolną ręką nastolatkę.

– Lepszy niż pozostawienie jej tam, gdzie była dotychczas.

– Mówiłem ci, że miejsce było bezpieczne.

– Wiem, co pan mówił.

Blue Man westchnął i usiadł naprzeciw Julie, która przyglądała mu się z zainteresowaniem.

– To jest Julie Getty – odezwał się Robie, który czuł, że wypada ją przedstawić.

Blue Man skinął głową.

– Domyśliłem się.

– A pan jak się nazywa? – zapytała.

Blue Man puścił pytanie mimo uszu i zwrócił się do Robiego:

– I co chcesz w ten sposób osiągnąć?

– Mam nadzieję, że zapewnię jej bezpieczeństwo. Mam nadzieję, że dotrę do prawdy. Mam nadzieję, że ich dopadnę, zanim oni dopadną mnie.

– Wpadasz w paranoję? – zapytał Blue Man.

– Trzeba było mnie o to spytać dziesięć lat temu – odparł Robie.

– Pracujecie razem? – zapytała Julie.

– Nie – odrzekł Robie.

– Czasami – poprawił go Blue Man.

Julie rozejrzała się po sali.

– Mam tu zostać? To nie przypomina domu.

Blue Man spojrzał na Robiego, który szybko uciekł wzrokiem.

– Możemy cię tu zakwaterować – zwrócił się do niej Blue Man. – Całkiem wygodnie. Mamy kilka pokoi... hm... gościnnych.

– Will też tu będzie?

– Niech sam się wypowie – rzucił starszy pan.

Robie zignorował jego uwagę i zmienił temat:

– Czy tu jest odpowiedź na moje pytania? – Wbił wzrok w leżącą na stole kopertę.

– Całkiem sporo odpowiedzi. Chcesz je usłyszeć teraz?

Robie zerknął na Julie, a potem spojrzał pytająco na Blue Mana, który odchrząknął.

– Nie widzę powodu, żeby nie mogła tego usłyszeć. Nie ma tam nic tajnego. – Otworzył kopertę. – Panno Getty, pani ojciec był wyróżniającym się żołnierzem.

– Naprawdę? – Julie wyprostowała się na krześle.

– Tak. Za waleczność został odznaczony Brązową Gwiazdą, Purpurowym Sercem i kilkoma innymi wysokimi odznaczeniami. Odszedł ze służby z honorami w stopniu sierżanta.

– Nigdy mi o tym nie mówił.

– Czym sobie zasłużył na Brązową Gwiazdę za waleczność? – zapytał Robie.

– Walczył w pierwszej wojnie w Zatoce – odparł Blue Man.

– Odszedł z wojska dlatego, że nie chciał podpisać nowego kontraktu? – dopytywał się Robie.

– Pojawiły się pewne problemy natury medycznej.

– Jakie? – zapytała Julie.
– PTSD – odparł Blue Man.
– To zespół stresu pourazowego – wyjaśnił Robie.
– Zgadza się – potwierdził starszy mężczyzna.
– Coś jeszcze? – zapytał Robie.
Blue Man zajrzał do dokumentów.
– Jakieś problemy psychiczne.
– Mojemu tacie pomieszało się w głowie? – zapytała Julie.
– Stwierdzono, że był poddany działaniu pewnych substancji, które miały na niego niekorzystny wpływ.
– ZU? – zapytał Robie.
Julie wbiła w niego wzrok.
– ZU? Co to jest?
Blue Man i Robie wymienili spojrzenia.
– Słuchajcie, panowie. Nie oczekujecie chyba, że wy będziecie gadać jakimś szyfrem, a ja będę potulnie siedzieć i przytakiwać.
– Zubożony uran – wyjaśnił Robie. – ZU to inaczej zubożony uran. Używany w amunicji artyleryjskiej i opancerzeniu czołgu.
– Uran? To chyba szkodliwe? – zapytała Julie.
– Nigdy nie zostały przeprowadzone miarodajne badania, które wykazałyby prawdziwość tego stwierdzenia na polu walki – odparł rzeczowo Blue Man.
– W takim razie skąd się wzięły u mojego taty „problemy psychiczne"? I dlaczego został zwolniony do cywila?
– Z tego co wiem, był silnie uzależniony od narkotyków.
Julie rzuciła Robiemu gniewne spojrzenie.
– Ty mu powiedziałeś?
Blue Man wziął do ręki jedną z kartek.
– Nie musiał. Sam przeczytałem raporty z aresztowań. Same błahostki, drobne sprawy. Głupie wpadki.
Julie zerwała się na nogi i zwróciła wyzywającym tonem do Blue Mana:

– Nie znał pan mojego taty, więc nie ma pan prawa go oceniać.

Blue Man spojrzał na Robiego.

– Ona zawsze jest taka nieśmiała i skromna?

Robie nie odpowiedział.

– Poza tym nic z tych rzeczy nie zdarzyło się, kiedy tata był w wojsku – dodała Julie. – W przeciwnym razie nie zwolniliby go do cywila z przyczyn medycznych, tylko wyrzucili dyscyplinarnie albo aresztowali. Więc dlaczego został zwolniony?

– Już mówiłem, problemy psychiczne.

– Ale niezwiązane z narkotykami. Musiało być coś jeszcze – odparowała Julie. – Ma pan w ręku raport. Tam jest napisane, że tata był wystawiony na działanie zubożonego uranu, który miał szkodliwy wpływ na jego stan zdrowia. Sam pan tak powiedział.

– To on tak twierdził. A jego słowa nie zostały nigdy potwierdzone. Ale rozumiem twój punkt widzenia. Armia musiała uznać, że jego twierdzenie może być prawdziwe.

– Czy zrobiono mu jakieś badania? – zapytał Robie. – Żeby się przekonać, skąd zaburzenia psychiczne?

– Nie.

– Pewnie nie chcieli, żeby się wydało, że zubożony uran namieszał tacie w głowie – powiedziała Julie, wpatrując się gniewnie w Blue Mana.

– Jak skończysz college, powinnaś starać się o pracę w wywiadzie – stwierdził Blue Man. – Widzę, że byłabyś pierwszorzędną agentką.

– Chyba sobie daruję. Wolałabym wykorzystać swoje życie w lepszy sposób.

Robie wyjął fotografię przedstawiającą tatuaż Ricka Winda.

– To jest zdjęcie z autopsji Ricka Winda. Julie twierdzi, że jej tata miał taki sam tatuaż.

Blue Man przeniósł spojrzenie na Julie.

– Czy oni się znali?

– Nigdy nie słyszałam o Ricku Windzie i na pewno nigdy wcześniej go nie widziałam – odrzekła Julie.

– Moglibyśmy sprawdzić, czy nie służyli kiedyś razem? – zapytał Robie.

Blue Man podniósł się i podszedł do stojącego na szafce telefonu. Tymczasem Julie wpatrywała się w tatuaż, a Robie w nią.

– Wszystko w porządku? – zapytał ją cicho.

– A powinno być? – warknęła.

Wrócił Blue Man.

– Wkrótce będziemy znali odpowiedź.

– A jakieś informacje na temat tego świadka? – zapytał Robie.

– Michele Cohen? Jeszcze nic. Sprawdzamy. Na pewno jest teraz pod opieką FBI.

– A jeśli zdoła zidentyfikować mnie i Julie?

– To byłaby katastrofa – przyznał Blue Man.

– Może ona kłamie – stwierdziła Julie.

– Może – zgodził się Robie. – Ale jeśli kłamie, to musimy się dowiedzieć, co nią kieruje.

– Jak zamierzasz to załatwić z agentką Vance? – zapytał Blue Man. – Nie możesz się przed nią ciągle kryć.

– Coś wymyślę.

Tyle że na razie Robie nie miał żadnego pomysłu.

Odezwał się jego telefon. Spojrzał na wyświetlacz.

– Superagentka Vance? – domyśliła się Julie.

Robie przytaknął. Treść wiadomości nie pozostawiała żadnych wątpliwości: Przyjeżdżaj natychmiast albo ja przyjadę i wyciągnę cię choćby z piekła.

Robie oddzwonił.

– Przecież ci mówiłem, że jestem na spotkaniu – rzucił.

– Cohen powiedziała nam wystarczająco dużo, żeby poważnie zainteresować się tymi dwiema osobami z autobusu.

– Świetnie.

– To może być ojciec z córką.

– Jasne. Mówiłaś, że dziewczyna była nastolatką?

– Tak. Miała dość jasną skórę. Facet był według relacji Cohen dużo ciemniejszy.

– Możesz powtórzyć? – poprosił Robie.

– To Afroamerykanie, Robie. Możesz się tu wreszcie pofatygować?

– Już jadę.

62

Robie siedział naprzeciwko Michele Cohen w małej salce konferencyjnej w biurze terenowym FBI. Kobieta, około czterdziestki, miała ciemne, spadające na ramiona włosy, metr pięćdziesiąt pięć wzrostu i drobną budowę ciała. Wyglądała na zdenerwowaną, co wcale nie było dla Robiego zaskoczeniem.

Obok niego siedziała Vance. Robiła jakieś notatki w tablecie, podczas gdy on przypatrywał się pani Cohen. Opowiedziała mu całą historię bardzo szczegółowo. Wyszła z pobliskiego hotelu kilka sekund przed eksplozją autobusu. Widziała, jak wysiada z niego jakiś mężczyzna z dziewczyną. Kiedy wybuchła bomba, podmuch rzucił ją na ścianę budynku i ogłuszył. Potem pobiegła do swojego samochodu. Wróciła do domu, gdzie czekał na nią mąż rogacz, który uwierzył w historyjkę, że zagadała się dłużej z przyjaciółką.

W hotelu potwierdzono, że Cohen rzeczywiście pojawiła się tam we wskazanym przez nią czasie. W towarzystwie mężczyzny. Jego wersja też została zweryfikowana. Był od roku bezrobotny. Ani on, ani Michele Cohen nie mieli powodu, by kłamać.

Robie jednak wiedział, że kłamią.

Cohen szczegółowo opisała dwie czarnoskóre osoby, które wysiadły przed eksplozją z autobusu, a przecież wiadomo, że nic takiego się nie zdarzyło. Ale Robie nie mógł powiedzieć tego Vance bez ujawniania własnych sekretów.

Ci ludzie bawią się mną, a ta cała Cohen jest częścią ich gry. Wsadzili mnie na minę, a ja nie mam jak się z tego wyplątać. Na to właśnie liczą. Chcą, żebym się porządnie spocił, i trzeba przyznać, że im się to udaje.

Zastanawiał się, czy Cohen wie, że to on jest mężczyzną, który wysiadł z autobusu. Czy powiedzieli jej to? Czy kazali tylko odegrać swoją rolę? Zastanawiał się też, gdzie ją znaleźli. Może jest aktorką, która potrzebowała szybkiego zarobku, i jej rola w całej tej historii jest drugoplanowa. Z drugiej strony przecież chyba zdawała sobie sprawę, że okłamuje gliniarzy. I FBI. A takich rzeczy nie robi się tak lekko. Musiała być pewna, że prawda nie wyjdzie na jaw. I musiała być bardzo zdeterminowana, żeby się zdecydować na coś takiego.

No dobrze, skoro chcą się ze mną bawić, to ja odpowiem im tym samym. Ciekawe, czy im się to spodoba.

– Czy zdradzała pani już wcześniej męża, pani Cohen? – zapytał.

Pytanie spotkało się z zabójczym spojrzeniem Vance, ale Robie je zignorował.

– Dwukrotnie. – Cohen odczekała, przykładając chusteczkę do prawego oka. – Nie jestem z tego dumna, ale nie mogę też tego zmienić.

– Powiedziała pani mężowi prawdę?

Tym razem Vance nie poprzestała na spojrzeniu.

– Co to ma wspólnego z naszą sprawą, Robie?! – wykrzyknęła.

I tym razem Robie ją zignorował.

– Potrafiłaby pani wskazać tego mężczyznę i nastolatkę podczas konfrontacji?

– Nie jestem pewna. Tyle się działo. I przez pewien czas byli do mnie odwróceni plecami.

– Ale jest pani pewna, że to byli Afroamerykanie? Mimo że było ciemno, że dzieliła was spora odległość oraz, jak to pani określiła, tyle się działo?

– To zdecydowanie byli czarni – odparła. – W tej kwestii nie mam wątpliwości.

– Jednak początkowo nie zgłosiła się pani na policję. Zrobiła to pani dopiero po kilku dniach.

– Tłumaczyłam to już agentce Vance. Martwiłam się, że wszystko się wyda.

– Ma pani na myśli swój romans? – dopytywał Robie.

– Tak. Kocham swojego męża.

– Oczywiście. I jestem pewny, że jest pani przykro z powodu tego cudzołóstwa, ale to wszystko dlatego, że mężulek pani nie rozumie – zauważył z przekąsem Robie.

Jego komentarz spotkał się z kolejnym piorunującym spojrzeniem Vance.

– Nie jestem dumna z tego, co zrobiłam – powtórzyła sztywno Cohen. – Ale w końcu się zgłosiłam. Próbuję pomóc w śledztwie.

– Doceniamy to – wtrąciła Vance, patrząc na Robiego z pełnym powątpiewaniem. – I mimo tego komentarza mój partner też to docenia.

– Czy to wszystko? Mogę już iść? – zapytała Cohen.

– Tak. Poproszę, żeby jeden z moich ludzi odprowadził panią do wyjścia. Ja z agentem Robiem muszę coś przedyskutować.

Kiedy tylko Cohen wyszła z pokoju, Vance zaatakowała Robiego.

– Co to, do cholery, miało być?! – wrzasnęła.

– Zadawałem pytania świadkowi.

– Chciałeś powiedzieć: przesłuchiwałem.

– Dla mnie to jedno i to samo. A tak poza wszystkim, to myślę, że ona kłamie.

– A jaki mogłaby mieć powód do kłamstwa? To ona przyszła do nas. Wcześniej nawet nie mieliśmy pojęcia o jej istnieniu.

– Gdybym to wiedział, sprawa byłaby rozwiązana.

– A skąd taka pewność, że ona kłamie?

Robie wrócił myślami do pasażerów autobusu 112. Było wśród nich kilku czarnych mężczyzn. I przynajmniej dwie czarne nastolatki. W momencie eksplozji znajdowali się w autobusie. Ale po wybuchu rozpętało się piekło, ponieważ zbiornik z paliwem był pełny. Wszyscy zostali wyrzuceni ze swoich foteli, a ich ciała spłonęły. Trudno byłoby kogokolwiek rozpoznać. Dopasowanie szczątków do listy pasażerów wydawało się niemożliwe.

– W autobusie było co najmniej sześciu czarnych mężczyzn i trzy czarne nastolatki – stwierdziła Vance. – Pracownica z dworca pamięta ich. Opowieść tej Cohen pasuje do faktów.

– Nieważne, i tak uważam, że kłamie.

– Opierasz się na intuicji?

– Na czymś się opieram.

– Cóż, ja muszę prowadzić śledztwo, opierając się na zebranych dowodach.

– Nigdy nie kierowałaś się instynktem? – zapytał.

– Tak, ale pod warunkiem że wspierają go niezaprzeczalne, twarde fakty.

Robie wstał.

– Dokąd idziesz? – zapytała.

– Poszukać niezaprzeczalnych, twardych faktów.

63

Robie znał krótszą drogę wyjścia z biura terenowego FBI i siedział już w swoim samochodzie, kiedy bmw coupé Michele Cohen wyjechało z podziemnego garażu na ulicę. Włączył się do ruchu tuż za nią. Cohen przejechała trzy razy na żółtym świetle i Robie o mało nie został w tyle. Dziesięć minut później sunęli Connecticut Avenue w stronę stanu Maryland.

Robie skupił się na tym, żeby nie stracić z oczu bmw, i nie zauważył dwóch zbliżających się do niego radiowozów policyjnych. Gliniarze włączyli koguta i ten z lewej dał mu znak, żeby zjechał na pobocze. Robie widział, jak bmw przyspiesza i przejeżdża po raz kolejny na żółtym świetle. Chwilę później zniknęło mu z pola widzenia.

Robie zwolnił i zatrzymał się przy krawężniku. Miał ochotę wyskoczyć z samochodu i objechać porządnie mundurowych, ale wiedział, że to może się skończyć strzelaniną. Siedział więc bez ruchu, choć gotował się ze złości, i widział w lusterku, jak czterech policjantów, po dwóch z każdej strony, ostrożnie zbliża się do jego wozu.

– Proszę pokazać ręce! – zawołał jeden z nich.

Robie wysunął przez otwarte okno lewą rękę z odznaką agenta federalnego.

– Niech to szlag – mruknął jeden z policjantów.

Chwilę później dwóch gliniarzy stało już przy oknie.

– Jestem pewny, chłopcy, że mieliście cholernie ważny powód, żeby mnie zatrzymać w trakcie śledzenia podejrzanego.

Pierwszy gliniarz zsunął czapkę do tyłu i przyjrzał się odznace Robiego.

– Dostałem sygnał z centrali, że dzwoniła jakaś kobieta. Powiedziała, że śledzi ją mężczyzna w samochodzie. Była przestraszona i zażądała, żebyśmy się tym zajęli. Podała nam opis pańskiego wozu i numer rejestracyjny.

– Oto najlepszy sposób na umknięcie policji – stwierdził Robie. – Wezwać jeszcze więcej gliniarzy.

– Przykro mi, proszę pana, nie wiedzieliśmy.

– Mogę już jechać? – zapytał Robie.

– Ona jest naprawdę podejrzana? Możemy panu pomóc ją dogonić – zaoferował się drugi policjant.

– Nie trzeba. Znajdę ją później. Ale na przyszłość nie bądźcie tacy gorliwi.

– Tak jest.

Robie włączył się ponownie do ruchu. W lusterku wstecznym widział, jak gliniarze zgromadzili się koło swoich radiowozów i zastanawiali się, czy ta wpadka może mieć wpływ na ich dalszą karierę. Robie nie był zainteresowany rujnowaniem ich przyszłości. Cohen zachowała się przytomnie, pokazała, że ma jaja. Zawsze mogła stwierdzić, że nie wiedziała, kto siedzi w samochodzie, zauważyła tylko, że jest śledzona. Mogłaby przy tym powołać się na to, że dopiero co była w siedzibie FBI i jest ważnym świadkiem okropnej zbrodni, nic więc dziwnego, że boi się o swoje bezpieczeństwo.

Nie, Robie musiał wymyślić inny sposób, żeby przyjrzeć się tej Cohen. Na szczęście odszukanie jej nie powinno stanowić problemu. Vance dała mu do przeczytania jej akta, w których musiał być adres domowy.

Minął most i znalazł się w stanie Maryland. Przejechał kilka ulic i już był na tej właściwej.

Michele Cohen nie mieszkała w najbardziej ekskluzywnej dzielnicy, ale i tak okolica była reprezentacyjna. A przecież twierdziła, że jest bezrobotna. Ostatnio pracowała w firmie doradztwa finansowego, która splajtowała. Robie nie wiedział, czym zajmuje się jej mąż. Vance o tym nie wspomniała.

Cohen pewnie skusiłaby się na pieniądze, pomyślał Robie. Zastanawiał się jednak, czy nie mieli na nią czegoś innego. Obietnica samych pieniędzy mogłaby nie wystarczyć, żeby niewinna pod każdym innym względem osoba okłamywała FBI w sprawie związanej być może z terroryzmem.

Chyba że Cohen nie jest wcale taka niewinna.

Ciekaw był, czy Vance sprawdziła kryminalną przeszłość kobiety. Albo jej męża. Albo domniemanego przyjaciela. Pewnie nie, ponieważ zdaniem Vance ona nie kłamała. Jak powiedziała, po co miałaby się zgłaszać do FBI? Tymczasem Robiemu przychodził do głowy przynajmniej jeden powód.

Żeby mnie załatwić.

Zatrzymał samochód przy krawężniku i zadzwonił do Blue Mana.

– Mamy już coś na temat Michele Cohen?

– Nie, ale będziesz pierwszym, który się dowie.

– Chcę też wiedzieć wszystko, co się da, na temat jej męża.

– Już nad tym pracujemy. Więc okłamała FBI? Powiedziała, że to było dwoje czarnych, a nie ty i Julie?

– Tak.

– Motyw?

– Mam nadzieję, że się dowiemy.

– To z ich strony ryzykowne zagranie. Odsłonili pionka, możemy to wykorzystać.

– O tym samym myślę. Dlatego jestem taki niespokojny.

Robie spojrzał przed siebie. Na końcu ulicy, przed piętrowym pokrytym sidingiem domem stało bmw Michele Cohen.

– Zamierzam coś sprawdzić. Oddzwonię później. Jak się miewa Julie?

– Bezpieczna, cała i zdrowa. Odrabia lekcje. Problem, z którym się zmagała w rachunkach, wykracza daleko poza moją wiedzę.

– Dlatego pracujemy w wywiadzie – odparł Robie. – Byliśmy do dupy z matematyki.

Odłożył telefon i spojrzał na zegarek. Cohen wiedziała, że to on ją śledził; wiedziała też, że zna jej adres domowy. Nie było sensu dłużej siedzieć w samochodzie.

Robie nie obawiał się pionków. Ale nikt, kto jest zainteresowany, czym się Robie zajmuje, nie wystawiałby swojego pionka bez wyraźnego powodu.

Muszę się dowiedzieć, co jest tym powodem.

64

Michele Cohen nalała sobie do filiżanki kawy i zaniosła ją do pokoju dziennego, w którym stał włączony telewizor. Była sama. Odstawiła filiżankę, wzięła do ręki pilota i zmieniła kanał.

– Prawdę mówiąc, wolę inny program.

Krzyknęła.

Naprzeciwko niej, w fotelu, siedział Robie.

– Co pan, do cholery, robi w moim domu?! Jak się pan tu dostał?!

– Powinna pani zamykać drzwi na klucz – wyjaśnił.

– Nie wiem, za kogo się pan uważa, ale dzwonię na policję. Dzisiaj w FBI był pan dla mnie bardzo nieuprzejmy. I podejrzewam, że wcześniej mnie pan śledził. Nie muszę tego wszystkiego znosić. To jest zwyczajne nękanie.

Zamilkła, kiedy Robie pokazał jej trzymany w ręku przedmiot.

– Wiesz, co to jest, Michele?

Spojrzała na płaskie kwadratowe pudełko.

– A powinnam?

– Nie wiem, powinnaś?

– Nie zamierzam tu tak siedzieć i bawić się w jakieś głupie zgadywanki.

– To jest płyta DVD. Nagranie z kamery monitoringu.

– I co z tego?

– Kamera była skierowana dokładnie w miejsce, gdzie nastąpiła eksplozja autobusu.

– Skoro tak, to dlaczego policja nic o tym nie wiedziała?

– Ponieważ to była kamera internetowa, którą jakiś facet ustawił w oknie swojego mieszkania. Znalazłem ją, bo chodziłem od drzwi do drzwi, zanim zrobiła to policja. Ten facet miał problemy z włamywaczami. Chciał ich złapać na gorącym uczynku. Obraz z kamery przedstawia ulicę. Na nagraniu jest też data i godzina. Mam ci powiedzieć, czego nie ma na nagraniu?

Michele Cohen milczała.

– Nie ma ciebie, Michele, ani twojego przyjaciela. Nie ma was w miejscu, w którym twierdziłaś, że byłaś.

– To śmieszne. Dlaczego mielibyśmy kłamać? Poza tym recepcjonista z hotelu potwierdził nasze słowa.

– Nie twierdzę, że nie było was w hotelu. Twierdzę, że kłamałaś, mówiąc, co widziałaś. W rzeczywistości nie widziałaś niczego.

– Myli się pan!

– Powiedziałaś, że widziałaś eksplozję autobusu.

– Tak.

– Powiedziałaś też, że widziałaś, jak facet wypuszcza z rąk pistolet, który ląduje pod samochodem.

– Zgadza się.

– Eksplozja musiała wyrzucić w powietrze tysiące różnych odłamków. Wszystko fruwało. A ty nie widzisz eksplodującego autobusu i ginących ludzi, widzisz tylko jeden mały pistolet lecący w powietrzu i na dodatek śledzisz jego lot. – Robie zrobił przerwę. – To kompletna bzdura.

Kobieta zerwała się i podbiegła do telefonu leżącego na stoliku obok drzwi prowadzących do kuchni.

– Proszę stąd wyjść. Natychmiast. Albo zadzwonię na policję i każę pana aresztować.

Robie uniósł wyżej rękę z płytą DVD.

– Oboje wiemy, że nie widziałaś dwojga czarnych ludzi wysiadających z autobusu. Nagranie to potwierdzi. A więc skłamałaś w FBI. To cię będzie kosztować co najmniej pięć lat w więzieniu federalnym z trzech różnych paragrafów. Koniec z pracą w sektorze finansowym. Kiedy wyjdziesz, będziesz już po czterdziestce. A więzienie nie wpływa dobrze na ciało i duszę. Będziesz wyglądała raczej na pięćdziesiąt. Może sześćdziesiąt, jeśli będą się tam z tobą ostro obchodzić. Nie tylko facetom odbija w więzieniu, Michele. Paniom też doskwiera samotność. A ty będziesz świeżym mięskiem. Jesteś delikatna i drobna. Nie masz żadnych szans.

– Pan próbuje mnie zastraszyć.

– Nie. Próbuję ci uświadomić, jak poważna jest twoja sytuacja.

Robie położył płytę na stoliku.

– Z autobusu faktycznie wysiadły dwie osoby. Ale nie czarnoskóre.

– Skąd pan to wie?

– Widziałem na nagraniu, Michele. Więc może usiądziesz i porozmawiamy o tym. Może nawet znajdziemy jakieś rozwiązanie twojej sytuacji.

– Dlaczego pan to robi?

– Bo jestem miłym facetem, Michele.

– Ani trochę w to nie wierzę.

– Możesz sobie wierzyć, w co chcesz. Gdybym nie był przekonany, że jesteś zwykłym kozłem ofiarnym, już dawno bym cię aresztował. Ale skoro mogę cię wykorzystać, żeby dotrzeć do ludzi, których szukam, to gra jest warta świeczki. Nie odrzucaj mojej oferty, bo drugiej szansy nie będzie.

Ruchem głowy wskazał jej miejsce na sofie, na którym wcześniej siedziała.

Cohen usiadła z powrotem ze spuszczoną głową.

– Napij się kawy – powiedział Robie. – To ukoi twoje nerwy.

Wypiła łyk i odstawiła filiżankę. Drżały jej ręce.

Robie rozparł się na kanapie i zaczął się jej przyglądać.

– Kto ci kazał kłamać?

– Nie mogę powiedzieć.

– Masz do wyboru: porozmawiasz ze mną albo z FBI. Co wolisz?

– Z FBI też nie mogę rozmawiać.

– Dlaczego?

– Bo go zabiją! – wykrzyknęła.

– Kogo zabiją?

– Mojego męża.

– A co on ma do tego?

– Długi karciane. Jest zadłużony po uszy. Ale zjawił się ktoś, kto powiedział, że zna wyjście z sytuacji. Wszystkie długi zostaną umorzone, jeśli to zrobimy.

– Jeśli okłamiecie FBI?

– Tak.

– To duże ryzyko.

– Więzienie albo śmierć? – powiedziała z niedowierzaniem.

– Co robi twój mąż?

– Jest wspólnikiem w kancelarii adwokackiej. To dobry człowiek. Ma tylko problem z hazardem. Do spłaty długów użył pieniędzy z funduszy powierniczych kilku klientów. Gdyby to się wydało, byłby skończony.

– Kim byli ludzie, którzy was do tego nakłonili?

– Nigdy ich nie widziałam. Mój mąż się z nimi spotkał. Mówił, że zabrali go do jakiegoś ciemnego pokoju i postawili ultimatum. Powiedzieli wszystko, co powinniśmy wiedzieć.

– Dlaczego ty miałaś to zrobić, a nie mąż?

– Pewnie dlatego, że potrafię zachować zimną krew. Doszliśmy do wniosku, że on nie będzie umiał okłamać FBI.

Robie zastanowił się. Szanowana rodzina, wiarygodny świadek. Żadnego powodu do mówienia nieprawdy. To brzmiało nawet sensownie.

– Kim był ten człowiek, z którym miałaś mieć rzekomo romans?

– Oni go wybrali. Zwyczajnie siedzieliśmy w pokoju hotelowym i gapiliśmy się w podłogę. Potem, o wskazanym czasie, wyszliśmy. Nie widziałam samego momentu eksplozji. Kazano mi powiedzieć, że z autobusu wysiadł czarny mężczyzna z czarną nastolatką. Resztę usłyszeliście dzisiaj.

– Gdzie jest teraz twój mąż?

– Potwierdza, że jego długi zostały anulowane.

– Naprawdę myślicie, że to będzie takie proste?

– Co pan ma na myśli?

– Jesteście dla tych ludzi kulą u nogi, Michele. Myślisz, że pozwolą tobie i twojemu mężowi żyć?

– Ale my przecież nic nie wiemy.

– To, co mi powiedziałaś, temu przeczy.

– Myśli pan, że będą próbowali nas zabić?

– O której miał wrócić twój mąż?

Spojrzała na zegarek i zbladła.

– Jakieś dwadzieścia minut temu.

– Zadzwoń do niego.

Chwyciła za telefon i wybrała numer. Czekała, przyciskając nerwowo aparat do ucha.

– Zgłosiła się poczta głosowa.

– Napisz do niego esemesa.

Zrobiła to. Odczekali pięć minut, ale żadna wiadomość zwrotna nie nadeszła.

– Zadzwoń jeszcze raz.

Spróbowała dwukrotnie, z tym samym rezultatem.

– Gdzie miał potwierdzić to umorzenie długów?

– W barze w Bethesda.

Robie nie zastanawiał się długo.

– Jedziemy.

– Dokąd?

– Do baru w Bethesda. Może zdążymy uratować mu życie.

65

Po drodze Robie zadzwonił do Blue Mana i poprosił o wsparcie. Miał się spotkać z jego ludźmi pod barem.

Robie przyspieszył i zerknął na Cohen. Siedziała z zapłakaną twarzą i z trudem łapała oddech. Trudno było jej nie współczuć.

Spojrzała na niego z głęboką rozpaczą w oczach.

– Pan uważa, że on już nie żyje, prawda?

– Nie wiem, Michele. Jestem tu po to, żeby zapobiec takiej sytuacji.

– Teraz to wszystko wydaje się takie głupie. Jasne, że nie pozwolą mu tak po prostu odejść. Ale to była jego jedyna szansa, byliśmy zdesperowani.

– Dlatego tak łatwo było was podejść.

Skręcił w lewo, potem ostro w prawo i zatrzymał się przy krawężniku.

– To tutaj? – zapytał, wskazując znajdujący się nieco dalej bar z szyldem „Lucky's" nad wejściem.

– Tak, tutaj – przytaknęła.

Mam nadzieję, że będziemy mieli szczęście.

Robie rozejrzał się, wypatrując wsparcia. Wysłał wiadomość do Blue Mana. Odpowiedź przyszła niemal natychmiast.

Za sześćdziesiąt sekund.

– Tam stoi samochód Marka – odezwała się Cohen, wskazując szarego lexusa zaparkowanego pół przecznicy dalej.

Chwilę później za samochodem Robiego zatrzymał się jakiś SUV. Robie dał znak kierowcy. Kierowca odpowiedział. Robie wysiadł i zaprowadził Michele Cohen do SUV-a. W środku było trzech mężczyzn. Cohen zajęła miejsce z tyłu.

– Zostań tutaj – zwrócił się do niej Robie. – Cokolwiek zobaczysz czy usłyszysz, ci ludzie zaopiekują się tobą, okej?

– Proszę, niech pan przyprowadzi mojego męża.

– Zrobię, co w mojej mocy.

Robie spojrzał na mężczyznę na przednim fotelu.

– Idziesz ze mną?

Mężczyzna skinął głową, odbezpieczył pistolet i schował go z powrotem do kabury.

Ruszyli wzdłuż ulicy, rozglądając się uważnie na boki i szukając źródeł zagrożenia. Kiedy dotarli do baru, Robie stwierdził, że drzwi są zamknięte.

Spojrzał na zegarek, potem na swojego towarzysza.

– Późno otwierają.

– Masz rację. Jak chcesz to zrobić? – zapytał mężczyzna.

– Daj mi dwie minuty. Wejdę od tyłu. Ty wchodzisz od frontu. Spotkamy się w środku.

Mężczyzna skinął głową i Robie zniknął w przejściu prowadzącym na tyły budynku.

Szybko znalazł tylne wejście do baru. Nie wiedział, czy drzwi są zabezpieczone alarmem, i nie dbał o to. Jeśli pojawią się gliny, tym lepiej. Niewykluczone, że i tak będą musieli się pojawić. W zależności od tego, co Robie zastanie w środku.

Za pomocą wytrycha pokonał zamek, wyjął broń i delikatnie popchnął drzwi. Na zewnątrz zapadał już zmrok, a w środku panowały zupełne ciemności. Robie nie zamierzał ryzykować zapalania światła. I tak stanowił doskonały cel, nie chciał ułatwiać nikomu zadania i wskazywać swojej pozycji.

Zaczekał, aż oczy przywykną do mroku, i ruszył naprzód. Stąpając ostrożnie, nasłuchiwał. Zerknął na zegarek. Jego partner powinien w tej chwili wchodzić przez drzwi frontowe.

Robie przeszedł przez kuchnię, gdzie widział tylko garnki, półmiski i rzędy czystych szklanek i kufli. Następne pomieszczenie musiało być salą dla gości. Tam spotka się ze swoim człowiekiem.

Tyle że w następnym pomieszczeniu nie było jego partnera.

Był za to ktoś inny i ta postać od razu przykuła uwagę Robiego. Skrył się za barem i zaczął rozglądać się centymetr po centymetrze po lokalu, szukając miejsca, skąd mógłby paść strzał. Odczekał jeszcze trzydzieści sekund i wychylił się. Nie było tu nikogo, prócz niego i tej drugiej osoby.

Robie podszedł do mężczyzny przy stoliku na lewo od drzwi frontowych. Gość siedział odchylony do tyłu w skórzanym fotelu.

Przez okna z przodu wpadało dość światła, by Robie zobaczył to, co chciał zobaczyć. Wybrał na klawiaturze telefonu 911 i krótko streścił sytuację.

Rozłączył się i pochylił się nad mężczyzną.

Jedna rana postrzałowa w głowę. Robie dotknął jego dłoni. Zimna.

Facet był martwy już od jakiegoś czasu.

Robie wziął ze stołu serwetkę, sięgnął przez nią palcami do kieszeni jego marynarki i wyjął portfel.

Nazwisko na prawie jazdy brzmiało Mark Cohen. Ze zdjęcia patrzyła na Robiego twarz martwego mężczyzny.

Włożył portfel z powrotem do kieszeni i spojrzał na frontowe drzwi.

Cholera.

Podbiegł do nich, otworzył i wypadł na zewnątrz. Na chodnikach po obu stronach ulicy było sporo ludzi. Spojrzał dalej.

Jego volvo stało tam, gdzie je zostawił.

Czarnego SUV-a nie było.

Przebiegł przez ulicę i wskoczył do samochodu w chwili, gdy w oddali rozległo się wycie syren.

Zadzwonił do Blue Mana.

– Mark Cohen nie żyje, a pańscy ludzie zabrali ze sobą Michele Cohen. Mógłby pan to wyjaśnić?

– Nie rozumiem – odparł Blue Man. – Pojechało tam moich dwóch najlepszych ludzi. Najbardziej zaufanych. Mieli słuchać twoich rozkazów.

– W SUV-ie było trzech.

– Ja wysłałem dwóch.

– W takim razie jeden z nich wlókł się z tyłu i chyba już wiem dlaczego.

– To jest zupełnie bezprecedensowe zdarzenie, Robie.

– Będę za dwadzieścia minut. Niech pan natychmiast sprawdzi, co z Julie. I niech pan zabierze ze sobą kilku ludzi. Wszystkich przecież nie mogli przekupić.

– Chcesz powiedzieć, że…

– Niech pan robi, co mówię!

66

Kiedy Robie wpadł do bezpiecznego budynku, pierwszą osobą, którą zobaczył, był Blue Man.

Drugą była Julie.

Odetchnął z ulgą i zwolnił.

– Chodźcie ze mną – rzucił krótko Blue Man. – Oboje.

Szybko przeszli przez korytarz. Robie zauważył, że starszy pan ma przy pasku kaburę z bronią.

Zerknął na kroczącą obok niego Julie.

– Co się dzieje, Will? – zapytała wystraszona.

– To tylko środki ostrożności. Wszystko będzie dobrze.

– Kłamiesz, prawda?

– Masz rację.

– Dzięki, że szczerze mówisz o swoim braku szczerości.

– Nic innego mi nie pozostało.

Blue Man zamknął za nimi drzwi na klucz. Dał znak Robiemu i Julie, żeby usiedli.

Robie spojrzał na jego pistolet.

– Zwykle nie nosi pan broni – zauważył.

– Zwykle nie mamy zdrajców w naszych szeregach.

– Co z Michele Cohen? – zapytał Robie.

– Nie żyje. Podobnie jak dwóch moich ludzi. Tych, których tam posłałem.

– Gdzie i jak?

– Znaleziono ciała w SUV-ie jakieś dziesięć przecznic od baru. Wszyscy zginęli od strzałów.

– Kim był ten trzeci mężczyzna?

– Malcolm Strait. Pracował tu od dziesięciu lat. Nienaganny przebieg służby.

– Dotychczas. Niech go pan opisze.

Usłyszawszy opis jego wyglądu, Robie powiedział:

– To ten, który miał wejść do baru od frontu. Zniknął bez śladu?

Zgadza się. Na pewno przygotował sobie plan ucieczki.

– O czym wy mówicie? – zapytała Julie. – Co to za ludzie?

– Myślę, że powinna się dowiedzieć – rzucił Robie, patrząc na Blue Mana.

– W takim razie mów.

Robie przez kilka minut wyjaśniał Julie całą sytuację.

Julie wydawała się zaskoczona.

– Po co kazali tej kobiecie kłamać? Musieli przecież wiedzieć, że będziecie ją śledzić i dowiecie się prawdy. Ażeby ich uciszyć, i tak musieli później zabić ją i jej męża.

– Masz rację – odrzekł Robie. – Co zyskali, wysyłając Michelle Cohen do FBI?

– No właśnie – odezwał się Blue Man. – Co zyskali?

– Bardzo ryzykowali – zauważyła Julie.

– Ona nie wiedziała, kto rozmawiał z jej mężem – odrzekł Robie. – Powiedziała, że poszedł do baru, żeby uzyskać potwierdzenie, że jego długi zostały anulowane. Zamiast tego dostał kulkę w łeb.

– I jego żona też – dodał Blue Man.

– Z kim pracował tutaj ten Malcolm Strait?

– Z całym mnóstwem ludzi.

– Musi pan porozmawiać z nimi wszystkimi. Musimy się dowiedzieć, czy nie zostawił tu swojego następcy.

– Słusznie.

– Więc ten facet może mieć tu jeszcze jakiegoś kumpla? – odezwała się Julie i spojrzała Blue Manowi prosto w oczy. – To wcale nie jest takie bezpieczne miejsce.

Blue Man rzucił Robiemu szybkie spojrzenie.

– Wyjaśnimy to najszybciej, jak się da. Takie naruszenie zasad bezpieczeństwa jest naprawdę czymś niezwykłym – dodał, kierując spojrzenie z powrotem na Julie.

– Z mojej perspektywy wygląda to inaczej – odpaliła Julie.

– Nie możemy tu teraz zostać – stwierdził Robie. – Musimy się przenieść.

– Dokąd? – zapytał Blue Man.

Robie wstał z krzesła.

– Będziemy w kontakcie. Chodź, Julie.

– Dokąd jedziecie? – powtórzył pytanie Blue Man.

– W miejsce bezpieczniejsze od tego – odparł Robie.

Robie przejechał przez bramę i skręcił w lewo.

– W tym miejscu może się nas uczepić ogon – zwrócił się do Julie. – To wąskie gardło. Jeden wjazd, jeden wyjazd. Miej oczy otwarte.

– Okej – rzuciła Julie. Popatrzyła uważnie w prawo i w lewo, potem obróciła się i sprawdziła, co dzieje się z tyłu.

Kiedy znaleźli się na głównej drodze i przyspieszyli, powiedziała:

– Nie widzę żadnych świateł reflektorów.

– A co z satelitą nad naszymi głowami, widzisz go?

– Żartujesz? Mogą nas śledzić przez satelitę?

– Prawdę mówiąc, nie wiem.

– Więc co zrobimy?

– Trzeba mieć nadzieję, że będzie dobrze, a przygotować się na najgorsze.

– Dokąd jedziemy?

– Pozostało mi już tylko jedno miejsce. Domek w lesie.

– Zupełnie odizolowany od świata, gdyby ktoś chciał tam urządzić zasadzkę.

– Ale za to łatwiej tam zauważyć, że się ktoś zbliża. Coś za coś. Rozważ wszystkie za i przeciw. Moim zdaniem w tym wypadku więcej przemawia za.

– A co z satelitami?

– Satelita nie zrobi nam krzywdy. Skrzywdzić nas mogą tylko ludzie tu, na ziemi.

– Mogą posłać całą armię.

– Mogą. Ale mogą też nie posłać nikogo.

– Niby dlaczego?

– Zastanów się, Julie. O co im właściwie chodzi? Ten cały Malcolm Strait był w tym samym budynku co ty. Mógł cię tam zabić. Mnie mogli załatwić już kilka razy, ale niby przypadkiem im się nie udało.

– Więc chcą, żebyśmy żyli, tak jak wcześniej mówiłeś. Ten wybuch w autobusie i cała reszta… Tylko wciąż nie wiemy dlaczego.

– Nie, nie wiemy. Ale dowiemy się.

67

Will, to nie jest droga do twojego domku – zauważyła Julie.

– Drobna zmiana planów.

– Dlaczego?

– Potrzebuję odrobiny pomocy i muszę się gruntownie wyspowiadać.

Robie podjął nietypową dla siebie decyzję. Niemal całe życie był samotnikiem. Zwykle nie szukał pomocy u innych, wolał samodzielnie rozwiązywać swoje problemy. W końcu jednak zdał sobie sprawę, że sam sobie nie poradzi. Potrzebna mu była pomoc.

Czasem prośba o pomoc jest oznaką siły, nie słabości.

Nie potrafił przewidzieć, czy ta decyzja okaże się słuszna, czy nie. Mimo to ją podjął.

Zatrzymał się przed budynkiem mieszkalnym i wysiadł z samochodu. Julie weszła za nim do środka. Wjechali windą na górę i ruszyli korytarzem.

Robie zapukał do drzwi z numerem 701.

Usłyszał kroki. Nagle ucichły. Poczuł na sobie spojrzenie przez wizjer.

Drzwi otworzyły się.

Vance była ubrana w czarne szorty do joggingu, bladozielony wojskowy T-shirt i białe skarpetki. Popatrzyła najpierw na Robiego, a potem jej spojrzenie spoczęło na Julie.

– Chcesz prosić superagentkę Vance, żeby nas chroniła?! – wykrzyknęła Julie.

Vance przeniosła wzrok na Robiego.

– Superagentka Vance? O co tu, do cholery, chodzi? I kim jest ten dzieciak?

– Właśnie dlatego przyszliśmy – powiedział Robie.

Vance cofnęła się o krok, wpuściła ich do środka i zamknęła za nimi drzwi.

– Masz kawę? – zapytał Robie. – Wyjaśnienia mogą zająć jakąś chwilę.

– Właśnie zaparzyłam.

– Ja poproszę czarną – odezwała się Julie.

– Naprawdę? – odpowiedziała oszołomiona Vance.

– Michele Cohen i jej mąż nie żyją – zaczął Robie.

– Co takiego? – zawołała Vance.

Robie usiadł na sofie i dał Julie znak, żeby też to zrobiła. Vance stanęła przed nim z rękoma opartymi na biodrach.

– Cohen nie żyje? Co się stało?

– Tak jak mówiłem, Cohen kłamała. Prawda ją dopadła.

– Dlaczego miałaby kłamać?

– Jej mąż miał długi karciane. To było dla nich wyjście z trudnej sytuacji, a przynajmniej tak im się wydawało.

– Skąd wiesz, że oni nie żyją?

– Jego widziałem z dziurą w czole w barze w Bethesda. Ona została zabita później, razem z dwoma agentami federalnymi.

Vance rozdziawiła ze zdziwienia usta.

– Co tu się, psiakrew, dzieje? Jacy agenci federalni?

– Może zaczniemy od kawy? Pomogę ci.

Robie poszedł do kuchni, a w ślad za nim Vance.

Złapała go za ramię.

– Lepiej zacznij mówić coś z sensem, i to już!

– Okej. Po pierwsze, właściwie nie pracuję w DCIS.

– Też mi nowość. Co jeszcze?

– Mogę mówić tylko nieoficjalnie.

– To jest nieoficjalna rozmowa.

– Chcesz tej kawy?

– Chcę dostać od ciebie jasne odpowiedzi na kilka pytań.

Robie napełnił dwie filiżanki i jedną podał Vance. Wyjrzał przez okno na oświetlone pomniki w Waszyngtonie. Wskazał je palcem.

– Ile dla ciebie jest warte bezpieczeństwo tego miejsca? – zapytał, obracając się w jej stronę.

– Ile jest warte? – powtórzyła z niedowierzaniem. – Do diabła, to nie ma ceny.

Robie wypił łyk kawy.

– A ile jest dla ciebie warte bezpieczeństwo tej dziewczyny?

– Nawet mi nie powiedziałeś, kim ona jest.

– Nazywa się Julie Getty.

– Okej, a co ona ma z tym wszystkim wspólnego?

– Jechała tamtym autobusem, ale wysiadła z niego tuż przed eksplozją.

– Skąd to wiesz? – zapytała ostrym tonem Vance.

– Ponieważ to ja wysiadłem razem z nią. Dlatego wiedziałem, że Cohen kłamie. Jak widzisz, ani Julie, ani ja nie jesteśmy czarni.

Robie popił kolejny łyk i odwrócił się z powrotem do okna.

Vance stała w miejscu, kołysząc się w przód i w tył na piętach i próbując poukładać sobie w głowie te wszystkie zaskakujące informacje. W końcu znieruchomiała.

– Więc byłeś w tym autobusie! – wrzasnęła. – Co tam robiłeś?! I dlaczego dopiero teraz się o tym dowiaduję?!

– Bo ta informacja była tajna, a ty nie musiałaś o tym wiedzieć. Przynajmniej do tej pory – powiedziała Julie.

Oboje obrócili się i ujrzeli stojącą w progu kuchni Julie.

Vance przeniosła spojrzenie z Julie na Robiego.

– Tajna? Więc ty jesteś z wywiadu? Jeśli to jest jakaś zabawa w ciuciubabkę z CIA, to przysięgam na Boga, Robie, że kogoś zastrzelę i tym kimś będziesz chyba ty.

– W całej tej sprawie jest dużo niejasności, Vance, i to od samego początku.

– Robie, masz mnóstwo rzeczy do wyjaśnienia, i to zaraz. Co robiłeś w autobusie? I co tam się stało? I kto wysadził go w powietrze?

– Nie wiem, kto wysadził go w powietrze. Ale zrobiono to zdalnie. To nie był mechanizm zegarowy.

– Skąd wiesz?

– Ponieważ sprawcy nie chcieli nas zabić.

– Dlaczego?

– Tego nie wiem. Wiem tylko, że chcą, żeby jedno z nas żyło. A może oboje.

– A ty co robiłaś w tym autobusie? – Vance zwróciła się do Julie.

– Mogę dostać najpierw kawy?

– Jezu, proszę. – Vance podała jej filiżankę. – No więc, co robiłaś w autobusie?

– Jakiś facet zamordował moich rodziców. Mama przysłała mi do szkoły wiadomość, a przynajmniej wtedy wydawało mi się, że to wiadomość od mamy. Napisała w niej, że mam wsiąść do tego autobusu i spotkamy się w Nowym Jorku. Do autobusu wsiadł ten sam facet, który zabił rodziców, i zaatakował mnie. Will go powstrzymał. Wysiedliśmy z autobusu. I potem nastąpiła eksplozja. Podmuch nas przewrócił.

– To twój pistolet znaleźliśmy w pobliżu autobusu – warknęła Vance. – To ty byłeś w mieszkaniu Jane Wind. Zamierzałeś ją zabić.

– Niech pani go posłucha, agentko Vance – błagała Julie.

– Dlaczego miałabym go słuchać?

– Ponieważ ktoś zabił moich rodziców. A Will uratował mi życie. Zresztą niejeden raz. To porządny facet.

Vance spojrzała na Robiego, który stał odwrócony do niej plecami i popijając kawę, wyglądał przez okno.

– Ja też się napiję kawy – powiedziała Vance, kiedy już się trochę uspokoiła.

Julie napełniła filiżankę i podała jej.

– Czy pozostała część tego, co masz mi do powiedzenia, brzmi równie źle? – zapytała Vance, spoglądając na Robiego.

– Pewnie jeszcze gorzej – odparł.

– Stawiasz mnie w trudnej sytuacji. Powinnam o tym wszystkim zameldować.

– Masz rację. Powinnaś. Ja powiedziałem o wszystkim moim ludziom i okazało się, że mamy w swoich szeregach jednego lub dwóch zdrajców. Ciekawe, ilu jest u was?

– Masz na myśli FBI? – Uniosła brwi.

– U was się nie trafiają czarne owce?

– Rzadko – odparła niechętnie.

– Wystarczy jedna – zauważyła Julie.

– Wystarczy jedna – powtórzył Robie.

Vance westchnęła i oparła się o kuchenny blat.

– Czego ode mnie oczekujecie?

68

Robie zostawił samochód na parkingu lotniska Dulles i autobusem dojechał do głównego terminalu. Kupił bilet na odlatujący za dwie godziny do Chicago samolot United Airlines i po kontroli bezpieczeństwa skierował się do łazienki. Wszedł do kabiny ze swoim workiem marynarskim w ręce, a po pewnym czasie wyszedł ze składaną torbą na kółkach, ubrany w dres, z okularami na nosie i czapką baseballową na głowie. Poszedł do wyjścia, pojechał autobusem do wypożyczalni samochodów, korzystając z karty kredytowej na fałszywe nazwisko, wziął nowy samochód – tym razem audi – i płatną autostradą ruszył na zachód.

Spojrzał w lusterko wsteczne. Jeśli ktoś nie zgubił tropu i w dalszym ciągu go śledził, zasługiwał na nagrodę.

Godzinę później zajechał pod swój domek w lesie. Wprowadził samochód do stodoły i starannie zamknął jej drzwi. Grabiami odgarnął słomę z podłogi, odsłaniając metalowy właz. Otworzył go i zaczął schodzić. Gdy nacisnął włącznik na ścianie, zamigotała stara jarzeniówka. Zszedł po metalowych stopniach, aż jego stopy dotknęły betonowej posadzki. To nie on zbudował tę kryjówkę. Farmer, który był wcześniej właścicielem posiadłości, dorastał w latach trzydziestych. Kiedy nadeszły lata pięćdziesiąte, postanowił zbudować schron atomowy pod stodołą, myśląc, że warstwa drewna, słomy i kilku centymetrów betonu ochroni go przed termonuklearnym piekłem, jakie Związek Radziecki mógł rozpętać w Ameryce.

Robie przeszedł krótkim korytarzem i zatrzymał się pod ścianą pełną broni, którą zgromadził, wykonując swoją pracę. Były tu pistolety, karabiny, śrutówki, a nawet wyrzutnia pocisków ziemia - powietrze. Pachniało trochę Jamesem Bondem, ale w rzeczywistości był to typowy składzik ludzi pokroju Robiego. Wybrał te sztuki broni, które jego zdaniem mogły się przydać, i złożył je pod ścianą.

Otworzył szufladę stołu warsztatowego i schował do kieszeni kilka elektronicznych przekaźników. Kolejne dziesięć minut wybierał różne inne przedmioty i pakował wszystko do torby. Wrócił na górę, zamknął właz, rozrzucił na nim słomę i włożył torbę do bagażnika audi.

Pięć minut później mknął szosą na wschód. Zameldował się w motelu i w pokoju wypakował swój sprzęt. Przebrał się i zadzwonił do Julie, którą zostawił pod opieką Vance i FBI. Vance powiedziała swoim zwierzchnikom tylko tyle, że Julie może być świadkiem i wymaga ochrony. Zapewnić to miało dwóch agentów, których ściągnięto z terenu. Robie nie dowierzał już nikomu w Waszyngtonie.

– Wpadłam na pewien pomysł. – Julie była wyraźnie podekscytowana. – Z telefonu, który mi dałeś, zadzwoniłam do Broome'ów. I dostałam w odpowiedzi esemesa. Chcą się spotkać.

– Zdajesz sobie sprawę, że to prawdopodobnie nie byli Broome'owie? – starał się ostudzić jej zapał Robie. – Oni mogli mieć telefon Broome'ów i kiedy zadzwoniłaś, po prostu odpisali ci. Broome'owie pewnie by zwyczajnie oddzwonili.

– Zawsze musisz mnie dołować?

– Gdzie i kiedy?

Julie przekazała mu treść wiadomości.

– Możesz po mnie przyjechać? – zapytała.

– Nie wolno ci się nawet zbliżyć do tego miejsca.

Robie wyobraził sobie, jak musiała zrzednąć jej mina.

– Co takiego?

– To jest najprawdopodobniej pułapka. Nigdzie nie pojedziesz. Ja się tym zajmę.

– Ale przecież tworzymy zespół. Sam tak mówiłeś.

– Nie zamierzam narażać cię na niebezpieczeństwo jeszcze większe niż to, w jakim już się znalazłaś. Zajmę się tym, a potem ci wszystko opowiem.

– Do dupy.

– Wiem, że z twojego punktu widzenia to jest do dupy, ale tak będzie rozsądniej.

– Potrafię sama się o siebie troszczyć, Will.

– W innej sytuacji gotów byłbym się z tobą zgodzić. Ale tym razem jest inaczej.

– Wielkie dzięki.

– Nie ma za co – odparł.

Ale Julie już się rozłączyła.

Robie schował telefon do kieszeni i zaczął przygotowywać się psychicznie do zbliżającego się spotkania. W którymś momencie osobie, która za tym wszystkim stoi, przestanie zależeć na tym, żeby Robie dalej żył. Zastanawiał się, czy ten moment właśnie nie nadchodzi.

Sprawdził broń, poupychał po kieszeniach kilka rzeczy, a potem zadzwonił do Vance i wyjaśnił jej całą sytuację.

– Idę z tobą – zadeklarowała.

– Jesteś pewna?

– Nie pytaj mnie drugi raz, Robie, bo mogę zmienić zdanie.

69

Oficjalne odsłonięcie pomnika Martina Luthera Kinga Jr opóźniło się z powodu huraganu, który przeszedł nad Wschodnim Wybrzeżem. Ale teraz pomnik był już odsłonięty. Główny element kompozycji stanowił Kamień Nadziei, dziewięciometrowej wysokości posąg przedstawiający doktora Kinga, ułożony ze 159 granitowych bloków w taki sposób, jakby został wykuty z monolitu. Adres brzmiał: 1964 Independence Avenue, na cześć Ustawy o Prawach Obywatelskich z 1964 roku. Pomnik stał niemal pośrodku między pomnikami Lincolna i Jeffersona i w jednym szeregu z dwoma innymi pomnikami amerykańskich przywódców. W jego najbliższym sąsiedztwie znajdował się pomnik Roosevelta. Był to jedyny pomnik na terenie National Mall poświęcony osobie kolorowej i niebędącej nigdy prezydentem.

Robie widział to wszystko, a nawet brał udział w ceremonii odsłonięcia pomnika. Ale dzisiaj koncentrował się tylko na tym, jak przeżyć.

– Jesteś na miejscu? – szepnął do miniaturowego mikrofonu, patrząc na pomnik.

– Potwierdzam – usłyszał odpowiedź Vance.

– Widzisz kogoś?

– Nie.

Robie szedł dalej, obserwując okolicę. Miał noktowizor, ale noktowizor nie mógł dostrzec czegoś, czego tam nie było.

– Julie?

Głos dobiegł z lewej strony, z pobliża pomnika.

To był mężczyzna. Robie zacisnął mocniej palce na rękojeści pistoletu.

– Słyszałaś to? – szepnął do mikrofonu.

– Tak, ale nie widzę na razie źródła – odparła Vance.

Chwilę później Robie je dostrzegł.

Obok pomnika pojawiła się męska postać. W blasku księżyca i dzięki noktowizorowi Robie zobaczył, że to rzeczywiście Leo Broome. Przypomniał go sobie ze zdjęcia, które widział w jego mieszkaniu.

– Czy to Broome? – usłyszał głos Vance.

– Tak. Siedź cicho i ubezpieczaj mnie.

Robie podszedł na odległość trzech metrów do niego.

– Pan Broome?

Mężczyzna błyskawicznie ukrył się za pomnikiem.

– Pan Broome? – powtórzył pytanie Robie.

– Gdzie jest Julie? – odezwał się Broome.

– Nie pozwoliliśmy jej przyjść. Sądziliśmy, że to pułapka.

– Tak mi się właśnie wydaje – odpowiedział Broome. – Na wszelki wypadek ostrzegam, że mam broń i potrafię jej użyć, kiedy się we mnie celuje.

– Panie Broome, agentka specjalna Vance z FBI! – zawołała Vance. – Chcemy tylko z panem porozmawiać.

– To, że pani tak mówi, nie oznacza, że rzeczywiście jest pani z FBI.

Vance wyszła na otwartą przestrzeń. Rękę, w której miała broń, uniosła w górę, a w drugiej trzymała odznakę.

– Jestem z FBI, panie Broome. Chcemy tylko porozmawiać. Dowiedzieć się, co się tutaj dzieje.

– A ten drugi? – zapytał Broome. – Co z nim?

– Wiem, że rodzice Julie nie żyją, panie Broome – odezwał się Robie. – Próbuję pomóc jej w wyjaśnieniu, kto ich zabił.

– Curtis i Sara nie żyją?

– Podobnie jak Rick Wind i jego była żona. Oboje zostali zamordowani.

Broome wychylił się zza pomnika.

– Musimy to powstrzymać.

– W zupełności się z panem zgadzam – powiedziała Vance. – Z pana pomocą może się to udać. Ale najpierw musimy pana umieścić w bezpiecznym miejscu. I pańską żonę również.

– To niemożliwe.

– Dotarli do pańskiej żony? – zapytał Robie.

– Tak. Ona nie żyje.

– Był pan z nią, kiedy to się stało? – zapytał szybko Robie.

– Tak. Ledwo udało mi się uciec…

Robie, nisko pochylony, biegł już w kierunku Broome'a.

– Na ziemię! Padnij!

Wiedział jednak, że jest już za późno.

Usłyszał huk wystrzału. Broome okręcił się w miejscu i upadł tam, gdzie stał. Jego ciało zadrżało jeszcze konwulsyjnie wraz z ostatnim uderzeniem serca i zastygło w bezruchu.

Robie dobiegł do niego, przykucnął i omiótł wzrokiem okolicę. Strzał padł z lewej strony. Wykrzyczał to do Vance, która już wzywała przez telefon posiłki.

Robie uświadomił sobie, że to była od samego początku pułapka.

Nigdy nie miał uzyskać żadnych informacji od Broome'a, a oni wciąż się nim bawili. Kusili go bryłką złota, a kiedy zbliżył się za bardzo, zabierali ją. Kimkolwiek są, wiedzą znacznie więcej niż on.

Vance przyklęknęła obok Robiego.

– Nie żyje?

– Kula przeszła przez głowę. On już nic więcej nie powie.

Vance westchnęła głęboko i spojrzała na martwego mężczyznę.

– Cały czas wyprzedzają nas o krok.

– Na to wygląda – zgodził się Robie.

– Kazałeś mu paść na ziemię, nim padł strzał. Skąd wiedziałeś?

– Zabili jego żonę, a jemu udało się uciec? Nie sądzę. Tak samo było w wypadku Julie. Oni nie pozwalają nikomu uciec.

– W takim razie czemu miało służyć pozostawienie Leo Broome'a przy życiu? Mógł przecież nam coś powiedzieć.

– Nie mieli zamiaru dawać mu takiej szansy, Vance.

– To po co pozwolili mu tu przyjść? Jeśli go śledzili, mogli go zabić w dowolnej chwili.

– Oni traktują to jak grę.

– Grę?! Tu giną ludzie, Robie. Dziwna gra.

– Dziwna gra – odparł.

70

Robie siedział w ciemnościach w swoim mieszkaniu.

Nad Julie czuwała Vance i czwórka agentów FBI. Powiedział jej o zabójstwie Broome'ów. Przyjęła to ze stoickim spokojem, nie rozpłakała się, uznała za nieodwołalny fakt. To chyba nawet gorzej, pomyślał Robie. To nie w porządku, jeśli czternastolatka jest tak zahartowana, że nie robi na niej wrażenia czyjaś gwałtowna śmierć.

Wrócił do swojego mieszkania, ponieważ chciał znaleźć się w miejscu, gdzie nie będzie nikogo. I chociaż miał wynajęty pokój w motelu, zdecydował się przyjechać tutaj. Nie martwił się, że dopadną go mordercy, przynajmniej jeszcze nie teraz.

Z jakiegoś powodu chcą, żebym żył. A potem będą mnie chcieli zabić.

Wysilił pamięć, przypominając sobie misje, które wykonał w nieodległej przeszłości. Można było przypuszczać, że znalazłoby się wiele osób żądnych zemsty za to, co robił, zbyt wiele, by próbować je choćby zliczyć. Z drugiej strony, nigdy nie nawalił, co oznaczało, że jego cel zawsze ginął. Za każdym razem też udawało mu się bezpiecznie wycofać po zakończeniu akcji, więc jego tożsamość powinna pozostać tajemnicą. Tyle że jego oficer prowadzący zdradził i w związku z tym o Robiem mógł się dowiedzieć każdy, kto chciał za taką informację zapłacić.

Wstał i wyjrzał przez okno. Dochodziła druga w nocy. Ulicą przejeżdżało niewiele samochodów, w ogóle nie było ludzi. Nagle spostrzegł jakąś postać i zbliżył się do okna, żeby lepiej widzieć.

Przed wejściem do budynku zatrzymała się Annie Lambert. Zsiadła z roweru i wprowadziła go do środka.

Kiedy wyszła z windy na swoim piętrze, Robie już na nią czekał. Wydawała się zaskoczona spotkaniem z nim, ale szybko dostrzegła na jego twarzy wyraz cierpienia.

– Dobrze się czujesz? – zapytała zaniepokojona.

– Bywają lepsze dni. Za to twój był długi.

Uśmiechnęła się i zaczęła walczyć ze swoją torbą. Robie wziął ją od niej i przewiesił sobie przez ramię.

– Dzięki – powiedziała. – Zawaliłam dziś robotę i musiałam zostać dłużej, żeby wszystko wyprostować.

– Co się stało?

– Naruszyłam obowiązujące reguły. Pominęłam mojego bezpośredniego przełożonego przy zadawaniu pytań, bo akurat go nie było w pobliżu. No i zostałam wezwana na dywanik.

– To nie w porządku. Poza tym to wygląda na błahostkę.

– Kiedy zarabiają za mało, żeby zajmować się naprawdę ważnymi sprawami, ludzie zaczynają przywiązywać zbyt dużą wagę do tytułów i hierarchii służbowej.

– Ja cię zawsze uważałem za osobę, która potrafi wybaczać słabości.

– Może jestem po prostu zmęczona – odpowiedziała ostrożnie Lambert.

– Zaniosę ci to pod drzwi i możesz iść spać.

– Ty też nie wyglądasz najlepiej – zauważyła, kiedy szli korytarzem.

– Podobnie jak ty miałem długi dzień.

– Tak samo jakieś bzdurne reguły?

– Coś w tym rodzaju.

– Życie jest czasem do dupy – stwierdziła Lambert.

– Czasem tak.

Zatrzymali się pod jej drzwiami. Odwróciła się twarzą do niego.

– Kiedy powiedziałam, że czuję się zmęczona, nie myślałam o pójściu spać. Wejdziesz na drinka?

– Jesteś pewna, że tego chcesz?

– Chyba obojgu nam się przyda. Nie będzie to coś tak wytwornego, jak twoje wino. Mnie stać tylko na piwo.

– Okej.

Weszli do środka. Annie odstawiła rower i wskazała Robiemu drzwi do kuchni. Wziął stamtąd dwie butelki piwa i wrócił do salonu. Poczuł wyrzuty sumienia, że podglądał ją przez lunetę i zna rozkład jej mieszkania.

Mieszkanie pasowało do młodego pracownika administracji rządowej, którego wynagrodzenie jest niewspółmierne do wykształcenia i umiejętności. Wszystko tu było tanie, ale Robie zauważył też jeden obraz olejny przedstawiający port i kilka dobrej jakości mebli, podarowanych pewnie przez rodziców.

Annie wróciła z łazienki w luźnych dżinsowych spodniach i T-shircie. Włosy związała z tyłu w koński ogon. Miała bose stopy. Wręczył jej piwo, a ona opadła na krzesło i podwinęła nogi pod siebie.

Robie usiadł naprzeciwko niej, na małej kanapie ze sztucznej skóry.

– Jak to miło zdjąć z siebie oficjalną zbroję – powiedziała.

– Na krótko, tylko do rana.

– Jutro mam wolne. A właściwie już dziś. – Wypiła łyk piwa. Robie też.

– Dlaczego?

– Prezydent z większością ludzi wyjeżdża z miasta. Kiedy wróci, w Białym Domu będzie uroczysta kolacja. Ja mam ją zorganizować. Dlatego dostałam wolny dzień.

– Też bym tak chciał.

Uśmiechnęła się z rezygnacją.

– Przez ostatni miesiąc przepracowałam wszystkie weekendy. Na dodatek morale pracowników nieco się obniżyło.

– Dlaczego?

– Prezydent nie wypada zbyt dobrze w sondażach. Gospodarka jest w strasznym stanie. Najbliższe wybory nie zapowiadają się ani na łatwe, ani na przyjemne.

– Kraj podzielił się równo na pół. Żadne wybory nie są w tej chwili łatwe.

– To prawda. Nigdy nie mogłabym być politykiem. To zbyt brutalne, wiesz? W każdej chwili, każdego dnia ktoś cię ocenia. I wcale nie ocenia twojego stanowiska w jakiejś sprawie, tylko twój sposób mówienia, chodzenia, wygląd. To śmieszne.

– I co, myślałaś, jak będzie wyglądało twoje życie, kiedy odejdziesz z Białego Domu?

– Jestem na razie na takim etapie, że żyję dniem dzisiejszym.

– Wcale niezłe podejście.

– Ktoś mógłby to nazwać lenistwem.

– Nie warto się przejmować zdaniem innych.

– Masz rację.

– Mądrej głowie dość dwie słowie.

Wyprostowała ramię i stuknęła swoją butelką o jego.

– Za mądre głowy.

– Za mądre głowy – powtórzył z szerokim uśmiechem.

– Czy można to nazwać naszą pierwszą randką?

– Formalnie rzecz biorąc, nie – odparł Robie. – To było bardziej spontaniczne. Ale nazwiemy to, jak będziesz chciała. Żyjemy przecież w wolnym kraju.

– Tamten wieczór w Hotelu W był naprawdę bardzo miły.

– Ja byłem na drinku pierwszy raz od niepamiętnych czasów.

– Ja też.

– Ty, w twoim wieku, powinnaś bez przerwy spędzać wieczory poza domem.

– Może jestem starsza, niż na to wyglądam – drażniła się z nim.

– Wątpię.

– Lubię cię, Will. Bardzo cię lubię.

– Tak naprawdę nie znasz mnie jeszcze.

– Potrafię dobrze i szybko oceniać ludzi. Zawsze potrafiłam. – Przerwała i wypiła łyk piwa. – Ty sprawiasz, że... sama nie wiem, jak to powiedzieć, że mam o sobie dobre zdanie.

– Masz mnóstwo powodów niezależnych ode mnie, żeby mieć o sobie dobre zdanie.

Odstawiła piwo.

– Czasem czuję się przygnębiona.

– Do diabła, wszyscy czasem się tak czujemy.

Wstała z krzesła i usiadła obok niego. Dotknęła swoją dłonią dłoni Robiego.

– Mam trochę złych doświadczeń z facetami.

– Obiecuję, że ze mną nie będziesz miała. – Robie nie miał podstaw, by coś takiego gwarantować, ale wypowiadając te słowa, wierzył, że to prawda.

W tej samej chwili oboje pochylili się ku sobie. Ich wargi zetknęły się delikatnie. A potem odsunęli się od siebie.

Kiedy Annie otworzyła oczy, Robie patrzył na nią.

– Nie podobało ci się? – zapytała.

– Nie, bardzo mi się podobało.

Pocałowali się jeszcze raz.

– Jestem od ciebie dużo starszy – powiedział, gdy znów odsunęli się od siebie.

– Nie wyglądasz na dużo starszego.

– Może nie powinniśmy tego robić.

– Może powinniśmy zrobić to, co chcemy zrobić – wymruczała mu do ucha. Pocałowali się jeszcze raz. Tym razem już nie delikatnie, ale z pasją, dysząc przy tym ciężko.

Dłoń Robiego zsunęła się na jej udo i zaczęła je pieścić. Annie objęła go ramionami i przycisnęła do siebie. Jej wargi musnęły jego ucho.

– W sypialni będzie wygodniej.

Robie wstał, wziął ją na ręce i zaniósł pod drzwi sypialni. Annie nacisnęła stopą klamkę i pchnęła drzwi. Robie zamknął je za sobą kopnięciem. A potem zajęli się zdejmowaniem z siebie nawzajem ubrań.

Annie spojrzała na jego tatuaże, blizny i na ranę na ramieniu. Delikatnie jej dotknęła.

– Boli?

– Już nie.

– Jak to się stało?

– To było coś głupiego. – Przyciągnął ją do siebie.

Chwilę później leżeli w pościeli, a ich ubrania, bezładnie rozrzucone, na podłodze.

71

O szóstej rano Robie już był na nogach. Jechał samochodem ciemną jeszcze ulicą.

Kiedy tylko wyszedł z mieszkania Annie Lambert, od razu pożałował, że się z nią przespał. Seks okazał się cudowny. Pozostawił uczucie rozedrgania i ciepła. Podziałał wyzwalająco.

A mimo to był błędem.

Bo w gruncie rzeczy Robie zapomniał o leżącym tam, pod pomnikiem, nieboszczyku i poszedł się bzykać z pracownicą Białego Domu. Kiedy był z nią w łóżku, nie myślał o sprawie. Tak nie może być.

Zadzwonił do Vance. Mimo wczesnej pory odebrała po drugim dzwonku.

– Jestem w biurze – powiedziała. – Prawdę mówiąc, wcale z niego nie wychodziłam. A ty gdzie jesteś?

– Jadę.

– Jedziesz dokąd?

– Nie jestem pewny.

– Co się z tobą działo wczoraj wieczorem? Zniknąłeś tak nagle.

Nie odpowiedział.

– Robie?

– Musiałem się trochę zdystansować, uporządkować myśli.

– I uporządkowałeś? Bo mamy sprawę do rozwikłania.

– Wiem.

– Nie jadłam kolacji. Ani śniadania. Za rogiem biura jest taka knajpka czynna dwadzieścia cztery godziny na dobę. Znasz ją?

– Spotkajmy się tam za dziesięć minut – odpowiedział Robie.

Był pierwszy i nim się pojawiła, zdążył zamówić dwie kawy.

– Mówiłaś, że nie byłaś w domu. A masz na sobie świeże ubranie – zauważył.

– Trzymam zawsze komplet na zmianę w biurze – odparła, siadając. Wzięła do ręki kubek i wypiła łyk kawy. – Nie wyglądasz dobrze – stwierdziła, przyjrzawszy się mu.

– A powinienem dobrze wyglądać? – odparował. Zastanawiał się, czy Vance wie, że był z inną kobietą.

Siedzieli w dziwnym milczeniu i popijali kawę.

– Co u Julie? – zapytał w końcu Robie.

– Jest niespokojna i przygnębiona. Chyba uważa, że ją porzuciłeś.

– A jak to wszystko wytłumaczyłaś szefowi?

– Wymijająco. O niektórych rzeczach mu powiedziałam, o innych nie.

Pojawiła się kelnerka i złożyli zamówienie. Kelnerka napełniła ponownie ich kubki i odeszła.

Robie spojrzał Vance prosto w oczy.

– Nie chciałbym ci zniszczyć kariery, Vance.

– Możesz się do mnie zwracać Nikki, jeśli wolisz.

Ta propozycja tylko pogłębiła poczucie winy Robiego.

– Posłuchaj, Nikki. Kiedy to wszystko się skończy, powinnaś wyjść z tego nietknięta.

– Nie sądzę, żeby to było możliwe, Robie.

– Chodzi o to, że nie musisz za mnie nadstawiać karku. Zachowałem się nie w porządku, prosząc cię o to.

– A ja wiem, że jeśli nie będę cię kryć, to zwali się na ciebie całe FBI. I zaczną zadawać setki pytań.

– Jestem profesjonalnie kryty.

– W niewystarczającym stopniu. I szczerze mówiąc, nie robię tego dla ciebie. Jeśli to wszystko wyjdzie na jaw, zostanę pewnie odsunięta od śledztwa i wszystko tak się zagmatwa, że nigdy nie rozwiążemy tej sprawy. Nie chcę, żeby do tego doszło.

– W takim razie rozumiemy się – stwierdził Robie.

– Nie jestem pewna, czy ja cię dobrze rozumiem, ale nieważne. Nie jestem twoim psychoanalitykiem. Pracuję z tobą po to, żeby dopaść morderców.

– Co z Leo Broome'em? – zapytał. – Znalazłaś coś, co mogłoby pomóc? Mówił, że załatwili jego żonę.

– Nic na niego nie ma. Próbujemy ustalić, skąd się tam wziął. W pobliżu pomnika nie stał żaden samochód. Pora była późna, więc chyba możemy wykluczyć metro. Sprawdzamy teraz taksówki. Może uda się ustalić, gdzie wsiadł.

– Mógł też przyjść piechotą – zauważył Robie. – Nie miał przy sobie klucza do pokoju hotelowego czy czegoś, co wskazywałoby, gdzie mieszkał?

– Nic z tych rzeczy. Ale coś znaleźliśmy.

– Co takiego?

– Tatuaż hoplity na przedramieniu, identyczny jak ten, który miał Rick Wind. Pewnie taki jak tatuaż ojca Julie.

– W takim razie musieli się znać z wojska – stwierdził Robie.

– A jeśli to w ogóle nie ma żadnego związku z tobą? Byli razem w wojsku, może mieli nawet jakiś sekret. A teraz to ich dopadło.

– To nie tłumaczy tego, że ja i Julie bezpiecznie wydostaliśmy się z autobusu. Ani tego, że nie trafili ciebie i mnie pod restauracją Donnelly's.

– Faktycznie, nie tłumaczy. Powiedziałeś, że pozwolili mu uciec, kiedy zabili jego żonę. Powiedziałeś też, że to element ich gry. Że mogą się tobą bawić, ale mają w tym jakiś cel.

– Jestem absolutnie przekonany, że mają w tym jakiś cel. Nie wiem tylko jaki.

– Jeżeli to jest rozgrywka między nimi a tobą, to może należałoby poszukać jej źródeł w twojej przeszłości. Pomyślałeś o tym?

– Owszem. Ale muszę się chyba głębiej zastanowić.

– Czym ty się właściwie zajmowałeś, Robie? DCIS to na pewno nie twoja przystań. Jeśli już, to inna agencja rządu federalnego.

Dopił kawę, ale nie odezwał się więcej, bo nie miał nic ponadto do powiedzenia.

– Nie jestem wtajemniczona, tak? To dlatego milczysz jak zaklęty? – zapytała Vance.

– Nie ja ustalam zasady. Czasami zasady są do dupy, jak teraz, ale mimo to obowiązują. Przykro mi, Nikki.

– Okej, nie musisz odpowiadać, ale przynajmniej mnie wysłuchaj, zgoda?

Robie kiwnął głową.

– Byłeś w mieszkaniu Jane Wind, żeby ją zabić. To miał być rodzaj usankcjonowanego zabójstwa. Tyle że z jakiegoś powodu nie pociągnąłeś za spust. Zrobił to ktoś inny, z dużej odległości. Zabrałeś jej najmłodsze dziecko, zaniosłeś w bezpieczne miejsce i uciekłeś. A potem, pod przykrywką DCIS, zostałeś włączony do śledztwa w sprawie zbrodni, której byłeś świadkiem. – Przerwała i zaczęła mu się uważnie przyglądać. – Jak mi idzie?

– Jesteś agentką FBI, nie mogłem oczekiwać niczego innego.

– Opowiedz mi o wyroku na Wind.

– Tak naprawdę nigdy nie został usankcjonowany. Nie powinni mi byli tego zlecać. Osoba, która to zrobiła, jest teraz kupką popiołu.

– Robią porządki w swoich szeregach?

– Tak mi się wydaje.

– Więc ktoś się tobą zabawia i wrabia cię. Wygląda na to, że początkiem całej historii była twoja wyprawa do mieszkania Jane Wind. Jej mąż już wtedy nie żył. Potem zginęła ona. Windowie zostali unieszkodliwieni. Punkt pierwszy.

Robie dopił kawę i zaczął uważnie słuchać jej słów.

– Mów dalej.

– Punkt drugi. Zostają zamordowani rodzice Julie. Wiemy, że przyjaźnili się z Broome'ami. Rick Wind i Curtis Getty mieli taki sam tatuaż na ramieniu. Musieli razem służyć w wojsku. Czy twoim ludziom udało się ustalić łączący ich związek?

– Wciąż nad tym pracują.

– Punkt trzeci. Getty, Broome i Wind razem z żonami, a w wypadku Winda z byłą żoną, są martwi.

Robie skinął głową i podjął wątek.

– Uruchamiam plan awaryjny i wsiadam do autobusu. Oni wiedzą, że tak zrobię. Julie trafia do tego samego autobusu za sprawą wiadomości napisanej rzekomo przez jej matkę. Wysiadamy, autobus wylatuje w powietrze.

– A strzelanina pod restauracją Donnelly's, w której powinniśmy oboje zginąć?

– Kolejna pozorowana akcja, zwykłe mydlenie oczu.

– Ładne mi mydlenie. Zginęło mnóstwo niewinnych osób.

– Ten, kto za tym wszystkim stoi, nie przejmuje się przypadkowymi ofiarami. Są dla niego pionkami w grze, niczym więcej.

– Chętnie założyłabym kajdanki ludziom, którzy myślą w ten sposób.

– Tylko do czego prowadzi ta gra? Jaki jest jej cel?

Vance wypiła łyk kawy i nieoczekiwanie spytała:

– Gdzie spędziłeś ostatnią noc?

Nim skończyła zdanie, Robie ujrzał przed oczami obraz nagiej, siedzącej na nim okrakiem Annie Lambert.

– Mało spałem – odpowiedział zgodnie z prawdą.

Pojawiły się przed nimi talerze i oboje zajęli się jajkami, bekonem, tostami i smażonymi ziemniakami z cebulką.

– Jak zamierzasz się do tego zabrać? – zapytała Vance, odsuwając od siebie pusty talerz.

– Priorytetem jest zapewnienie bezpieczeństwa Julie. W mojej agencji mamy z całą pewnością kreta i dlatego muszę się zdać na FBI.

– Zrobimy wszystko, żeby włos jej nie spadł z głowy, Robie. A jaki jest drugi priorytet?

– Muszę się dowiedzieć, kto tak źle mi życzy.

– Masz całe mnóstwo możliwości.

– Zbyt wiele. Muszę je zawęzić, i to szybko.

– Myślisz, że to jest gra na czas?

– Myślę, że czas już się kończy.

– Co w takim razie zamierzasz zrobić?

– Wybrać się w podróż, daleko stąd.

– Wyjeżdżasz? – Vance sprawiała wrażenie zaskoczonej.

– Nie.

72

Robie siedział w pokoiku, który przez ostatnie pięć lat służył mu za gabinet. Tym razem żaden pucołowaty mężczyzna w wyświechtanym garniturze nie przyniósł mu kolejnego dysku pamięci. Nie przyszedł tu z powodu następnej misji. Przyszedł, żeby sprawdzić, co działo się wcześniej.

Podróż, o której wspomniał w rozmowie z Vance, była podróżą wirtualną. Wpatrywał się w stojący przed nim ekran komputera. A na ekranie były raporty z jego ostatnich pięciu misji zrealizowanych w minionym roku.

Wyeliminował, przynajmniej na razie, trzy z nich. Dwie zwróciły jego uwagę z kilku powodów: były ostatnimi, jakie wykonał, i dotyczyły celów mających ogromne możliwości i wielu przyjaciół.

Wcisnął kilka klawiszy i na ekranie pojawiła się twarz zabitego Carlosa Rivery. Ostatni raz Robie widział Latynosa wykrzykującego pod jego adresem przekleństwa w podziemiach Edynburga. Robie zabił Riverę i jego ochroniarzy, a następnie, niezauważony przez nikogo, zniknął.

Rivera miał młodszego brata, Donata, który przejął kontrolę nad lwią częścią operacji kartelu. Według doniesień Donato był podobno równie bezwzględny jak starszy brat, tyle że pozbawiony większych ambicji. Wystarczało mu kierowanie narkotykowym imperium i nie mieszał się do polityki w Meksyku. Być może z powodu tego, co spotkało starszego Riverę. Mimo to mógł myśleć o pomszczeniu śmierci brata. Jeśli udało mu się poznać tożsamość Robiego za pośrednictwem jego oficera prowadzącego, to taka informacja w zupełności mu wystarczyła.

Robie przypomniał sobie wszystkie wydarzenia prowadzące do zabicia Carlosa i jego ludzi. Mam polecieć do Meksyku i spróbować zabić Donato?, zastanawiał się.

Coś mu jednak podpowiadało, że Donato mogło mało obchodzić, kto zabił jego brata. W końcu radził sobie teraz całkiem dobrze bez niego.

Robie przeszedł do swojego kolejnego celu – Khalida bin Talala, saudyjskiego księcia, bogatszego nawet od Rivery, znajdującego się na liście czterystu najbogatszych ludzi świata według „Forbesa".

Robie zamknął oczy i przeniósł się do Costa del Sol.

Trzeciej nocy książę znalazł się wreszcie na jego celowniku razem z geopolitycznie dziwną parą: Palestyńczykiem i Rosjaninem. Talal wysiadł z samochodu i podszedł do schodków olbrzymiego samolotu. Robie na kilka sekund stracił go z oczu. Ale zaraz potem Talal usiadł naprzeciwko swoich towarzyszy.

Kula wystrzelona przez Robiego trafiła go w środek czoła. Cel nie miał szans na przeżycie. Robie zastrzelił jeszcze dwóch ochroniarzy, unieruchomił samolot i uciekł, by godzinę później znaleźć się na pokładzie promu płynącego do Barcelony.

Czysty strzał, czysty odwrót. Bin Talal nie cieszył się zbytnią popularnością w świecie muzułmańskim. Zdaniem umiarkowanych miał zbyt radykalne poglądy. Rodzina panująca zdawała sobie sprawę, że pragnął ją obalić, i to przede wszystkim na jej żądanie Robie został wysłany z misją. Nawet islamscy fundamentaliści trzymali się od Talala z daleka, ponieważ nie podobały im się jego ścisłe związki z zachodnimi kapitalistami.

Robie odchylił się do tyłu na krześle i potarł skronie. Gdyby nadal palił, chętnie sięgnąłby teraz po papierosa. Potrzebował czegoś, co pozwoliłoby mu pozbyć się poczucia, że popełnił błąd. Miał wrażenie, że odpowiedź jest gdzieś blisko, na wyciągnięcie ręki, nie potrafił jednak do niej dotrzeć.

Przyjrzał się ponownie raportom z trzech wcześniejszych misji, tych przed Riverą i bin Talalem. Przeanalizował każdy krok. Czysta robota, czysty odwrót. Za każdym razem.

Ale jeśli nie któryś z nich, to kto?

Sięgnął po pistolet i położył go przed sobą na biurku z lufą skierowaną w swoją stronę. Glock, doskonała broń, zawsze niezawodna. To nie był egzemplarz z masowej produkcji. Został dostosowany specjalnie do jego dłoni, do jego sposobu strzelania. Każdy detal był wykonany z największą precyzją. Nie wystarczało jednak dobrze wycelować. Każda misja składała się z miliona drobnych elementów. Jeśli nawalił choć jeden z nich, kończyła się fiaskiem. Dla Robiego najłatwiejszą częścią było zabicie celu. Był w tym dobry i zawsze panował nad sytuacją. Pozostałymi elementami układanki często zajmował się już ktoś inny i Robie nad tym nie miał kontroli.

Nie zawsze zabijał w imieniu amerykańskiego rządu. Pracował też dla innych, praktycznie wszystkich sojuszników Ameryki. To zwróciło jego uwagę. Z tej strony Atlantyku lepiej płacili, ale gdyby chodziło tylko o pieniądze, Robie już dawno zmieniłby zawód.

Był powód, dla którego wciąż przyjmował nowe zlecenia, zabijał jednego potwora po drugim. Nigdy z nikim na ten temat nie rozmawiał i wątpił, czy kiedykolwiek porozmawia. I nie w tym rzecz, że wspomnienia były zbyt bolesne. On zwyczajnie zablokował pewną część umysłu. Nie potrafił wyartykułować na ten temat jednego zdania. Tak było według niego lepiej. W przeciwnym razie nie potrafiłby normalnie funkcjonować.

Wstał zza biurka z poczuciem klęski.

Kiedy dotarł do samochodu, zadzwonił telefon.

To był Blue Man.

Udało się znaleźć związki łączące Curtisa Getty'ego, Ricka Winda i Leo Broome'a. Wszyscy służyli razem w wojsku.

– Już jadę – rzucił do słuchawki Robie.

73

Służyli w tym samym oddziale – powiedział Blue Man.

Siedzieli we dwóch w gabinecie Blue Mana.

– Walczyli razem, przeszli całą kampanię, a potem, po pierwszej wojnie w Zatoce, wykonywali jeszcze jakieś zadania.

– Nic dziwnego, że Julie nic o tym nie wiedziała – zauważył Robie. – Nie było jej wtedy na świecie.

– A ojciec nie wspominał o swojej służbie – powiedział Blue Man. – Być może nie rozmawiał o tym nawet z żoną.

– Znam żołnierzy, którzy nie rozmawiają o swoich doświadczeniach na polu walki, ale zwykle nie trzymają w sekrecie faktu, że służyli w wojsku. Czy jest w jego papierach coś, co uzasadniałoby taką dyskrecję?

– Być może.

Blue Man wyjął ze stosu dokumentów teczkę.

– Jak wiesz, podczas pierwszej wojny w Zatoce siły sprzymierzonych nie wkroczyły do Bagdadu. Celem było wykurzenie Saddama Husajna z Kuwejtu i ten cel został osiągnięty.

– Sto dni – powiedział Robie. – Pamiętam.

– No właśnie. Tyle że Irakijczycy podobno złupili Kuwejt, który był jednym z najbogatszych państw w Zatoce. Zabrali gotówkę, złoto, biżuterię.

– Chyba się już domyślam.

– Niczego nie dało się dowieść, ale Getty, Wind i Broome mogli mieć lepkie ręce, kiedy stacjonowali w Kuwejcie. Każdy z nich został zwolniony z wojska na warunkach ogólnych.

– Powiedział pan Julie, że jej ojciec został zwolniony z honorami, a nie na warunkach ogólnych.

– Zgadza się. Tak powiedziałem.

– Jeśli byli zamieszani w kradzież, to sądzi pan, że zdołali zabrać swoje łupy do Stanów? Żaden z tej trójki nie wyglądał mi na bogacza – zauważył Robie. – Rodzice Julie mieli marną pracę i mieszkali w nędznym domku. Windowie także nie byli zamożni. Widziałem też mieszkanie Broome'ów. Nic specjalnego.

– Curtis Getty wciągnął pewnie większość forsy nosem. Rick Wind nigdy nie zarabiał dużych pieniędzy, a był właścicielem domu i prowadził lombard. Nie znaleźliśmy żadnych dokumentów poświadczających, że stać by go było na założenie własnego biznesu.

– Jednak przesłużył w armii cały kontrakt. Jak to możliwe, skoro był podejrzewany o kradzież?

– „Podejrzewany" to odpowiednie słowo. Przypuszczam, że zabrakło dowodów. Ale już samo zwolnienie na warunkach ogólnych wiele mówi, ponieważ przebieg jego służby gwarantował mu odejście z honorami.

– Więc w końcu się do niego dobrali?

– A on nie protestował. To też dużo mówi. Jeśli rzeczywiście coś ukradł, a mógł nadal służyć, otrzymywać żołd i nie trafić do więzienia, to uznał chyba, że robi dobry interes.

– Ale skoro się wzbogacił dzięki kradzieży, po co pozostawał w służbie?

– Nie wiemy, ile im się udało ukraść. Może wolał uwić sobie gniazdko w armii i brać dalej żołd od państwa.

– A Leo Broome?

– Ten zebrał całą pulę. Jego mieszkanie w Waszyngtonie może nie wyglądać najciekawiej, ale Broome'owie mieli też dom nad oceanem w Boca Raton. Natrafiliśmy poza tym na jego lokatę w funduszu inwestycyjnym założoną na inne nazwisko. Było na niej około czterech milionów dolarów.

– Okej, przynajmniej ten jeden coś ukradł Kuwejtczykom. Myśli pan, że ktoś ich dopadł po tak długim czasie? Tylko jaka jest w tym moja rola?

– Z tobą jest właśnie kłopot, Robie. Tamtych trzech byłych żołnierzy może pasuje do układanki. Ty nie. – Blue Man zamknął teczkę i spojrzał mu w oczy. – Myślałeś o swoich ostatnich misjach?

– Było ich pięć. W żadnej nic szczególnego. Nie widzę powodu, dla którego ktoś miałby mnie wziąć na cel. Nie udało mi się ustalić, kto mógłby być podejrzany. – Robie zamyślił się przez chwilę. – Julie mówiła, że jej matka przed śmiercią powiedziała zabójcy, że córka nic nie wie.

– I co z tego wynika?

– Nie wiedziała o czym? O tym, że jej ojciec służył w wojsku? Mogę z całą pewnością stwierdzić, że tamten facet w autobusie nie pochodził z Bliskiego Wschodu.

– To o niczym nie świadczy. Ty też nie pochodzisz z Bliskiego Wschodu, a mimo to pracowałeś dla nich kiedyś. Mogli wynająć do tej roboty kogoś miejscowego. To prostsze niż przerzucanie do Stanów własnego człowieka, zwłaszcza w dzisiejszych czasach.

– Dlaczego nie powiedział pan Julie o zarzutach o kradzież?

– Postanowiłem skoncentrować się na medalach. Zresztą Curtisowi Getty'emu niczego nie udowodniono. Mógł być niewinny.

– A jednak?

– Czemu miałoby to służyć?

– Dlaczego? – zapytał ponownie Robie.

– Mam wnuczki.

– Okej – pokiwał głową Robie. – Rozumiem.

– Wygląda na to, że nie jesteśmy ani trochę bliżej odpowiedzi na nurtujące nas pytania – stwierdził Blue Man.

– Przeciwnie. Może jesteśmy.

– Jak to?

Robie wstał.

– Oni bardzo chcieli mnie w to wciągnąć, cokolwiek to jest.

– Zgoda, tylko co z tego?

– Muszę ich sprowokować.

– To znaczy?

– Zamierzam ich trochę przycisnąć. Kiedy człowiek jest przyciskany, zaczyna popełniać błędy.

– Tylko nie przyciśnij ich za mocno, bo skończysz w kostnicy.

– Nie. Chcę tylko, żeby na mnie skoncentrowali swoją uwagę. Za dużo już mamy przypadkowych ofiar.

Robie odwrócił się i wyszedł z gabinetu.

Zamierzał odwiedzić Julie. Blue Man miał rację, nic dobrego nie przyszłoby nikomu z poinformowania jej, że ojciec mógł być w przeszłości w coś zamieszany. Robie był przekonany, że to, czy trzej żołnierze zrobili coś ponad dwadzieścia lat temu, nie ma żadnego znaczenia dla dzisiejszej sytuacji. Oni byli tylko pionkami na szachownicy.

Tu chodzi o mnie, pomyślał. Zaczęło się ode mnie i w jakiś sposób na mnie się musi skończyć.

74

Więc pan Broome i Rick Wind służyli z moim tatą w wojsku? – zapytała Julie.

Robie siedział z nią w bezpiecznym domu należącym do FBI. Nie był pewny, do jakiego stopnia miejsce jest bezpieczne, ale nie mieli innego wyboru. Agenci FBI pilnujący Julie sprawiali wrażenie profesjonalnych i czujnych, jednak on mimo wszystko trzymał dłoń na swoim glocku, gotów ich zastrzelić, gdyby próbowali skrzywdzić dziewczynę.

– Walczyli w pierwszej wojnie w Zatoce. Potem po kolei odchodzili z wojska. Wygląda na to, że taki tatuaż na ramieniu miało kilku żołnierzy z ich oddziału.

– Wciąż nie mogę uwierzyć, że mój tata był bohaterem.

– Uwierz w to, Julie. Był bohaterem.

– Dowiedziałeś się jeszcze czegoś? – Julie nerwowo bawiła się zamkiem błyskawicznym swojej bluzy.

– Niestety nie – odparł Robie.

– Mój tata musiał być młody, kiedy odszedł z wojska. Ciekawe, dlaczego o tym nie opowiadał.

– Trudno powiedzieć. Niektórzy robią swoje, a potem zwyczajnie zajmują się czymś innym.

– Może gdyby został w wojsku, to… no, wiesz…

– To mógłby nie poznać twojej matki.

– To prawda – odrzekła wolno Julie i popatrzyła Robiemu prosto w oczy. – Dlaczego mam wrażenie, że nie mówisz mi wszystkiego? – W jej spojrzeniu było coś, co Robie szybko zauważył i rozpoznał. To było takie spojrzenie, jakim sam obdarzał ludzi, którzy mówili mu to, co chciał usłyszeć.

– Dlatego że jesteś z natury podejrzliwa, tak jak ja.

– Ukrywasz coś przede mną?

– Ukrywam mnóstwo rzeczy przed mnóstwem ludzi. Ale nigdy bez ważnego powodu, Julie.

– To nie jest odpowiedź na moje pytanie.

Patrzył jej prosto w oczy, zdając sobie sprawę, że gdyby teraz uciekł wzrokiem, przyznałby się do oszustwa.

– Tylko takiej mogę udzielić. Przykro mi.

– Więc nie domyślasz się, co się tu dzieje?

– Nie.

– Potrzebujesz mojej pomocy? Tylko nie mów, że musisz zapewnić mi bezpieczeństwo. Nie ma bezpiecznego miejsca, nawet to z super hiper agentami FBI nie jest do końca bezpieczne.

Robie zamierzał odrzucić jej ofertę, powołując się właśnie na względy bezpieczeństwa, ale powstrzymał się. Przyszedł mu do głowy pewien pomysł.

– Twoja matka powiedziała, że ty nic nie wiesz, zgadza się? Kiedy rozmawiała z tamtym facetem w waszym domu?

– Dokładnie tak powiedziała.

– To oznacza, że twoi rodzice coś wiedzieli. Że twoja matka prawdopodobnie wiedziała, dlaczego ten człowiek się tam pojawił. I dlaczego chciał ich zabić.

– Chyba tak. Ale już to przerabialiśmy, Will.

– Leo Broome tuż przed śmiercią też mówił, że coś wie.

Julie ukradkiem otarła łzę.

– Nie znałam go zbyt dobrze, ale wyglądał na porządnego faceta. A Idę bardzo lubiłam. Ona zawsze była dla mnie miła.

– Wiem. To ogromna tragedia. Ale wróćmy do sprawy. Cheryl Kosmann powiedziała, że twoi rodzice, dzień przed zabójstwem, jedli kolację z Broome'ami. Wspomniała też, że wyglądali, jakby zobaczyli ducha.

– Zgadza się.

– Kiedy ostatni raz rozmawiałaś z rodzicami, zanim wróciłaś tamtego wieczora do domu?

– Tuż przed tym, jak zostałam zabrana do rodziny zastępczej. Ani razu nie miałam okazji się stamtąd wymknąć i zobaczyć się z mamą w barze.

– A jak twoja mama wyglądała, kiedy widziałaś się z nią po raz ostatni?

– Dobrze. Normalnie. Gadałyśmy o tym i o owym.

– A później w domu pojawia się człowiek, który chce ich zabić, i twoja matka nie jest zaskoczona?

Julie zamrugała oczami.

– Myślisz, że coś się musiało wydarzyć po tym, jak ją widziałam ostatni raz, i zanim ten facet przyszedł do naszego domu?

– Nie. To musiało się stać między dniem, kiedy widziałaś się z nią ostatni raz, a kolacją z Broome'ami, kiedy wszyscy, według relacji Cheryl, wyglądali, jakby zobaczyli ducha.

– Nie wiemy przecież, co się stało.

– Ale zawężenie tego do danej chwili może być pomocne. Ja widzę to tak: albo coś się przytrafiło twoim rodzicom, coś odkryli i opowiedzieli o tym Broome'om; albo Broome'owie coś odkryli i opowiedzieli o tym twoim rodzicom.

– A co z Windami?

– Windowie to wielka niewiadoma. Nie było ich na kolacji, jednak musieli być w jakiś sposób w to zamieszani, w przeciwnym razie nie zginęliby, prawda?

– Myślisz, że to ma coś wspólnego z ich służbą w wojsku?

– Intuicja mi podpowiada, że tak. Tyle że nie wskazują na to żadne fakty. Jeśli mam rację i to ja jestem powodem, dla którego wyreżyserowano to wszystko, to dlaczego wmieszani w to zostali twoi rodzice, Broome'owie i Windowie? Nie znałem ich wcześniej.

– Naprawdę uważasz, że to wszystko jest w jakiś sposób powiązane z tobą?

Robie wyczuł, że Julie nie dopowiedziała pytania.

Czy to z mojego powodu zostali zamordowani jej rodzice?

– Tak, tak uważam. Za dużo tu zbiegów okoliczności.

Julie zamyśliła się.

– W takim razie albo Windowie, albo moi rodzice, albo Broome'owie coś odkryli. Ponieważ oni trzej służyli razem w wojsku, mogli sobie o tym czymś opowiedzieć. A kiedy dowiedzieli się o tym źli ludzie, zabili ich wszystkich.

– To brzmi sensownie.

– Tak, chyba tak – powiedziała Julie, odwracając wzrok od Robiego.

Robie odczekał chwilę, aż opadnie napięcie.

– Julie, nie wiem, co się dzieje. Jeśli to rzeczywiście chodzi o mnie, a twoi rodzice i reszta zostali w to uwikłani przez mnie, to jest mi bardzo przykro.

– Nie winię cię za to, co spotkało moich rodziców, Will – powiedziała, choć nie zabrzmiało to przekonująco.

Robie wstał i zaczął się przechadzać.

– Może powinnaś – rzucił w końcu przez ramię.

– Obwinianie cię nie przywróci im przecież życia. Za to nie zmieniło się to, czego naprawdę chcę. A chcę ich dopaść. Wszystkich.

Robie z powrotem usiadł i spojrzał jej w oczy.

– Między chwilą, kiedy Wind, Broome i twój tata przekazali sobie to coś, a śmiercią twoich rodziców musiały minąć nie więcej niż dwadzieścia cztery godziny. Gdyby udało nam się wpaść na ślad jakiejś rozmowy telefonicznej, jakiejkolwiek formy komunikacji między nimi, łatwiej byłoby całą sprawę rozwikłać.

– Potrafisz to zrobić?

– Możemy przynajmniej spróbować. Problem polega na tym, że nic z ich przeszłości nie wskazuje, żeby byli zamieszani w cokolwiek, co mogłoby spowodować takie skutki.

– Przecież nie tylko oni służyli w tej drużynie, prawda? Drużyna liczy dziewięciu albo dziesięciu żołnierzy, a dowodzi nią podoficer w randze sierżanta sztabowego.

– Skąd to wiesz?

– Lekcje historii. Przerabiamy teraz drugą wojnę światową. Więc mój tata, Wind i Broome to trzech. Trzeba znaleźć pozostałych sześciu czy siedmiu.

Robie pokręcił głową, zastanawiając się, jak mógł nie wpaść na coś tak oczywistego. Potem spojrzał na klatkę piersiową Julie.

Tuż nad jej sercem pokazał się laserowy punkcik.

75

Robie nie zareagował w żaden widoczny sposób na laserowy punkt. Nie miał wątpliwości, że pochodzi z karabinu snajperskiego. Nie spojrzał w stronę okna, choć wiedział, że zasłony musiały być częściowo rozchylone. Gdzieś tam, może tysiąc metrów od domu, który właśnie przestał być bezpieczny, czaił się strzelec wyborowy.

W duchu zganił się za to, że wcześniej nie zauważył rozsuniętych zasłon.

Wsunął rękę pod dzielący go od Julie stół. Uśmiechnął się.

– Co cię tak rozbawiło? – zapytała zaskoczona.

– Grałaś kiedyś w grę *Walnij kreta*?

– Dobrze się czujesz, Will?

Pomacał spodnią część stołu. Solidne drewno, żadna tania sklejka. To dobrze. Blat gruby na cal. Powinno wystarczyć. Musiało wystarczyć. Musiał wykonać dwa manewry, po jednym każdą ręką. Zaczerpnął powietrza i uśmiechnął się jeszcze promienniej, bo gdyby Julie wykonała jakiś nagły ruch, byłoby po wszystkim.

– Przypomniałem sobie coś, co przydarzyło mi się dawno temu...

Jedną ręką poderwał do góry stół, zasłaniając ją przed snajperem, a drugą wyciągnął glocka.

Julie krzyknęła przerażona, kiedy Robie strzelił, rozbijając wiszącą nad ich głowami lampę. Pocisk karabinowy roztrzaskał okno, trafił w drewniany blat i przebił go, ale jednocześnie zmienił tor lotu i utkwił w ścianie na lewo od Julie.

– Padnij! – ryknął Robie i Julie natychmiast rzuciła się na podłogę. Robie usłyszał na korytarzu pospieszne kroki. Ukrył się za stołem.

– Nic ci nie jest? – zapytał Julie, leżącą płasko na brzuchu i osłaniającą rękami głowę.

– Nie – odpowiedziała drżącym głosem.

– Rozsuwałaś zasłony w oknie?

Spojrzała na niego zaskoczona.

– Nie. Były już rozsunięte, kiedy tu przyszłam.

Drzwi zaczęły się otwierać.

– Robie, nic ci nie jest? – odezwał się ktoś.

Robie rozpoznał głos. Należał do jednego z agentów strzegących Julie.

– Odłóż broń na podłogę i wsuń ją nogą do pokoju – zawołał Robie.

– Co się dzieje, Robie?! – krzyknął mężczyzna.

– To ja chciałbym o to zapytać. Kto odsłonił zasłony w pokoju?

– Zasłony?

– Tak, zasłony. Snajper właśnie strzelił przez okno. Więc jeśli nie dostanę szybko odpowiedzi, zastrzelę pierwszą osobę, która przekroczy próg tego pokoju. I nieważne, czy to będziesz ty, czy ktoś inny.

– Jesteśmy z FBI, Robie.

– A ja jestem cholernie wkurzonym facetem z glockiem w ręce. Po co ta dyskusja?

– Na zewnątrz jest snajper?

– Przecież powiedziałem. Nie słyszałeś wystrzału?

– Siedźcie spokojnie.

Robie usłyszał oddalające się kroki. Spojrzał na Julie, a potem znów na okno. Nie zamierzał siedzieć spokojnie. Sięgnął po telefon i wybrał numer Vance.

– W bezpiecznym domu jest snajper – powiedział. – Mamy gdzieś kreta. Potrzebne wsparcie. Natychmiast.

Rozłączył się i chwycił Julie za rękę.

– Nie podnoś głowy – polecił jej.

– Umrzemy?

– Nie podnoś głowy i rób to, co ja.

Wyprowadził ją z pokoju, sprawdził korytarz, a następnie pobiegli oboje, ale nie w kierunku frontowych ani tylnych drzwi, tylko w drugi koniec domu, tam, skąd padł strzał. Weszli na czworakach do innego pokoju, a Robie zbliżył się do okna i wyjrzał na zewnątrz. Nie było sposobu, żeby dokładnie zbadać gołym okiem teren, ale nie dostrzegł nigdzie odbicia światła w lunecie karabinu. Choć najnowocześniejszy sprzęt, jakim zapewne dysponowali ich prześladowcy, nie musiał dawać takiego efektu. Robie nie wiedział, czy człowiek, który kazał im spokojnie czekać, jest sojusznikiem, czy wrogiem, dlatego doszedł do wniosku, że nierozsądnie byłoby czekać, żeby zyskać pewność.

Prześladowcy na pewno spodziewali się, że oni dwoje wyjdą albo tylnymi drzwiami, albo przez okno po stronie przeciwnej do tej, z której strzelał snajper.

Dlatego Robie postanowił wyjść frontowymi drzwiami. Najpierw jednak musieli do nich dotrzeć.

Cofnęli się do korytarza i zaczęli powoli przemieszczać się w stronę wyjścia. Dom leżał w takim miejscu, że prowadziła do niego tylko jedna droga. W pobliżu żadnych innych budynków. Trzeba się było postarać, żeby tu trafić. I ktoś najwyraźniej się postarał. Z pomocą drugiej osoby, znajdującej się w środku.

Kiedy Robie wychylił się zza rogu, w pokoju od frontu zobaczył na podłodze ciało jednego z agentów. Wokół szyi było pełno krwi. Ale nie widział rany postrzałowej. Zresztą usłyszałby strzał, czyli to musiał być w takim razie nóż. Usta zasłonięte dłonią, cięcie nożem po szyi, cicho, bez hałasu. Szybka śmierć.

Usta zasłonięte dłonią. Więc zabójca musiał podejść naprawdę blisko.

Kolejny zdrajca w szeregach.

– O mój Boże!

Obejrzał się na Julie. Właśnie dostrzegła ciało.

– Nie patrz – powiedział Robie.

Jeszcze raz sięgnął po telefon. Vance odebrała niemal natychmiast. W tle Robie słyszał ryk silnika samochodu. Musiała jechać dobrze ponad sto sześćdziesiąt.

– Mam jednego martwego agenta. Nie wiem, gdzie są pozostali. Zabity ma ranę zadaną z bliska. Musiał wroga wziąć za przyjaciela.

– Szlag by to! – zawołała Vance.

– Daleko jesteś?

– Za trzy minuty będę na miejscu.

Odłożył telefon i powiedział do Julie.

– Wyjdziemy frontowymi drzwiami, ale musimy odwrócić ich uwagę.

– Okej – rzuciła, patrząc to na Robiego, to na leżące ciało. – Jak?

Robie opróżnił komorę pistoletu, wyjął magazynek, a z niego dwa naboje i zastąpił je innymi dwoma, wyciągniętymi z kieszeni kurtki. Wsunął magazynek na miejsce i przeładował broń. Jeden z nowych nabojów znalazł się w komorze.

Zbliżył się do drzwi i popchnął je nogą.

– Co zamierzasz zrobić? – zapytała Julie. – Będziesz się ostrzeliwał w biegu?

– Zakryj uszy.

– Słucham?

– Zakryj uszy i nie patrz na drzwi.

Robie zaczekał, aż Julie wykona jego polecenie, a potem wycelował i strzelił.

Pierwszy pocisk zapalający trafił w zbiornik paliwa samochodu zaparkowanego na podjeździe. Wybuch oparów benzyny poderwał pojazd wysoko w górę.

Drugi strzał był wymierzony w kolejny samochód, stojący obok pierwszego. Chwilę później on także zamienił się w kulę ognia.

Robie chwycił Julie za rękę i oboje wybiegli z domu. Oddzieleni od kogoś, kto chciał pozbawić Julie życia, ścianą ognia, popędzili ulicą. Robie zastanawiał się chwilę, czy nie wsiąść do swojego samochodu, uznał jednak, że równałoby się to narysowaniu sobie na czole tarczy strzelniczej.

Na ulicy pojawił się jakiś samochód i przyspieszył. Robie dostrzegł niebieskie migające światła. Pomachał ręką. Vance nacisnęła hamulec i jej bmw się zatrzymało. Robie otworzył drzwi, wepchnął Julie na tylne siedzenie, a sam wskoczył na fotel pasażera.

– Ruszaj! – krzyknął.

Vance włączyła wsteczny bieg i z piskiem opon zaczęła cofać. W pewnej chwili samochód obrócił się o sto osiemdziesiąt stopni, a kiedy już stał tyłem do bezpiecznego domu, Vance dodała gazu. Dojechała do końca ulicy i skręciła w lewo.

Dopiero teraz spojrzała na Robiego, a potem na skuloną z tyłu Julie.

– Jesteście cali oboje? Nikt nie jest ranny?

– Nic nam nie jest – odpowiedział krótko Robie.

– W takim razie powiedzcie mi, co się stało.

– Jedź – polecił jej Robie.

76

Robie siedział obok Vance. Co chwila oglądał się za siebie, a potem przenosił spojrzenie na agentkę. Patrzył na nią podejrzliwie i ani na chwilę nie zdejmował dłoni z glocka. Tym razem nieszczęście było niewiarygodnie blisko. Gdyby nie spojrzał w dół i nie dostrzegł czerwonego punktu, Julie dołączyłaby do swoich rodziców. Teraz już nie miał wątpliwości, że tamci przestali potrzebować ich żywych, obojga albo jednego z nich.

Oparł się wygodniej, ale nadal był spięty. Podejrzewał, że niebezpieczeństwo nie minęło.

Vance była skupiona na obserwowaniu drogi. Co chwila spoglądała jednak na pistolet Robiego, a potem jej wzrok wędrował ku jego twarzy. Kiedy ich spojrzenia przypadkowo się spotykały, szybko odwracała wzrok.

Przejechali jakieś trzy kilometry, nim wreszcie się odezwała.

– Masz jakiś szczególny powód, żeby trzymać pistolet wycelowany we mnie?

– Mam z tuzin powodów, ale pewnie wszystkie je znasz.

– Nie zdradziłam cię, Robie. To nie była moja robota.

– Dobrze wiedzieć. Wezmę to pod uwagę.

– Doskonale rozumiem, że trudno ci komukolwiek zaufać, włącznie z FBI.

– To też dobrze wiedzieć. – Sam siebie nie poznawał. Miał głuchy, przygaszony głos.

– Dokąd chcesz jechać?

Spojrzał na nią z nieprzeniknioną miną.

– Ty wybierz miejsce. Zobaczymy, jak nam pójdzie.

– Czy to test?

– A dlaczego nie?

– Może byście przestali? To w niczym nam nie pomoże.

Oboje spojrzeli w lusterko wsteczne, gdzie napotkali wzrok Julie.

– Byliśmy pod opieką FBI i właśnie ktoś zastawił na nas pułapkę – powiedział spokojnym głosem Robie. I powtórzył: – Wybierz miejsce, agentko Vance. Zawieź nas tam, zobaczymy, co się stanie.

– Co powiesz na biuro terenowe?

– A ty co powiesz?

– Robie, jestem po twojej stronie!

Wyjrzał przez okno.

– A ci chłopcy, których ściągnęłaś z terenu?

– To nie ja ich ściągnęłam. Zostali wezwani przez kogoś z Biura.

– Kogo?

– Nie wiem dokładnie. Poprosiłam o agentów spoza miasta. – Spojrzała na niego hardo. – Na twoje wyraźne żądanie. Tych akurat przysłali.

– Jeden został zabity – zauważył Robie. – Wątpię, żeby przyjechał tu, by umrzeć. Jego możemy więc wykluczyć. Ale ktoś zostawił rozsunięte zasłony w pokoju, w którym umieszczono Julie. – Spojrzał na dziewczynę. – Który agent cię tam ulokował?

– Ten, który po wystrzale podszedł do drzwi – odpowiedziała Julie. – Poznałam go po głosie.

– Czyli ten, który już nie wrócił. Ten, który zabił swojego partnera – dodał Robie. – Ten, który kazał nam spokojnie czekać. – Przeniósł spojrzenie na Vance. – Tak samo jak ty mi kazałaś robić. Spokojnie czekać.

Vance ostro zahamowała i zatrzymała się na środku drogi. Obróciła się do niego.

– Okej, zastrzel mnie. Jeśli mi nie ufasz, to nie jestem ci już potrzebna. Przyłóż mi pistolet do głowy i pociągnij za ten cholerny spust.

– Odgrywanie komedii nie na wiele się zda – odrzekł Robie.

– W takim razie czego ode mnie oczekujesz?

– Już mówiłem. Na razie po prostu jedź.

– Dokąd?

– Wybierz jakiś kierunek i trzymaj się go.

– Niech to szlag – mruknęła drżącym głosem Vance. Włączyła bieg i ruszyła.

– Zanim skręciłam w tę uliczkę, usłyszałam wybuchy – odezwała się. – To twoja robota?

– Wysadziłem w powietrze dwa samochody należące do Biura. Nie zapomnij wystawić mi rachunku.

– Wysadziłeś je w powietrze?

– Potrzebna była dywersja – wtrąciła się Julie. – To był jedyny sposób, żeby wyjść z tego domu.

– Świetnie. – Robie usiadł wygodniej w fotelu. – Mam zdrajców w swojej agencji. Zdrajców w FBI. Zagadkę, której nie potrafię rozwiązać. I coraz mniej czasu.

– Co zamierzasz? – zapytała nerwowo Vance.

– Przegrupować się i wszystko przemyśleć. Nasza trójka musi się trzymać razem. Ale potrzebujemy nowego środka transportu.

– A co ci się nie podoba w moim samochodzie?

– Głównie to, że wszyscy wiedzą, do kogo należy.

– Zamierzasz ukraść kolejny samochód, Will? – zapytała Julie.

– Kolejny?! – zawołała podniesionym głosem Vance.

– On jest w tym naprawdę dobry – dodała Julie.

– Mam nadzieję, że potrafisz nie najgorzej prowadzić – zwrócił się Robie do Vance.

– Dlaczego? – zapytała Vance.

Uniósł rękę z pistoletem i wcisnął guzik opuszczający szybę.

– Ponieważ na naszej szóstej mamy SUV-a, który szybko się zbliża.

77

Vance spojrzała w lusterko wsteczne. SUV był wielki, czarny i stanowczo za szybko się do nich zbliżał. Wyglądał jak olbrzymi odrzutowiec pędzący po pasie startowym tuż przed wzbiciem się w powietrze.

Vance wcisnęła pedał gazu i jej bmw wystrzeliło do przodu.

– Zaraz, zaraz! – zawołała. – Myślisz, że to gliniarze albo federalni?

Tylną szybę ich samochodu roztrzaskał grad pocisków. Julie krzyknęła i skuliła się, jedna z kul przeleciała między głowami Vance i Robiego i rozbiła przednią szybę.

– Nie – rzucił lakonicznie Robie. – Nie sądzę, żeby to byli gliniarze albo federalni.

Vance skręciła kierownicę w lewo, bmw z piskiem opon weszło w zakręt pod kątem dziewięćdziesięciu stopni i pomknęło dalej boczną uliczką.

– W takim razie zrób coś! – warknęła Vance.

Robie obrócił się i spojrzał na skuloną na tylnym siedzeniu Julie.

– Rozepnij pasy i połóż się na podłodze – polecił jej.

– A jeśli samochód się rozbije, a ja nie będę zapięta? – zaprotestowała.

– Myślę, że to będzie twoje najmniejsze zmartwienie.

Julie rozpięła pasy i wcisnęła się w wąską przestrzeń między przednimi i tylnymi siedzeniami.

Robie wycelował i strzelił raz przez rozbitą tylną szybę. Pocisk trafił w przód SUV-a. Teraz Robie celował w chłodnicę. Pocisk trafił idealnie w cel. Słychać było, jak się od niego odbija.

– Opancerzony – poinformował Vance.

Strzelił jeszcze w lewą przednią oponę. Guma powinna się rozedrzeć na strzępy. Ale nic takiego nie nastąpiło.

– Opony odporne na przebicie – stwierdził. – Sprytnie. Bardzo sprytnie.

– Jeśli mają opancerzony samochód, to powinniśmy im uciec – powiedziała Vance.

– To zależy, ile mają koni mechanicznych pod maską.

Strzelił znowu, w przednią szybę. Pojawiło się na niej pęknięcie, jednak SUV nie zwolnił.

– Nie są aż tak nietykalni – stwierdził Robie.

Zauważył, że z okna od strony pasażera wysunęła się lufa. To nie była lufa zwykłej broni. Gdyby coś takiego ich trafiło, byłoby po nich.

Złapał kierownicę i gwałtownie szarpnął nią w prawo. Ich samochód zjechał w bok, podskoczył na krawężniku i wjechał na czyjś podjazd.

Ułamek sekundy później broń z SUV-a ryknęła serią strzałów. Pociski ominęły ich bmw, ale za to eksplodował jakiś zaparkowany przy najbliższym skrzyżowaniu samochód.

SUV nie zdążył skręcić i gnał dalej prosto ulicą. Rozległ się pisk hamulców i odgłos zawracania.

Robie ponownie skręcił kierownicą i bmw zeskoczyło z krawężnika z powrotem na ulicę. Puścił kierownicę i obejrzał się za siebie.

– Co to było, na miłość boską? – zapytała, sprawiająca wrażenie wstrząśniętej, Vance.

– To się nazywa Sledgehammer – wyjaśnił Robie. – Karabin bojowy. Poznałem po odgłosie wystrzałów. Musieli trafić w zbiornik paliwa tamtego samochodu.

Wskazał ręką przed siebie.

– Skręć w następną ulicę w lewo, potem w prawo, a później gaz do dechy. Zanim skręcą, będziemy już daleko.

Vance zrobiła, jak kazał, i po chwili zostali sami na drodze prowadzącej na zachód. Słyszeli tylko zbliżające się ze wszystkich kierunków syreny.

Julie podniosła się z podłogi, strzepnęła z siedzenia i z włosów okruchy szkła, usiadła i zapięła pasy.

– Nic ci nie jest? – zapytał Robie, oglądając się przez ramię.

Pokręciła przecząco głową, nie odezwała się słowem.

Robie wychylił się bardziej w fotelu i rozejrzał.

– Zostawiłaś swój plecak w bezpiecznym domu?

Kiwnęła głową.

– Co się zmieniło, Robie? – zapytała Vance.

Spojrzał na nią, chowając pistolet do kabury.

– Jeszcze raz? – Robie nie zrozumiał pytania.

– Wcześniej nie chcieli nas zabić, tylko próbowali zastraszyć. Ale teraz wydaje się oczywiste, że chcą nas załatwić. Co się w takim razie zmieniło?

– Może być wiele powodów – odparł. – Trudno powiedzieć, co tymi ludźmi kieruje, bo nie znamy ich celów. Nie wiemy też, jaką rolę odgrywamy w ich planach.

– W takim razie musimy poznać ich cel – stwierdziła Vance.

– Łatwo powiedzieć, trudniej zrobić – odparła Julie.

– Co się zmieniło? – Tym razem pytanie zadał Robie.

Vance i Julie spojrzały na niego.

– Przed chwilą o to pytałam – zauważyła Vance.

Robie nie odezwał się. Patrzył wprost przed siebie.

Uśmiechnąłby się nawet, lecz nie zrobił tego, bo nie był pewny.

Ale w końcu, nareszcie, chyba zaczynał rozumieć.

78

Robie wskazywał Vance drogę do swojego domku za miastem. Na jego żądanie wyłączyła GPS w telefonie. Po drodze zadzwoniła do swego przełożonego i złożyła meldunek na temat tego, co się wydarzyło. W bezpiecznym domu zginął jeden agent FBI, ten, którego widzieli Robie i Julie. Drugiego nie można było nigdzie znaleźć. W rzeczywistości Biuro nie potrafiło nawet potwierdzić, czy to faktycznie był agent przysłany z Wirginii do ochrony Julie.

Vance rzuciła telefon na kolana z grymasem niesmaku.

– Niech to szlag! Jakby się pilnowało najdrobniejszych spraw, nie dochodziłoby do takich historii.

– Będziesz musiała stać się teraz niewidoczna – oznajmił Robie. – Nie przeszkadza ci to?

– Czy to znaczy, że już mi ufasz?

– W końcu ciebie też chcieli przed chwilą zabić.

– Mogę zniknąć z radarów, pod warunkiem że jest jakiś plan.

– Plan się rodzi. Potrzebuję jeszcze tylko kilku informacji.

– Jakiego rodzaju?

Zerknął na Julie, która siedziała z tyłu i wpatrywała się w niego.

– Zmieniło się to, że Julie znalazła prawidłową odpowiedź.

– Jaką odpowiedź? – zdziwiła się Julie.

– Chodzi o czas. Kiedy tylko wypowiedziałaś te słowa, na twojej piersi pojawił się czerwony punkt. W tym momencie przestaliśmy być potrzebni.

Vance spojrzała na Julie.

– Coś ty takiego powiedziała?

– Powiedziałam, że mój tata, pan Broome i Rick Wind służyli w tym samym pododdziale. A drużyna liczy od dziewięciu do dziesięciu żołnierzy. Więc może rozmawiali z kimś jeszcze z drużyny. I to był początek wszystkiego. Bo jeśli oni trzej utrzymywali ze sobą kontakty, to może inni też.

Robie pokiwał głową i spojrzał na Vance.

– Jak widzisz, bezpieczny dom był nie tylko niebezpieczny. Był także na podsłuchu. Słyszeli wszystko, co mówiliśmy. I w chwili gdy Julie wymówiła te słowa, pojawił się czerwony punkt.

– Naprawdę myślisz, że o to chodzi? – zapytała Vance. – O pozostałych żołnierzy z drużyny?

– Myślę, że powinniśmy to sprawdzić, i to prędko.

– Takie informacje możesz całkiem szybko uzyskać w DCIS.

– Mógłbym. Ale ponieważ wiem, że DCIS jest zinfiltrowane, wolę nie ujawniać swoich kart.

– Biuro też może być zinfiltrowane – odezwała się po chwili namysłu Vance.

– Może?! – wykrzyknęła Julie. – Czy pani czegoś nie przegapiła dzisiejszej nocy, panno superagentko Vance?

Vance skrzywiła się.

– Okej, zostało zinfiltrowane. – Spojrzała na Robiego. – Co teraz zrobimy?

– Znam kogoś, kto mógłby nam pomóc – odpowiedział. – To mój dobry przyjaciel.

– Jesteś pewny, że możesz mu zaufać?

– Zasłużył sobie na moje zaufanie.

– Okej.

– Ale żeby się z nim spotkać, muszę was zostawić – dodał Robie.

– Myślisz, że to dobry pomysł, żebyśmy się rozdzielili? – zapytała nerwowo Vance.

– Nie – odparł. – Jednak nie ma innej rady.

– Jak długo cię nie będzie? – zapytała zaniepokojona Julie.

– Tylko tyle, ile będzie trzeba – odparł.

Robie wprowadził je do domku, pokazał Vance, gdzie co leży, włączył alarm wokół posesji i poszedł do stodoły. Wsiadł na motocykl, założył kask i uruchomił silnik. Rytmiczny warkot potężnego motoru uspokajał go, pozwalał zapomnieć na chwilę o tym, co go czeka później.

Ruszył na wschód, a potem na północ. Dotarł do obwodnicy Waszyngtonu i szerokim łukiem kierował się dalej na północ. Przejechał mostem Woodrowa Wilsona. Po lewej mrugały światła Waszyngtonu, a po prawej – ciągnące się aż do Mount Vernon – zielone przestrzenie Wirginii.

Ceglany budynek, do którego dotarł blisko trzydzieści minut później, nie był duży, otaczało go wysokie ogrodzenie. Przed wejściem stał umundurowany strażnik. Robie uprzedził telefonicznie o swojej wizycie i jego nazwisko znajdowało się na liście gości. Pokazał dokumenty. Strażnik, po starannym obszukaniu go, pozwolił mu wejść.

Kilka minut później Robie szedł jedynym w tym budynku korytarzem. Po obu stronach tej głównej arterii ciągnęły się drzwi. Wszystkie pozamykane. Nic dziwnego, było już późno. O tej porze niewielu ludzi pozostało na miejscu.

Ale była na pewno jedna osoba. Mężczyzna, który wcześniej zajmował stanowisko Robiego.

Robie zatrzymał się przed drzwiami i zapukał.

Z drugiej strony rozległy się kroki. Drzwi się otworzyły.

Stanął przed nim mężczyzna po pięćdziesiątce z krótko ostrzyżonymi włosami, niemal tego samego wzrostu co Robie. Jego poprzednik był szczupły, ale miał szerokie ramiona; widać było, że udało mu się zachować siłę, jaką dysponował w młodości.

Ta siła dała się wyraźnie zauważyć, kiedy uścisnął dłoń Robiego. Zaprosił go do środka i zamknął drzwi, wyjrzawszy wcześniej na korytarz i sprawdziwszy, czy nie ma żadnego zagrożenia. Robie uczyniłby podobnie. W pewnym momencie takie rzeczy wchodzą w nawyk.

Pokój był mały, ale dobrze rozplanowany. Nigdzie nawet śladu osobistych drobiazgów. Mężczyzna usiadł za biurkiem, na którym stał niewielki laptop. Robie zajął miejsce po drugiej stronie i splótł dłonie na brzuchu.

– Dawno się nie widzieliśmy, Will – odezwał się gospodarz.

– Byłem trochę zajęty, Shane.

– Wiem. Dobra robota – powiedział Shane Connors.

– Może tak, może nie.

Connors przekrzywił lekko głowę.

– Możesz jaśniej?

Dziesięć minut zajęło Robiemu zapoznanie przyjaciela z przebiegiem ostatnich wydarzeń. Kiedy skończył, Shane odchylił się do tyłu na krześle i utkwił nieruchome spojrzenie w twarzy Robiego.

– Mogę zdobyć skład drużyny od ręki. Ale co zamierzasz dalej?

– Zamierzam pójść tym tropem. Zostało co najwyżej siedmiu ludzi. Skoncentruję się oczywiście na miejscowych.

– Rozumiem.

Connors pochylił się nad klawiaturą laptopa, wcisnął kilka klawiszy i ponownie wyprostował się na krześle.

– To potrwa dziesięć minut. – Nadal przyglądał się bacznie Robiemu. – To już dwanaście lat.

– Zgadza się. Też liczę czas.

Jak na dany znak Robie usłyszał dochodzące skądś w pokoju tykanie zegara.

– Zastanawiałeś się nad przyszłością? – zapytał Connors.

– Zastanawiam się od pierwszego dnia tej pracy.

– I co?

– Istnieje kilka możliwości. Ale nic więcej nie powiem.

Connors sprawiał wrażenie rozczarowanego taką odpowiedzią, lecz nie skomentował tego. Przeniósł wzrok na ekran laptopa. Przez kolejne osiem minut obaj w milczeniu wpatrywali się w ekran.

Kiedy wiadomość trafiła do elektronicznej skrzynki pocztowej, Connors wcisnął kilka klawiszy i niemal w tym samym momencie zaszumiała stojąca na skraju biurka drukarka. Wysunęło się z niej kilka kartek papieru. Connors wziął je do ręki i nie przeglądając ich, wręczył Robiemu.

– Potrzebuję nowego samochodu. Nie do namierzenia – powiedział Robie. – W zastaw mogę zostawić swój motocykl.

Connors kiwnął głową.

– To zajmie dwie minuty.

– Dziękuję.

Zadzwonił. Minęły dwie minuty. W komputerze rozległ się dźwięk dzwonka. Connors ponownie skinął głową.

– Jest.

Obaj wstali.

– Jestem ci bardzo wdzięczny, Shane.

– Wiem.

Robie uścisnął mu dłoń. Kiedy odwrócił się do drzwi, usłyszał głos Connorsa:

– Will?

Obejrzał się.

– Tak?

– Kiedy będziesz następnym razem patrzył w przyszłość, patrz dalej niż na miejsce takie jak to.

Robie omiótł wzrokiem pokój, spojrzał w oczy Connorsowi i lekko skinął głową. A potem ruszył korytarzem, ściskając w garści plik kartek.

79

Zanim Robie uruchomił silnik zadbanego beżowego chevroleta, przejrzał otrzymane papiery. Widniały tam tylko trzy nazwiska, ponieważ z siedmiu żołnierzy, prócz Winda, Getty'ego i Broome'a, czterech zmarło, wszyscy wiele lat temu. To czyniło zadanie Robiego łatwiejszym. Przynajmniej potencjalnie. I coś jeszcze je upraszczało. Wszyscy mieszkali w okolicy. Dostał ich aktualne adresy i krótki opis przebiegu służby wojskowej. Wojsko zawsze miało wzorowy porządek w papierach.

Robie wsunął kartki do kieszeni, uruchomił silnik i minął strażnika strzegącego tego niewielkiego rządowego budynku. Wracając do Wirginii, rozmyślał o zamkniętym w ciasnej klatce Connorsie. To on nauczył Robiego praktycznie wszystkiego, co teraz wiedział. Ten człowiek był legendą w dziedzinie usankcjonowanych prawem zabójstw. Kiedy oficjalnie przeszedł na emeryturę, a on zajął na dobre jego miejsce, stracili ze sobą kontakt. Mimo to Robie do tej pory doskonale pamiętał ich pierwszą wspólną misję. Po oddaniu śmiertelnego strzału Connors pocałował lufę swojego karabinu. Gdy Robie zapytał go, dlaczego to zrobił, odpowiedział po prostu: „Ponieważ jest to jedyna rzecz, która stoi między mną żywym a mną martwym".

Niewielu jest ludzi, których nie można kupić za żadną cenę. Connors był jednym z nich.

Robie upewnił się, że nie jest śledzony, jadąc ostatnie dziesięć mil zygzakiem i nadkładając drogi.

Do swojego domku dotarł wcześnie rano. Vance była już na nogach. Czekała z bronią w ręku i poważną miną. Julie spała na kanapie w pokoju na parterze.

– Gdzieś ty był? – zapytała Vance, kiedy Robie wszedł do środka.

– Gdzieś, gdzie dostałem to. – Pokazał jej plik papierów.

Stanęli w progu pokoju, przypatrując się zwiniętej w kłębek jak kot Julie.

– Nie chciała iść na górę – wyjaśniła Vance. – Chyba nie chciała się ode mnie oddalać.

Robie poszedł do kuchni. Vance za nim.

Usiedli, przyjrzeli się nazwiskom i aktualnym adresom.

– Trzy osoby. Dwóch facetów, jedna kobieta – zauważyła Vance. – Jak zamierzasz się do tego zabrać? Znowu się rozdzielimy?

– Raczej nie. Julie, mówiąc to, co powiedziała, już ich ostrzegła. Pewnie wiedzą, co zamierzamy zrobić.

– Skoro mogą przewidzieć, że będziemy szukać tych ludzi, to będą już na nas czekać.

– Może wymyślą coś skuteczniejszego.

– Na przykład co?

– Może na przykład spowodują, że tamtych troje zniknie.

– Myślisz, że ich zabiją?

– Jeśli zabiją dwie osoby, ułatwią nam robotę. Pozostanie przy życiu tylko jedna, ta, o którą chodzi. Jeżeli zabiją całą trójkę, znajdziemy się w punkcie wyjścia.

Vance odłożyła pistolet na stół i potarła oczy.

– Musisz się trochę przespać – zauważył Robie.

– I kto to mówi? – odparowała.

– Ja obejmę pierwszą wachtę. Idź się kilka godzin przespać.

– Wtedy będzie już ósma rano. Nie pójdziesz się położyć o tej porze.

– Czuję się całkiem wypoczęty.

Ścisnęła go za ramię.

– Po co to było? – zapytał.

– Chciałam sprawdzić, czy jesteś naprawdę ludzką istotą. Nie licząc tego, że w twoich żyłach płynie krew.

– Więc będziemy szukać tych ludzi, jednego po drugim, wiedząc, że tamci tylko na to czekają – rzekł Robie.

– Mają nad nami przewagę – stwierdziła Vance. – I jak sam powiedziałeś, mogą spowodować, że cała trójka zniknie.

– Mogliby, gdyby nie jedna rzecz.

– Jaka?

– Któraś z tych osób może im być potrzebna do zrobienia czegoś.

– Na przykład czego?

– Gdybym to wiedział, nie siedziałbym tu i nie próbował się domyślić.

– Co z Julie? Nie możemy jej tutaj zostawić. A zabieranie jej ze sobą na coś takiego byłoby głupotą.

– Może i byłoby głupotą, ale i tak jadę z wami.

Obejrzeli się za siebie. W progu stała Julie i patrzyła na nich zaspanymi oczami, w których mimo to widoczne były złość i zawód.

– Jezu, ty naprawdę masz talent do podsłuchiwania – jęknęła Vance.

– To jedyny sposób, żeby się dowiedzieć, co knujecie – odparła Julie.

– To będzie niebezpieczne – ostrzegł Robie.

– Też mi nowość – odparła spokojnie Julie i usiadła przy stole. – Strzelali do mnie, o mało nie zostałam wysadzona w powietrze, widziałam, jak mordują moich rodziców. Byłam ścigana pieszo, byłam ścigana samochodem. Więc twoje „niebezpieczne" nie robi na mnie wrażenia.

Vance zerknęła na Robiego i w kącikach jej ust pojawił się uśmiech.

– Jej logika trafia do przekonania.

– I zgodnie z tą logiką, tylko dlatego, że kilka razy o mało nie zginęłaś, powinnaś się pakować w kolejną sytuację, z której możesz nie wyjść żywa? – argumentował Robie.

– Nie czuj się za mnie odpowiedzialny, Will, bo nie jesteś – odparła Julie. Założyła spadające włosy za uszy i spojrzała na niego gniewnie.

Uśmiech na twarzy Vance zgasł.

– Wystarczy. Jeszcze tylko tego nam potrzeba, żebyście zaczęli na siebie naskakiwać.

– Jestem za ciebie odpowiedzialny – rzekł Robie. – Jestem za ciebie odpowiedzialny od chwili, kiedy wysiedliśmy z autobusu.

– To twoja decyzja, nie moja. Ja jestem ofiarą okoliczności.

– I możesz zostać prawdziwą ofiarą.

– Chcę się dowiedzieć, dlaczego zginęli moi rodzice. To wszystko. Cała reszta mnie nie obchodzi. – Spojrzała na Vance, a potem na Robiego. – Dlatego nie przejmujcie się tak moim losem. Nie musicie.

– Próbujemy ci tylko pomóc, Julie! – wykrzyknęła Vance.

– Nie zamierzam być obiektem waszych dobrych uczynków. Dzieckiem z rodziny zastępczej znalezionym na ulicy, którym trzeba się zaopiekować. Zapomnijcie o tym.

– Jesteś na nas skazana, czy tego chcesz, czy nie. I gdyby nie my, byłabyś już martwa – dodał Robie.

– I tak czuję się, jakbym była trupem.

– Rozumiem cię. Ale czuć się trupem a być trupem to dwie zupełnie różne rzeczy.

– A dlaczego miałabym komuś ufać?

– Wydaje mi się, że zasłużyliśmy na odrobinę zaufania – warknął Robie.

– Mylisz się! – wypaliła Julie.

Wstała i wyszła z kuchni.

– Dasz wiarę? – zwrócił się Robie do Vance.

– To jeszcze dzieciak. Straciła rodziców i jest przerażona.

Robie natychmiast się uspokoił i poczuł wyrzuty sumienia.

– Wiem.

– Musimy się trzymać razem, jeśli mamy jakoś przez to przebrnąć.

– Łatwiej powiedzieć, niż zrobić.

– Dlaczego?

– Okoliczności mogą nas zmusić do rozdzielenia się.

– Okoliczności?

– Powinnaś się zachowywać lojalnie wobec FBI, Vance. Nie wobec mnie.

– Pozwól, że sama zdecyduję. – Położyła dłoń na jego dłoni. – Skoro tu jestem, to sam widzisz, wobec kogo jestem lojalna.

Robie przyglądał jej się chwilę, a potem wstał i wyszedł, zostawiając zaskoczoną Vance samą przy stole.

80

Robie poszedł do stodoły, otworzył leżące na stole warsztatowym pudło i wyjął z niego paczkę winstonów. Wyciągnął jednego i zapalił. Zaciągnął się substancjami rakotwórczymi, a po chwili wypuścił dym z ust.

Powolny rak płuc czy szybka kula. Jaka to różnica? Czas? Kto by się tym przejmował?!

Zaciągnął się jeszcze raz, napinając mięśnie szyi. Zgasił papierosa na stole warsztatowym i wyszedł ze stodoły, zamknąwszy za sobą drzwi.

Spojrzał na domek. Światło paliło się w oknach dwóch pokoi.

W jednym była Julie.

W drugim Vance.

Dzieliło go od nich mniej więcej piętnaście metrów.

A czuł się tak, jakby to było piętnaście lat świetlnych.

Jestem zabójcą. Pociągam za spust. Zabijam. Nie robię nic innego, tylko to.

Obrócił się i wyciągnął broń tak szybko, że zdążyła tylko podnieść ręce, by zasłonić twarz.

Vance powoli opuściła ręce i spojrzała na niego.

– Myślałem, że jesteś w domu – powiedział, opuszczając broń.

– Byłam w domu. Ale potem postanowiłam sprawdzić, co z tobą.

– Nic mi nie jest.

– Jesteś tylko trochę spięty. – Spojrzała na pistolet.

– Wolę słowo „profesjonalny".

Skrzyżowała ręce na piersi, odetchnęła głęboko i zapatrzyła się w mgiełkę wydobywającą się z jej ust.

– Wszyscy tkwimy w tym po uszy – odezwała się.

Schował pistolet do kabury, nie powiedział ani słowa.

Podeszła do niego bliżej.

– Rozumiem facetów, którzy duszą wszystko w sobie. Milczących wojowników. W FBI jest takich na pęczki. Ale to już trochę niemodne. I nieco drażniące, zwłaszcza w dzisiejszych czasach.

Robie odwrócił wzrok.

– Nie jestem podobny do ludzi z FBI, Vance. Ja zabijam. Dostaję rozkazy. I wypełniam je. Nie mam wyrzutów sumienia. Nie mam nic.

– W takim razie dlaczego nie zabiłeś Jane Wind i jej syna? Dlaczego traciłeś czas, żeby zapewnić bezpieczeństwo jej drugiemu dziecku? I zrobiłeś to, choć ktoś próbował cię zabić. Wytłumacz mi.

– Może powinienem był ją po prostu zabić.

– Gdybym pomyślała, że wierzysz w to, co mówisz, zastrzeliłabym cię w tej chwili bez wahania.

Obrócił się i zobaczył w dłoni Vance pistolet wycelowany w swoją pierś.

– Więc jak, Robie, jesteś zwyczajnym zabójcą? Nie obchodzi cię nikt ani nic?

– A co ci do tego?

– Sama nie wiem. Ale najwyraźniej mnie to obchodzi. Może jestem po prostu głupia. Obiecałam ci tam, w domu, że będę wobec ciebie lojalna. Jednak ty chyba nawet tego nie zauważyłeś. Nie oczekiwałam, że zaczniesz skakać z radości, że postawiłam cię wyżej niż całe FBI i własną karierę, ale mogłam się chyba spodziewać chociaż jakiejś pozytywnej reakcji. Tymczasem ty zwyczajnie sobie poszedłeś.

Robie odwrócił się i zaczął iść w kierunku domu.

– Zawsze odchodzisz, kiedy pytania stają się kłopotliwe? – warknęła. – To jest twój sposób radzenia sobie z trudnymi sprawami? Jeśli tak, to do dupy. Spodziewałam się więcej po tobie.

Obrócił się w jej stronę, wsunął ręce do kieszeni i zaczął kołysać się na piętach w przód i w tył. Kilka razy odetchnął płytko, wpatrzony w jakiś punkt nad ramieniem Vance.

Ruszyła w jego stronę, chowając pistolet do kabury.

– Myślałam, że przyjeżdżając tutaj, wezmę udział w czymś wielkim. Proszę, nie mów mi, że się myliłam.

Robie spojrzał na dom.

– Ona jest jeszcze dzieckiem. To ją przerasta. Nie powinna brać udziału w czymś takim.

– Wiem o tym. Ale to twardy dzieciak. Bystry. I bardzo zdeterminowany.

Robie skrzywił usta.

– To nie jest zabawa na boisku. Ani egzamin z chemii, który albo się zaliczy, albo nie. Prawdopodobnie jedno z nas, albo oboje, nie doczeka końca tej historii. Więc jakie szanse ma ona?

– Przecież ty jesteś zabójcą, Robie. Powiedziałeś, że jedynie tym się zajmujesz. Co cię obchodzi, co się stanie ze mną czy z nią? To tylko kolejne zadanie. Zginiemy, to zginiemy.

– Ona nie powinna umierać. Zasługuje na to, by żyć.

– Raczej dziwne słowa w ustach profesjonalnego zabójcy.

– Okej, Vance, masz rację.

Vance wskazała na dom.

– Bierzmy się do roboty. Musimy opracować plan. Wszyscy razem.

Robie nie odezwał się, ale ruszył w stronę domu. Vance dotrzymała mu kroku.

– Cokolwiek się wydarzy, Julie powinna wyjść z tego cało – powiedział.

– Możesz mi wierzyć, że zrobię wszystko, żeby tak było – odparła Vance.

81

Jerome Cassidy.

Elizabeth Claire van Beuren. Jej panieńskie nazwisko brzmiało Elizabeth Claire. Dołączyła je do nazwiska po mężu – van Beuren.

Gabriel Siegel.

Tak brzmiały trzy nazwiska z listy.

Robie wpatrywał się w nie, pijąc kawę przy kuchennym stole.

Była ósma trzydzieści. Słońce już dawno wstało. Na górze słyszał szum wody z prysznica. Pewnie Vance właśnie poszła się umyć. Julie też była na nogach. Siedziała w pokoju i prawdopodobnie rozpamiętywała ich ostatnią utarczkę słowną.

Piętnaście minut później Vance siedziała naprzeciw niego, z włosami wciąż mokrymi, w pogniecionych, ale nieźle się prezentujących spodniach i koszuli.

– Jeśli mamy pozostawać dłużej niezauważalni – powiedziała – to będę musiała sobie skombinować trochę rzeczy do ubrania.

Robie skinął głową, wstał i nalał jej kawy.

Vance obróciła w swoją stronę kartkę i przyjrzała się nazwiskom.

– Kim się zajmiemy w pierwszej kolejności? – zapytała.

Robie postawił przed nią filiżankę akurat w chwili, gdy do kuchni weszła Julie. Miała podpuchnięte oczy, a jej ubranie było jeszcze bardziej pomięte niż strój Vance. Nie chciało się jej pewnie rozbierać, kiedy kładła się spać.

– Chcesz kawy? – Robie wskazał pustą filiżankę.

– Może być – odrzekła z irytacją w głosie.

Chwyciła filiżankę i napełniła ją kawą. Siedli przy stole, unikając swoich spojrzeń.

Robie podsunął Julie kartkę.

– Poznajesz któreś z tych nazwisk?

Przez dłuższą chwilę przypatrywała się liście.

– Nie. Nigdy nie słyszałam żadnego z nich od rodziców. Masz ich zdjęcia?

– Jeszcze nie – odparł Robie. – Jesteś pewna? Żadne nie brzmi znajomo?

– Nie.

Wziął do ręki listę i przyjrzał się jej.

– Gabriel Siegel mieszka najbliżej, w Manassas. Pojedziemy najpierw tam, zobaczymy, czego uda nam się dowiedzieć.

– Jeśli mamy się trzymać geografii, to van Beuren będzie następna, a Cassidy ostatni – stwierdziła Vance. – Tyle że oni wszyscy mogą pracować, a to, jak przypuszczam, są ich adresy domowe.

– Też się nad tym zastanawiałem. Ale jeśli nie będzie ich w domu, a zastaniemy kogoś innego, to pokażemy nasze odznaki i dostaniemy adres do pracy.

– Jadąc pod któryś z tych adresów, możemy złapać ogon, Robie – ostrzegła Vance. – I będą nas śledzić aż tutaj.

– Nie pozostaje nic innego, jak upewniać się co chwila, że nikt za nami nie jedzie.

– A gdybyśmy najpierw zadzwonili do ludzi z listy? – zaproponowała Julie. – Dzięki temu nie musielibyśmy się nikomu pokazywać.

– Albo gdybym zadzwoniła do Biura i ściągnęła ich na przesłuchanie? – podchwyciła Vance. – Nie mogli przecież przekupić wszystkich w FBI.

– W ten sam sposób myśleliśmy już poprzednio – zauważył Robie. – I nie wyszło to na dobre.

– Daj spokój, wiesz, co mam na myśli.

– Wolałbym, żebyśmy zrobili to sami – odparł.

– Okej, w takim razie na początek bierzemy się za Siegla – postanowiła Vance. – Przyjrzałam się jego służbie wojskowej. Co nam wiadomo na jego temat?

– Był sierżantem sztabowym. Dowódcą drużyny. Ma dziś pięćdziesiąt lat. Od dawna poza armią. Nie wiem, co robi teraz. Moje źródło nie dysponowało taką informacją.

Julie wyjęła telefon, który dał jej wcześniej Robie.

– Pokażcie mi ten życiorys i dajcie adres. Zobaczymy, czy Google nam coś powie na jego temat.

Przejrzała papiery przyniesione przez Robiego i wstukała coś na miniaturowej klawiaturze. Potem czekała, aż strona się załaduje

– Pan Siegel ma swój profil na Facebooku. – Obróciła telefon, żeby mogli zobaczyć. Na wyświetlaczu było zdjęcie mężczyzny z obfitym podbródkiem i posiwiałymi włosami.

– Wiemy na pewno, że to ten człowiek? – zapytała Vance.

– Na swoim profilu wspomina, że walczył podczas pierwszej wojny w Zatoce. Wymienił nawet nazwę drużyny, w której służył.

Pokazała wpis Robiemu, który skinął głową.

– To jest ten Siegel.

– Z jego profilu wynika, że pracuje w banku SunTrust na stanowisku kierownika oddziału – ciągnęła Julie.

– W okolicy jest mnóstwo oddziałów SunTrust – zauważyła Vance. – Nie napisał, o który chodzi?

– Nie. Ale napisał, że jego zainteresowania to broń, futbol i konkursy kulinarne. Ma dwudziestu dziewięciu znajomych, czyli niedużo, ale nie wiem, od jak dawna jest na Facebooku. On jest naprawdę stary.

– Ma dopiero pięćdziesiąt lat – podkreśliła Vance.

Julie wzruszyła ramionami.

– Jest naprawdę stary. Nie widzę też na jego profilu niczego, co tłumaczyłoby, dlaczego zginęli ci wszyscy ludzie.

– A Cassidy? – zapytał Robie.

Julie wcisnęła kilka klawiszy i pojawiła się odpowiednia strona.

– Jest kilku Jerome'ów Cassidych. – Zaczęła przewijać stronę w dół. – Na pierwszy rzut oka nie widać nikogo, kto wspominałby o służbie w wojsku. Nie pojawia się też adres, który podałeś. Ale mogę poszukać głębiej.

– Spróbuj van Beuren. To nie jest popularne nazwisko – powiedziała Vance.

Julie spełniła jej prośbę.

– Jest ich dużo więcej, niż można by się spodziewać – stwierdziła. – Przejrzenie tego wszystkiego zajmie trochę.

– Nie mamy teraz czasu – odparł. – Musimy się zbierać.

Wyprowadził ze stodoły samochód. Wcześniej zapakował do niego z podziemnego bunkra sprzęt, który według niego mógł im się przydać. Pokazał Vance leżącą na tylnym siedzeniu broń. Dotknęła dłonią MP-5 i obejrzała karabin Barrett, który był w stanie zrobić dziurę w opancerzonym hummerze.

– Skąd wziąłeś coś takiego? – zapytała. – Zresztą nieważne, nie chcę wiedzieć – dodała szybko.

Robie wyjął z bagażnika trzy kamizelki kuloodporne. Jedną pomógł założyć Julie, drugą założyła na siebie Vance. Ścisnęła ją mocno paskami i narzuciła na wierzch kurtkę.

– Czy to naprawdę konieczne? – zaprotestowała Julie.

– Jeśli chcesz przeżyć... – odparł Robie.

– Jest ciężka.

– Lepsze to, niż dostać kulkę – stwierdziła Vance.

Robie zamknął drzwi stodoły i usiadł za kierownicą, Vance obok niego, a Julie z tyłu.

– Być może jesteśmy tu ostatni raz – powiedziała Vance.

– Co będzie, to będzie – odrzekł Robie. – A teraz przekonajmy się, co ma nam do powiedzenia pan Siegel.

Uruchomił silnik i ruszył w stronę głównej drogi.

82

Uliczka była cicha, ocieniona rzędem drzew, z szeregiem skromnych rozmiarów domów z garażami, wartych dwa, trzy razy więcej niż w innych częściach kraju. Działki, na których stały, były niewielkie i zaniedbane, przerośnięte krzewy zasłaniały większość frontonów. Samochody stały zaparkowane wzdłuż ulicy, a na kilku podwórkach, pod czujnym okiem matek lub opiekunek, bawiły się dzieci.

Robie zwolnił, szukając numeru posesji. Vance dostrzegła go pierwsza.

– Trzeci po prawej – powiedziała. – Na podjeździe stoi furgonetka. Miejmy nadzieję, że ktoś jest w domu.

Robie zatrzymał się przy krawężniku i wyłączył silnik. Zdjął okulary przeciwsłoneczne, wyjął ze skrytki lornetkę i rozejrzał się po okolicy. Znalazł mnóstwo miejsc, skąd mógł nastąpić potencjalny atak, zbyt wiele, żeby zapewnić sobie odpowiednie ukrycie.

– Jesteśmy całkiem na widoku – stwierdził.

– Nic dziwnego – odparła Vance. – Ja zastukam do drzwi. A ty mnie stąd ubezpieczaj.

– A może zrobimy odwrotnie? – zaproponował Robie.

– Ja mam odznakę FBI. Jest lepsza od twojej.

– Federalna odznaka, nieważne jaka, robi jednakowe wrażenie na każdym.

Vance zdążyła już otworzyć drzwi samochodu.

– Jeśli ktoś zacznie strzelać, odpowiedz ogniem – powiedziała. – I strzelaj celnie.

Robie i Julie nie spuszczali z niej oka, gdy weszła na werandę i zadzwoniła do drzwi.

Robie wyjął z kabury pistolet, wcisnął guzik opuszczający szybę po stronie pasażera i zaczął omiatać wzrokiem całą okolicę, wracając co chwila do sylwetki Vance.

– Jest całkiem odważna, skoro tak po prostu tam poszła – zauważyła Julie.

– W końcu jest superagentką specjalną FBI. Taki fach.

– Nie staraj się być dla mnie za wszelką cenę miły, Robie.

– Więc teraz jestem Robie? A gdzie się podział Will?

Nie odpowiedziała.

Frontowe drzwi otworzyły się i Robie skoncentrował swoją uwagę na kobiecie, która stanęła w progu. Vance pokazała jej odznakę i przez kilka minut tłumaczyła, w jakiej sprawie przyszła. Twarz kobiety – Robie podejrzewał, że to jest żona Siegla – wyrażała zdumienie. Obie rozmawiały jeszcze jakąś minutę, następnie drzwi zamknęły się, a Vance szybko ruszyła do samochodu.

Robie dostrzegł, że w oknie odchyliła się firanka i kobieta wyjrzała dyskretnie na zewnątrz.

Kiedy Vance już wsiadła do wozu, Robie uruchomił silnik.

– Gabriel Siegel pracuje w oddziale banku SunTrust oddalonym o dziesięć minut jazdy stąd. Dostałam od jego żony adres.

– Wyglądała na zaskoczoną – podzielił się swoim spostrzeżeniem Robie.

– Bo była zaskoczona. Moim zdaniem spodziewała się, że moja wizyta ma związek z jakimiś problemami w banku.

– Może jej mąż kradnie forsę – zaszczebiotała Julie. – Albo pierze pieniądze terrorystów. A moi rodzice i pozostali to odkryli.

– Być może – odpowiedział Robie i zwrócił się do Vance: – Ta kobieta obserwowała cię z okna, jak wracałaś do samochodu.

– Wcale się nie dziwię. A teraz pewnie dzwoni do męża. Lepiej tam jedźmy.

– Ja się z nim spotkam – zadecydował Robie. – Ty zostaniesz w samochodzie z Julie.

– A kiedy ja będę miała wreszcie do zrobienia coś prócz siedzenia w samochodzie? – zapytała Julie.

– Przyjdzie pora także na ciebie – uspokoił ją Robie. – Zanim to wszystko się skończy, każdy będzie miał dość roboty.

* * *

Do oddziału banku dotarli w niecałe dziesięć minut. Robie zostawił Vance i Julie w samochodzie, a sam wszedł do niewielkiego budynku z cegły przy jednej z ruchliwych ulic w Manassas. Zapytał o Gabriela Siegla i wskazano mu maleńki szklany boks.

Siegel miał metr siedemdziesiąt wzrostu, był krępy i bardzo blady. Zdaniem Robiego dużo lepiej prezentował się na fotografii na Facebooku.

Podniósł się zza biurka i zapytał:

– O co chodzi?

Ton jego głosu wskazywał, że żona zdążyła go uprzedzić.

Robie pokazał swoją odznakę.

– Walczył pan w pierwszej wojnie w Zatoce?

– Tak, i co z tego? Armia się o mnie znowu upomina? Nie ma mowy. Ja swoje odsłużyłem. Poza tym brak mi już kondycji, żeby się uganiać z karabinem po pustyni.

Usiadł z powrotem na swoim krześle, podczas gdy Robie stał.

– Bardziej mnie interesują ludzie, z którymi pan służył. Utrzymuje pan z którymś z nich kontakt?

– Z niektórymi tak.

– Z kim konkretnie?

– A o co właściwie chodzi?

Bankowiec zaczyna się stawiać, pomyślał Robie.

– To kwestia bezpieczeństwa narodowego. Mogę powiedzieć tylko tyle, że moje pytanie wiąże się z eksplozją w autobusie i strzelaniną w restauracji na Kapitolu, w której zginęli ludzie.

Siegel zbladł jeszcze bardziej.

– Jezus Maria. Ktoś z mojej dawnej drużyny jest w to zamieszany? Nie mogę uwierzyć.

– Więc zna ich pan wszystkich dobrze, tak? – zapytał wprost Robie.

– Nie... to znaczy... my wszyscy walczyliśmy za ojczyznę. Żeby tak się zmienić... – Nie dokończył. Siedział tak, z pulchnymi dłońmi złożonymi na blacie taniego biurka, i wyglądał jak mały chłopiec, któremu właśnie powiedziano, że jego ukochanego pieska przejechał samochód.

– Z kim z nich utrzymywał pan kontakt?

Siegel otrząsnął się z zamyślenia i zaczął powoli wymieniać.

– Doug Biddle, Fred Alvarez, Bill Thompson i Ricky Jones nie żyją. Od wielu lat.

– To wiem. Ale oni nie mieszkali w tej okolicy. Byli porozrzucani po całym kraju.

– Tak, ale dzwoniliśmy do siebie. Pisaliśmy maile. Doug przyjechał tu raz, zabrałem go wtedy na wycieczkę, pokazałem pomniki. Fred zginął w wypadku samochodowym. Billy włożył sobie lufę pistoletu do ust i pociągnął za spust. Doug i Ricky chorowali na raka. Byli młodsi ode mnie. Moim zdaniem to wina tego gówna, na które byliśmy wtedy wystawieni. Wie pan, syndrom wojny w Zatoce. Człowiek umiera i nawet o tym nie wie. Za każdym razem, kiedy mam migrenę, zaczynam o tym myśleć.

Opadł z powrotem na krzesło.

Robie usiadł naprzeciw niego.

– A ma pan kontakt z którymś z dawnych kolegów mieszkających tu, w okolicy?

– Kilka razy widziałem się z Leo Broome'em. Ale to było jakiś czas temu.

– Jak dawno?

– Ponad dziesięć lat temu. Wpadłem na niego przypadkiem w barze w Seattle. On przyjechał tam w interesach, a ja akurat zmieniłem pracę i zostałem wysłany na jakieś seminarium. Wyglądało na to, że dobrze mu się wiedzie. Chyba pracował dla rządu czy coś w tym rodzaju. Nie pamiętam już.

– Z kimś jeszcze?

– Na Bliskim Wschodzie trzymaliśmy się blisko z Curtisem Gettym. Ale nie widziałem go od powrotu do Stanów. Nie wiem nawet, gdzie się teraz podziewa.

I że nie żyje, pomyślał Robie.

– Leo Broome wspominał kiedykolwiek o Gettym?

– Nie pamiętam. Nie wiem dlaczego, ale oni chyba nie utrzymywali ze sobą kontaktów. Ale jak mówię, to było dziesięć lat temu.

Dziesięć lat temu, to może być ważne, pomyślał Robie.

– Z kimś jeszcze, może na przykład z Rickiem Windem?

– Nie. Od lat go nie widziałem. Kiedyś tak. Ale potem zrobił się jakiś dziwny. Kupił lombard w zakazanej okolicy. Nie wiem. Po prostu się zmienił.

– A z Jerome'em Cassidym?

– Nie. Nie spotkałem, od kiedy wyszliśmy z wojska.

– Mieszka w okolicy. Całkiem niedaleko stąd.

– Nie wiedziałem.

– A z Elizabeth van Beuren? To nazwisko po mężu. Panieńskie brzmiało...

– Elizabeth Claire, wiem.

– To było niezwykłe mieć w oddziale kobietę, prawda?

– Tak. Teraz jest oczywiście inaczej. Ale ja zawsze uważałem, że wykluczanie kobiet z walki było błędem. One potrafią walczyć tak samo dobrze jak mężczyźni. A w oddziale ich rola jest nieoceniona. Mężczyźni usiłują się zachowywać jak macho. Kobiety scalają oddział. I powiem panu jeszcze coś: chociaż kobiety służyły głównie w jednostkach wsparcia i miały w ogóle nie strzelać, to strzelały, i to jak. Przynajmniej w pierwszej wojnie w Zatoce. Lizzie była jedną z najlepszych. Była lepszym żołnierzem ode mnie, tyle panu powiem.

– Ale ona nie służy już w wojsku – odezwał się Robie.

– Nie bez powodu – odparł Siegel.

– Utrzymuje pan z nią kontakt?

– Utrzymuję.

– No więc, dlaczego nie jest już w wojsku?

– Rak. Zaczęło się od raka piersi, potem poszły przerzuty. Do mózgu, płuc, wątroby. Jest w stanie agonalnym. Kiedy pojawiają się przerzuty, to koniec. Leży w hospicjum w Gainesville.

– Odwiedza ją pan?

– Odwiedzałem regularnie do zeszłego miesiąca. Raz było lepiej, raz gorzej. Potem coraz gorzej. Dostawała morfinę. Nie jestem nawet pewny, czy jeszcze żyje. Powinienem wpadać do niej do końca, ale oglądanie jej w takim stanie jest dla mnie zbyt trudne.

– Jak się nazywa to miejsce?

– Central Hospice Care. Przy Route 29.

– Okej.

– Mówię panu – wykrzyknął Siegel – wdychaliśmy tam jakieś gówno! Zubożony uran, toksyczny koktajl z amunicji artyleryjskiej. Wszystko dookoła płonęło, niebo było czarne od dymu, a paliło się jakieś cholerstwo, nawet nie wiedzieliśmy co. I wdychaliśmy to. Równie dobrze to ja mógłbym leżeć w hospicjum i czekać, aż nadejdzie koniec.

Robie wręczył Sieglowi wizytówkę.

– Jeśli coś jeszcze się panu przypomni, proszę do mnie zadzwonić.

– A o co tu właściwie chodzi? Jak ktoś z mojego dawnego oddziału mógł się wpakować w taką historię?

– Próbujemy to ustalić. – Robie zrobił krótką przerwę. – Czy żona uprzedziła pana o naszej wizycie?

– Owszem – przyznał Siegel.

– Coś ją niepokoiło?

– Boi się, że mogę stracić pracę.

Robie przypomniał sobie teorię Julie o praniu brudnych pieniędzy terrorystów.

– Dlaczego? Jakieś problemy w banku?

– Nie zrobiłem nic złego, jeśli to ma pan na myśli. Ale kto teraz przychodzi osobiście do banku? Wszystko załatwia się przez internet. Będę tu dzisiaj siedział osiem godzin, a zobaczę może dwie osoby. Jak pan myśli, jak długo będą mi jeszcze za to płacić? Banki nie bez powodu mają pieniądze. Są cholernie tanie. Dni takich oddziałów są policzone. Świat się zmienił. Tylko ja się w porę nie zmieniłem. Może skończę, biegając znów z karabinem po pustyni. Co innego może robić facet w moim wieku? Zostanę starym, spasionym najemnikiem. I pewnie zginę pierwszego dnia.

– Cóż, dziękuję za pomoc.

– Taa… – rzucił nieobecnym głosem Siegel.

Robie wyszedł, zostawiając Siegla, który wyglądał tak, jakby już dostał wyrok śmierci.

83

Dwadzieścia minut później zajechali na parking przed hospicjum. Stało na nim około piętnastu samochodów. Robie okrążył parking, sprawdzając, czy w którymś z aut ktoś nie siedzi.

Zatrzymał się na wolnym miejscu i spojrzał na Vance.

– Chcesz tam pójść czy ja mam to załatwić?

– Ja chcę pójść – odezwała się Julie.

– Dlaczego? – zapytał Robie.

– Ona walczyła z moim tatą. Może wie coś o nim.

– Pewnie nie będzie nawet w stanie rozmawiać – zauważyła Vance.

– W takim razie po co w ogóle tu przyjechaliśmy? – zapytała Julie.

– Wezmę ją ze sobą – powiedział Robie. – A ty miej oko na wszystko.

– Jesteś pewny? – zapytała Vance.

– Nie, ale tak zrobimy.

Razem z Julie wszedł do hospicjum, piętrowego budynku z cegły z mnóstwem okien i pogodną atmosferą wewnątrz. Nie przypominało ono miejsca, do którego ludzie trafiają, by pożegnać się z życiem. Może o to właśnie chodziło.

Widok odznaki Robiego sprawił, że od razu zostali zaprowadzeni do pokoju Elizabeth van Beuren. Było tu równie sympatycznie, jak w całym budynku; na stoliku, na parapecie stały kwiaty. Nad panią van Beuren pochylała się pielęgniarka. Kiedy się odsunęła, prysły nadzieje Robiego na uzyskanie jakichkolwiek informacji od śmiertelnie chorej kobiety.

Przypominała szkielet i była podłączona do respiratora, maszyny wypełniającej płuca powietrzem przez rurkę wetkniętą w tchawicę. Druga rurka odsysała trujący dwutlenek węgla. Kolejna, sonda żołądkowa, służyła do odżywiania chorej. Do tego kilka kroplówek sączących do jej żył leki.

– W czym mogę pomóc? – zapytała pielęgniarka.

– Przyszliśmy zadać pani van Beuren kilka pytań – wyjaśnił Robie. – Ale to chyba niemożliwe.

– Sześć dni temu została podłączona do respiratora – powiedziała pielęgniarka. – Raz jest gorzej, raz lepiej. Jest na silnych środkach przeciwbólowych. – Poklepała dłoń pacjentki. – Jest naprawdę kochana. Służyła w wojsku. To straszne, że tak kończy. – Przerwała na chwilę. – A jakie pytania chciał pan zadać?

Robie wyciągnął swoją odznakę.

– Pracuję dla Departamentu Obrony. Prowadzimy śledztwo w pewnej sprawie dotyczącej wojska i przy tej okazji van Beuren pojawiła się jako potencjalne źródło informacji.

– Rozumiem. Ale obawiam się, że niewiele wam pomoże. To już ostatnie stadium choroby.

Robie spojrzał na respirator i inne urządzenia monitorujące podłączone do leżącej na łóżku kobiety.

– Więc respirator podtrzymuje ją przy życiu?

– Tak.

Spojrzał na Julie, która wpatrywała się w panią van Beuren.

– Przecież to jest hospicjum – zauważył.

Pielęgniarka wyglądała na zakłopotaną.

– Są różne rodzaje hospicjów. Wszystko zależy od tego, czego życzy sobie pacjent albo jego rodzina. – Spojrzała na kobietę. – Z respiratorem czy bez to nie potrwa już długo.

– Rodzina zażyczyła sobie respirator? – zapytał Robie.

– Naprawdę nie wolno mi na ten temat mówić. To są prywatne sprawy. Poza tym nie rozumiem, co to ma wspólnego z wojskowym śledztwem – dodała z lekkim rozdrażnieniem.

Julie podeszła do okna i wzięła do ręki leżącą na parapecie fotografię.

– Czy to jej rodzina?

Pielęgniarka spojrzała zaciekawiona na Julie, a potem na Robiego.

– Powiedział pan, że jest z Departamentu Obrony. A dlaczego ona jest z panem?

– Naprawdę nie wolno mi na ten temat mówić – odpowiedział Robie, ucinając dyskusję.

Julie podeszła do Robiego, chcąc mu pokazać zdjęcie. Jednocześnie wyjaśniła pielęgniarce:

– Mój tata służył w tym samym pododdziale co pani van Beuren. Miałam nadzieję, że dowiem się od niej czegoś o ojcu.

Pielęgniarka przestała być taka sztywna.

– Ach, rozumiem, kochanie. Nie wiedziałam. Tak, to jest ona z rodziną. Wcześniej było tu więcej fotografii, ale córka i mąż powoli je stąd zabierają. Wiedzą, że koniec jest już bliski.

Robie wziął do ręki zdjęcie. Przedstawiało panią van Beuren, kiedy była jeszcze zdrowa. Stała w zielonym mundurze, na piersiach błyszczały medale. Obok niej mężczyzna, pewnie mąż. I dziewczynka, mniej więcej w wieku Julie.

– To jest jej mąż? – zapytał Robie.

– Tak. George van Beuren. A to ich córka, Brooke Alexandra. Teraz jest oczywiście starsza. Zdjęcie pochodzi sprzed kilku lat. Córka studiuje w college'u.

– Zna ją pani?

– Często odwiedza matkę. Brooke to urocza dziewczyna. Jest bardzo przejęta jej stanem.

– A mąż?

– Przychodzi regularnie. Też jest zrozpaczony. Mają zaledwie pięćdziesiąt lat i coś takiego. Ale czy jest jakaś sprawiedliwość na tym świecie?

– Czy ktoś jeszcze ją odwiedza?

– Było kilka osób. Z tego co wiem. Nie pracuję w tym skrzydle cały czas.

– Macie tu rejestr gości?

– W recepcji. Ale nie wszyscy się wpisują.

– Dlaczego?

– To nie jest instytucja, w której trzeba zachowywać podwyższone środki bezpieczeństwa. – Pielęgniarka się najeżyła. – Tu przychodzą ludzie, którzy chcą odwiedzić swoich bliskich albo przyjaciół i przeważnie są bardzo przygnębieni. Czasem zapomną się wpisać do rejestru gości. Albo jedna osoba wpisuje się za całą grupę. Jesteśmy w tej kwestii dość elastyczni, rozumie pan. W końcu przyjeżdżają tu, żeby okazać swoją miłość, szacunek i wsparcie. To nie jest miejsce, które chętnie się odwiedza.

– Rozumiem. Jak długo ona tu leży?

– Cztery miesiące.

– To chyba długo jak na hospicjum?

– Mamy pacjentów, którzy leżą dłużej i krócej. Tego nie da się przewidzieć. Jeszcze kilka tygodni temu pani van Beuren nie była w takim stanie jak teraz. Załamanie nastąpiło stosunkowo szybko.

– Ale respirator będzie ją podtrzymywał przy życiu dopóty, dopóki będzie do niego podłączona, zgadza się? To znaczy nawet kiedy nie będzie w stanie samodzielnie oddychać?

– Naprawdę nie mogę z panem na ten temat rozmawiać. Zabrania mi tego prawo federalne i stanowe.

– Staram się tylko zrozumieć sytuację.

Pielęgniarka kolejny raz poczuła się zakłopotana.

– Widzi pan, normalnie zastosowanie respiratora pozbawia pacjenta prawa do opieki hospicyjnej. Hospicjum jest po to, żeby pacjent mógł umrzeć z godnością. To nie miejsce, gdzie się leczy choroby albo sztucznie podtrzymuje kogoś przy życiu.

– Więc zastosowanie respiratora w takiej sytuacji jest czymś nietypowym?

– Mogłoby być podstawą do pozbawienia prawa do opieki hospicyjnej i odesłania pacjentki do szpitala lub jakiegoś domu opieki.

– Skąd więc ten respirator? – zapytał Robie. – Czy ona ma szansę wyjść z tego?

– Nawet gdybym wiedziała, nie mogłabym panu powiedzieć. Mogę tylko dodać, że czasem rodziny zaczynają żywić złudne nadzieje. Albo podejmują decyzję o umieszczeniu pacjenta w hospicjum, a potem ją zmieniają.

– Rozumiem – rzekł Robie.

– Trudno jest patrzeć, jak ktoś bliski umiera – dodała Julie.

– Tak – przyznała pielęgniarka. – Bardzo trudno. Ale teraz, jeśli nie macie więcej pytań, to mam tu trochę roboty przy mojej pacjentce.

– Powiedziała pani, że mąż odwiedza ją regularnie?

– Tak, ale o dziwnych porach. Brooke studiuje w innym stanie, więc nie pojawia się tak często.

– Może wie pani, gdzie pracuje jej mąż?

– Nie, nie wiem.

– Pewnie uda mi się to ustalić bez trudu.

Pielęgniarka spojrzała na Julie, która wpatrywała się w panią van Beuren.

– Przykro mi, że nie może ci nic powiedzieć o twoim ojcu.

– Mnie też.

Julie dotknęła dłoni pani van Beuren.

– Przykro mi – odezwała się do umierającej kobiety.

A potem odwróciła się i wyszła. Robie dał pielęgniarce swoją wizytówkę.

– Kiedy pojawi się jej mąż, czy mogłaby pani go poprosić, żeby do mnie zadzwonił?

Spojrzał jeszcze raz na śmiertelnie chorą kobietę, odwrócił się i ruszył w ślad za Julie.

84

Robie przytrzymał Julie drzwi i następnie sam wsiadł do samochodu. Zapiął pasy i spojrzał na Vance.

– Nie wydaje mi się, żeby Elizabeth van Beuren mogła nam w czymś pomóc. Ona nie mówi. I nie pożyje już długo.

– A co z Sieglem? Nie byłeś zbyt rozmowny po wyjściu z banku.

– Powiedział, że rozmawiał z Leo Broome'em, ale ponad dziesięć lat temu. Mówił też, że nie wiedział, że Curtis Getty i Jerome Cassidy mieszkali w tej okolicy. Sprawia wrażenie faceta, który tylko czeka, kiedy zachoruje na raka albo straci pracę. Jeśli nie ukrywa czegoś naprawdę głęboko, to raczej nie pasuje mi do tej całej historii.

– W takim razie pozostaje nam Jerome Cassidy – stwierdziła Vance.

– On mieszka w Arlington, tak?

– Tak jest napisane w papierach.

– Zauważyłaś coś podejrzanego?

– Zupełnie nic.

– W takim razie jedziemy.

Dotarcie do Arlington zajęło im ponad godzinę, ponieważ na drodze panował duży ruch, czyli normalny ruch w kierunku Waszyngtonu. Zbliżała się pora lunchu, kiedy Robie znalazł wolne miejsce na parkingu i wreszcie się zatrzymał.

– Jesteś pewna, że to tutaj? – zwrócił się z pytaniem do Vance.

Podała mu kartkę, żeby sam przeczytał.

Cała trójka obejrzała się na budynek obok.

– Tu jest bar – zauważyła Julie.

Robie spojrzał w górę.

– Ale nad barem są pokoje. Może Cassidy mieszka w jednym z nich.

– Teraz moja kolej – powiedziała Vance, rozpinając pasy.

Robie zerknął na drugą stronę ulicy, a potem z powrotem na nią. Najbliższa okolica, podobnie jak całe Arlington, była przeludniona. Znajdowało się tu zbyt wiele domów mieszkalnych i firm, a zbyt mało ziemi, na której można stawiać budynki. W rezultacie ulice były wąskie, brakowało miejsc do parkowania, za to roiło się od dziur i zakamarków, w których mógł się czaić jakiś obserwator.

– Tym razem chodźmy wszyscy – zaproponował Robie.

Vance pokręciła głową.

– A co z samochodem? Nie możemy go zostawić bez opieki. Nie chcę po powrocie znaleźć podłożonej pod nim bomby.

– Dostałem ten samochód z wyjątkowej instytucji. A to znaczy, że został wyposażony w wyjątkowe zabezpieczenia.

– Na przykład jakie?

– Takie, że jeśli ktoś spróbuje się do niego włamać albo coś podłożyć, to spotka go bardzo niemiła niespodzianka, a my szybko zostaniemy zaalarmowani.

Wysiedli wszyscy. Robie wodził uważnie oczami po okolicy.

– Co się dzieje? – zapytała nerwowo Vance. – Widzisz coś?

– Nie, ale to nie oznacza, że gdzieś ich tu nie ma.

– W innych miejscach nie byłeś taki spięty.

– To dlatego, że to jest ostatnie miejsce.

– Jasne. Rozumiem. – Vance wzięła głęboki wdech i pokiwała głową.

Bar nosił nazwę Texas Hold'Em Saloon. Brakowało dziesięciu minut do południa, a w środku siedziało już co najmniej dwadzieścia osób. Dekoracja wnętrza była westernowa, wszędzie pełno siodeł, uzd, kowbojskich kapeluszy i butów, a ściany zdobiły rysunki przedstawiające jeźdźców na koniach, pędzone bydło, równinne krajobrazy Teksasu. W głębi znajdował się olbrzymi bar zajmujący całą szerokość wnętrza. Przed nim stały stołki z oparciami w kształcie bawolich rogów. Na ścianie za barem wisiała spora flaga Teksasu. Wokół flagi stały setki butelek z trunkami przeznaczonymi do przepłukania gardła, odchudzenia portfela i otępienia zmysłów.

– Ktoś zainwestował w to mnóstwo pieniędzy – zauważył Robie.

Podeszła do nich, z menu w ręce, młoda kobieta, ubrana cała na czarno, nie licząc białego kowbojskiego kapelusza i białych butów.

– Impreza we troje? – zapytała.

– Być może – odparł Robie. – Dostaliśmy ten adres od naszego znajomego, Jerome'a Cassidy'ego. Zna go pani?

– Pan Cassidy jest właścicielem tego lokalu.

Robie i Vance wymienili szybkie spojrzenie.

– Czy jest teraz?

– Kogo mam zaanonsować? – zapytała uprzejmie kobieta.

Vance wyjęła swoją odznakę.

– FBI. Może nas pani do niego zaprowadzić?

Kobieta zawahała się.

– Tylko się upewnię, czy jest na miejscu.

– Pójdziemy sprawdzić razem z panią – odparł Robie.

Jej uprzejmość w jednej chwili znikła. Kelnerka obrzuciła ich nerwowym spojrzeniem.

– Czy pan Cassidy ma jakieś kłopoty? To wspaniały szef.

– Chcemy z nim tylko porozmawiać – uspokoił ją Robie. – Więc jak, jest tutaj?

– W biurze na zapleczu.

– Niech pani prowadzi – powiedział.

Obróciła się na pięcie i ruszyła niepewnie. Minęła bar, przeszła krótkim korytarzem i skręciła w prawo. Otworzyła drzwi z tabliczką „Tylko dla personelu". Za drzwiami był kolejny krótki korytarz i dwoje drzwi po każdej stronie. Zatrzymała się przy tych opatrzonych tabliczką „Biuro" i nieśmiało zapukała.

Usłyszeli dochodzące z wnętrza odgłosy.

Dłoń Robiego powędrowała w kierunku rękojeści pistoletu. Vance spostrzegła to i zrobiła to samo.

Ze środka dobiegło donośne:

– Tak?

– Panie Cassidy? To ja, Tina. Są ze mną ludzie, którzy chcieliby z panem porozmawiać.

– A byli umówieni?

– Nie.

– To powiedz im, żeby się najpierw umówili.

Robie podszedł do drzwi i spróbował je otworzyć. Były zamknięte.

– Hej! – zawołał Cassidy. – Co jest, u diabła? Powiedziałem, że mają się umówić.

Robie załomotał do drzwi.

– Cassidy, jesteśmy z FBI. Otwieraj! Natychmiast!

Robie usłyszał nowe odgłosy: przestawiania czegoś, zamykania szuflad. Cofnął się i kopnął prawą nogą w klamkę. Tina krzyknęła i odskoczyła, a drzwi stanęły otworem.

Robie i Vance trzymali już w dłoniach broń. Vance odsunęła Julie na bok.

– Zostań z tyłu – rozkazała.

Robie wpadł do pokoju, a Vance go ubezpieczała.

Cassidy stał za biurkiem i patrzył na nich. Był mniej więcej wzrostu Robiego, miał szerokie ramiona i wąskie biodra. Włosy dość długie, brązowe, przyprószone siwizną. Jego pociągła twarz dobrze się prezentowała z kilkudniowym zarostem. Ubrany był w wytarte dżinsy i wypuszczoną na wierzch białą koszulę.

– Może mi powiecie, z jakiego powodu rozwalacie drzwi i celujecie we mnie z broni? – odezwał się Cassidy, kiedy Robie podszedł do niego.

– A może pan nam powie, dlaczego nie otworzył pan drzwi, kiedy o to prosiliśmy?

Właściciel baru zerknął na pistolet w dłoni Robiego. Potem przeniósł wzrok na wchodzącą do pokoju Vance.

– Pokażcie mi swoje odznaki.

Robie i Vance spełnili jego żądanie.

Mężczyzna obejrzał je dokładnie, sięgnął po długopis i zapisał w leżącym na biurku notatniku ich nazwiska i numery legitymacji.

– Przekażę te informacje moim prawnikom, a oni dobiorą wam się do dupy.

– Nie otworzył pan drzwi, panie Cassidy – zwrócił uwagę Robie.

– Właśnie zamierzałem to zrobić, kiedy je rozwaliliście. Poza tym nie wiedziałem, czy rzeczywiście jesteście agentami federalnymi.

– Pańska pracownica powiedziała panu, że jesteśmy z FBI.

– Płacę jej dziesięć dolarów za godzinę, żeby robiła dobre wrażenie i sadzała ludzi przy stołach. Nie jestem pewny, czy potrafi odróżnić agenta FBI od listonosza albo od jakiegoś faceta, który będzie próbował mnie obrobić. – W drzwiach zobaczył Tinę. – W porządku, Tina. Wracaj do pracy. – Kobieta szybko odeszła, a Cassidy przeniósł wzrok na chowającego broń do kabury Robiego. – Pan nie jest nawet z FBI. Pan jest z DCIS.

– Wie pan, co to jest DCIS?

– Byłem w wojsku. I co z tego? – Usiadł za biurkiem, wyciągnął z kieszeni koszuli długie cygaro i zapalił.

– W restauracjach i barach w Wirginii nie wolno palić – zwróciła mu uwagę Vance.

– Co prawda nasz wspaniały stan Wirginia uznał za stosowne pozbawić swoich obywateli prawa do palenia w tego rodzaju lokalach, mimo że departament zdrowia, który wymusił takie przepisy, ku radości palaczy nie ma realnych możliwości wyegzekwowania ich, ale akurat to miejsce jest moim miejscem prywatnym i ma zapewnioną odpowiednią wentylację, a ja mogę tu zadymić się na śmierć. Chcecie usiąść i popatrzeć?

– Mamy do pana kilka pytań – oznajmił Robie.

– A moi prawnicy nie będą mieli ochoty na nie odpowiadać. – Ze staromodnego wizytownika wyjął jedną z wizytówek i wręczył ją Robiemu. – Tutaj znajdzie pan ich namiary, panie DCIS.

– Zawsze pan tak szybko wzywa na pomoc swoje gończe psy? – zapytał Robie.

– Dawno już przekonałem się, że są warci każdego wydanego na nich grosza.

– Rozumiem, że często potrzebuje pan pomocy adwokatów? – zapytała Vance.

– To jest Ameryka, szanowna pani. Jeśli biznesmen nie chce, żeby mu ktoś narobił kłopotów, powinien mieć prawnika na zawołanie.

Robie rozejrzał się po gabinecie. Urządzenie go musiało sporo kosztować. Na jednej ze ścian wisiała gablota z nagrodami za sukcesy w biznesie.

– Ten bar to jedna z dwudziestu firm, których jestem właścicielem. Wszystkie przynoszą wysoki dochód. Nie mam ani centa długów. Ilu z dupków z listy „Forbesa" może to o sobie powiedzieć? Mam nawet własny samolot.

– Świetnie – rzekł Robie, odkładając wizytówkę kancelarii prawniczej na biurko. – Przyszliśmy porozmawiać o pododdziale, w którym pan kiedyś służył.

Cassidy wydawał się autentycznie zaskoczony. Wyjął cygaro z ust.

– Po co, do diabła?

– Ma pan kontakt z którymś z kolegów?

Mężczyzna spojrzał mu przez ramię i dostrzegł wyglądającą zza progu Julie.

– Chodź tu, panienko – powiedział, podnosząc się zza biurka.

Julie zerknęła na Robiego, który lekko skinął głową. Weszła do pokoju.

– Podejdź bliżej – poprosił Cassidy.

Julie zbliżyła się do biurka.

Cassidy zgasił cygaro w popielniczce i potarł policzek.

– Niech to…

– Co się stało? – zapytała Vance.

– Ty jesteś Julie, prawda? – zapytał Cassidy.

– Tak. Ale ja pana nie znam.

– Znałem dobrze twoich rodziców. Co u nich?

– Skąd pan ich znał? – zapytał Robie.

– Sam pan o tym wspomniał, wojsko. Curtis Getty i ja służyliśmy razem. Kilka razy ratował mi tyłek w Zatoce.

– Dopiero niedawno się dowiedziałam, że mój tata służył w wojsku – powiedziała Julie.

Cassidy pokiwał głową, ale nie wydawał się zaskoczony.

– Curtis nie był specjalnie gadatliwy.

– Skąd pan wie, że mam na imię Julie? Chyba się nigdy wcześniej nie spotkaliśmy.

– Ponieważ jesteś bardzo podobna do swojej matki. Te same oczy, te same dołeczki, wszystko. I owszem, spotkaliśmy się. Tylko że byłaś wtedy niemowlakiem. Sam kilka razy zmieniałem ci pieluchę. Pewnie sknociłem wtedy robotę. Nie mam doświadczenia z dziećmi.

– Czyli utrzymywał pan z nimi kontakt? – zapytał Robie.

– Niedługo. Przestałem się z nimi widywać, kiedy Julie skończyła roczek.

– Co się stało?

Cassidy uciekł wzrokiem i wzruszył ramionami.

– Byli zajęci czymś innym. Oddaliliśmy się od siebie. – Spojrzał na Julie. – U mamy wszystko w porządku?

– Nie, mama nie żyje.

– Co takiego?! – zawołał. – Co się stało? – Oparł się jedną ręką o biurko dla zachowania równowagi.

– Jej mama i Curtis zostali zamordowani – wyjaśnił Robie.

– Zamordowani! – Cassidy opadł na krzesło. Posypały się pytania. – Dlaczego? Jak? Kto to zrobił?

– Mamy nadzieję, że pomoże nam pan odpowiedzieć na te pytania – powiedział Robie.

– Ja?

– Tak, pan.

– Już mówiłem, nie widziałem Gettych od dawna.

– Nie wiedział pan, że mieszkają w Waszyngtonie? – zapytał Robie.

– Nie. Nigdy wcześniej tu nie mieszkali. Kiedy ostatni raz ich widziałem, mieszkali w Pensylwanii.

– W Pensylwanii?! – wykrzyknęła Julie. – Nigdy o tym nie słyszałam. Myślałam, że pochodzą z Kalifornii.

– Być może Curtis. Ale kiedy wróciliśmy do kraju, zamieszkali w pobliżu Pittsburgha. Wtedy spotkałem ich po raz ostatni. Nie wiedziałem, że się tu przeprowadzili.

– Więc pan też mieszkał wtedy w Pensylwanii? – zapytała Vance.

– Tak. Nawet jakiś czas pomieszkiwałem u nich. Ale to było dawno temu. Próbowałem jakoś stanąć na nogi. Prawdę mówiąc, znałem twoją mamę, zanim ona poznała twojego tatę. Pobrali się, kiedy on był jeszcze w mundurze. Byłem na ich ślubie.

Robie spojrzał na Julie. Zauważył, z jakim niedowierzaniem i zainteresowaniem przyjmuje te wszystkie nowe wiadomości na temat swoich rodziców.

– Po pierwszej wojnie w Zatoce – ciągnął Cassidy – nie wiodło mi się dobrze. Wpakowałem się w kłopoty. A oni pomogli mi się z nich wydostać.

– Narkotyki? – zapytał Robie.

– Ja nie brałem – odrzekł cicho Cassidy, unikając wzroku Julie.

– Wiem, że rodzice mieli problem z narkotykami – powiedziała Julie. – Zwłaszcza tata.

– On był dobrym człowiekiem, Julie – zapewnił ją Cassidy. – Jak mówiłem, parę razy uratował mi życie na pustyni. Zasłużył na Brązową Gwiazdę z literą „V". I na Purpurowe Serce też. Kiedy byliśmy w wojsku, nigdy nawet nie tknął alkoholu. Ale jak wróciliśmy do kraju, wszystko się zmieniło. Wojna nie była długa. Nie to co ta w Wietnamie czy druga światowa. Jednak widzieliśmy tam naprawdę straszne rzeczy. Mnóstwo zabitych, głównie cywilów, kobiet, dzieci. Wielu chłopców zaczęło świrować. No i twój tata zaczął brać. Hasz. Koka. Amfa. Twoja mama próbowała wyprowadzić go na prostą, ale jej się nie udało. A w końcu ona też w to wpadła. Cholernie trudno wyjść z czegoś takiego, kiedy jest się w ciągu.

– A jaką pan miał słabostkę? – zapytała Vance.

– Piłem – wyznał szczerze Cassidy.

– I jest pan właścicielem baru? – Robie się zdziwił.

– Nie ma lepszego sposobu na codzienne sprawdzanie siebie. Mam w zasięgu ręki najlepsze trunki, a mimo to od ponad dziesięciu lat nie wypiłem nawet kropli.

– Julie ma czternaście lat. W takim razie widział pan Gettych po raz ostatni mniej więcej trzynaście lat temu? – zapytała Vance.

– Zgadza się.

Robie rozejrzał się po przestronnym wnętrzu.

– Gettym zdecydowanie się nie poszczęściło. Może trzeba było się odwdzięczyć za okazaną pomoc.

– Chętnie bym to zrobił – odparł Cassidy. – Gdybym kiedyś wiedział, gdzie są. – Otworzył szufladę biurka i wcisnął ukryty w niej guzik. Wiszący na ścianie portret kobiety na koniu odchylił się, ukazując drzwiczki sejfu.

Cassidy otworzył sejf i wyjął z niego plik listów.

– To są listy, które przez te wszystkie lata napisałem do twoich rodziców, Julie – powiedział, pokazując je całej trójce. – Co do jednego wróciły w zamkniętych kopertach. Adresat nieznany. Straciłem sporo czasu i pieniędzy, próbując was odnaleźć. I nigdy nie przyszło mi do głowy, żeby poszukać na miejscu.

Rzucił plik na blat biurka i usiadł na krześle.

– Nie mogę uwierzyć, że oni nie żyją – powiedział drżącym głosem. Otarł oczy i pokręcił głową.

Robie przyjrzał się listom.

– Rzeczywiście, włożył pan w to sporo wysiłku.

– Przecież mówiłem, byli moimi przyjaciółmi. Curtis ocalił mi życie. Pomogli mi, kiedy potrzebowałem pomocy. – Spojrzał na Julie. – Skoro twoi rodzice nie żyją, z kim mieszkasz? Kto się tobą zajmuje?

– Póki co oni – powiedziała Julie, wskazując na Robiego i Vance.

– Ona jest pod nadzorem kuratora czy co? – zapytał Cassidy.

– Tak jakby – odparł Robie.

Cassidy spojrzał na Julie.

– Mogę ci pomóc. Chciałbym ci pomóc, tak jak chciałem pomóc twoim rodzicom.

– Porozmawiamy o tym później – uciął Robie. – Nie ma pan nam nic więcej do powiedzenia na temat Getty'ego albo innych żołnierzy z drużyny?

– Już mówiłem, nie utrzymywałem z nikim kontaktu.

– Pamięta pan Gabriela Siegla i Elizabeth Claire?

– Tak, pamiętam. Co u nich?

– Nie za dobrze, prawdę mówiąc. A Ricka Winda?

– Tak, to był porządny gość. I dobry żołnierz.

– On też nie żyje. Podobnie jak Leo Broome.

Cassidy zerwał się i uderzył otwartą dłonią w biurko.

– Ci wszyscy ludzie z mojego oddziału zostali zabici?

– Nie wszyscy. Ale śmiertelność w waszym oddziale jest wyższa, niż można by się spodziewać – odrzekła sucho Vance.

– Powinienem zacząć się obawiać? – zapytał Cassidy.

– Wszyscy powinni się obawiać – odparł Robie.

85

Odwiedziliśmy całą trójkę i nic się nie wydarzyło – powiedział Robie, kiedy wracali do samochodu.

– To oznacza tylko tyle, że nie odsłonili kart i nie pokazali, kto jest dla nich ważny – stwierdziła Vance.

– Całkiem sprytne posunięcie.

– Może to nie miało znaczenia. Siegel nie wiedział nic prócz tego, że van Beuren jest w hospicjum. Van Beuren nie mogła ci nic powiedzieć, bo jest w agonii. I tylko Cassidy jest trochę dziwny.

– Polubiłam go – odezwała się Julie. – Trochę przypomina mi tatę.

– Bez wątpienia próbował znaleźć twoją rodzinę – rzekł Robie. – Dziwne jest tylko to, że nic nie wiedział o pozostałych osobach mieszkających w okolicy. Jeśli włożył tyle wysiłku w szukanie Gettych, czemu nie szukał innych?

– Przecież powiedział, że moi rodzice mu pomogli – odparła Julie. – A mój tata uratował mu życie. Pozostali byli tylko kolegami z oddziału.

– Być może – odpowiedział Robie. – Choć nie jestem przekonany.

Vance zaczęła obchodzić samochód.

– Myślisz, że możemy do niego wsiąść?

– Mówiłem ci, że są w nim o specjalne zabezpieczenia. Ale jeśli ma ci to poprawić humor, to ja wsiądę pierwszy i uruchomię silnik.

– Nie musisz tego robić. W końcu działamy razem.

– I właśnie dlatego powinienem tak zrobić. Nie ma sensu, żebyśmy wszyscy zamienili się w ognistą kulę.

Vance i Julie czekały za rogiem, aż Robie otworzy samochód i wsiądzie do środka. Kiedy uruchamiał silnik, były wyraźnie spięte. A kiedy nic się nie wydarzyło, obie jednocześnie odetchnęły z ulgą.

Robie podjechał do nich i obie szybko wsiadły.

– Dokąd teraz? – zapytała Vance.

– Z powrotem do naszej skromnej kwatery głównej. Porównamy notatki, przemyślimy wszystko, może natrafimy na nowy trop.

– Nie bardzo wiem, o czym tu myśleć – narzekała Julie.

– Zobaczysz, będziesz zaskoczona – odparł Robie.

– Miejmy nadzieję – powiedziała Vance – bo ja nie widzę światełka w tym tunelu.

Droga na zachód była też zatłoczona i minęło półtorej godziny, nim zasiedli przy kuchennym stole w domku za miastem, popatrując na siebie nawzajem.

Po drodze kupili hamburgery i frytki i zjedli je w samochodzie. I teraz mieli pełne brzuchy, ale zupełną pustkę w głowach.

– Okej, przyjrzyjmy się temu wszystkiemu jeszcze raz – zaproponował Robie.

– Naprawdę musimy? – zaprotestowała Julie. – To tylko strata czasu.

– Większa część pracy przy prowadzeniu śledztwa jest stratą czasu. Ale trzeba ją wykonać, żeby wydobyć na wierzch te elementy, które wydają się nic nieznaczące – odparła Vance.

– Twoja kolej – zwrócił się Robie do Vance.

– Okej, wykluczyliśmy kilka scenariuszy, które okazały się fałszywym tropem. Przeanalizujmy to jeszcze raz i zacznijmy eliminować poszczególne osoby. Z tego co opowiadaliście, nie ma możliwości, żeby van Beuren była w to zamieszana. Leży w hospicjum od kilku miesięcy. Oddycha za nią maszyna. Mąż i córka patrzą, jak umiera.

Robie przytaknął.

– Siegel też wydaje się fałszywym tropem. Martwi się tylko o to, że straci pracę. Poza tym wyglądał na kompletnie zaskoczonego, kiedy powiedziałem mu, dlaczego chcę z nim rozmawiać.

– Może się w takim razie pomyliłeś, Robie – stwierdziła Vance. – Mówiłeś, że kiedy Julie wspomniała o innych żołnierzach z drużyny, próbowano ją zabić. Tymczasem nic się nie dzieje.

– A co z Cassidym? – zapytał Robie.

– Właśnie, co z Cassidym?

– Znał Gettych. Nie przekonuje mnie jego tłumaczenie, że nie potrafił ich znaleźć. Ani to, że nie wiedział, że kilku jego kolegów z wojska mieszka w okolicy. Facet ma pieniądze, a pieniądze ułatwiają poszukiwania. A jego zaskoczenie wiadomością o śmierci Curtisa i Sary było naprawdę dziwne.

– Mama i tata nigdy o nim nie wspominali – wtrąciła Julie. – To też wydaje się dziwne, skoro twierdzi, że byli sobie tak bliscy. I dlaczego nie odpowiadali na jego listy?

– To się nie trzyma kupy – zgodził się Robie.

Vance chciała coś powiedzieć, ale zadzwonił jej telefon. Spojrzała na numer na wyświetlaczu.

– Nie wiem kto to. To numer z północnej części Wirginii.

– Lepiej odbierz – poradził Robie.

– Halo? – odezwała się Vance. Osoba po drugiej stronie zaczęła szybko mówić.

– Spokojnie, powoli. – Vance przycisnęła aparat do ucha ramieniem, wyciągnęła notes i długopis i zaczęła pisać.

– W porządku, zaraz tam będę.

Rozłączyła się i utkwiła spojrzenie w Robiem.

– Kto to był? – zapytał.

– Może się okazać, że jednak miałeś rację – powiedziała.

– W jakiej sprawie?

– Dzwoniła żona Gabriela Siegla. Zostawiłam jej swój numer.

– Czego chciała?

– Do jej męża po twoim wyjściu ktoś zadzwonił. Zaraz potem Siegel wyszedł z banku i do tej pory nie wrócił. Nie dotarł na spotkanie z klientem ani na uroczysty lunch organizowany przez bank. Po prostu zniknął.

86

Nie pojechali do banku, tylko prosto do domu Gabriela Siegla. Kiedy wjeżdżali na podjazd, jego żona czekała na nich w progu. Robie zaparkował pod samą werandą. Kobieta popatrzyła na niego dziwnie, ale po chwili dostrzegła Vance.

– Jesteśmy partnerami – rzuciła szorstkim tonem Vance. – Robie, to jest Alice Siegel.

– Pani Siegel, przyszliśmy pomóc w odnalezieniu pani męża.

Kobieta skinęła głową. Oczy miała pełne łez. Na widok Julie na jej twarzy znów pojawiło się zaskoczenie.

– A to kto?

– Proponuję, żebyśmy się teraz tym nie zajmowali, proszę pani – uciął Robie. – Możemy wejść?

Alice cofnęła się, robiąc przejście i wpuszczając ich do domu. Usiedli w fotelach w salonie.

Robie rozejrzał się. Wnętrze było skromnie urządzone, ale czyste i funkcjonalne. Sieglowie musieli być ludźmi oszczędnymi. Pensja w banku pewnie nie należała do wysokich.

Vance rozpoczęła rozmowę.

– Twierdzi pani, że ktoś do męża zadzwonił, a on zaraz potem wyszedł. Domyśla się pani, kto to mógł być?

– Nikt w banku nie wie. Miałam nadzieję, że uda się tę rozmowę namierzyć.

– Dzwoniono na telefon stacjonarny czy na jego komórkę?

– Na linię firmową. Stąd wiadomo, że w ogóle był telefon.

– I odbierając ten telefon, nikt z banku nie zapytał, kto mówi?

– Przypuszczam, że po prostu przełączono rozmowę. A osoba, która odebrała, myślała, że Gabe czeka na ten telefon. W ich oddziale nie ma żadnej etatowej recepcjonistki. Redukcja zatrudnienia.

– Pani mąż mi o tym wspominał – powiedział Robie. – A osoba, która odebrała telefon, powiedziała, czy dzwonił mężczyzna, czy kobieta?

– Mężczyzna. Zamierzacie tam pojechać? Póki trop jest świeży?

– Wszystko na pewno sprawdzimy, pani Siegel – uspokoiła ją Vance. – Jednak nie popełniono żadnego przestępstwa. A pani mąż formalnie nie jest osobą zaginioną. Wygląda na to, że wyszedł z banku z własnej nieprzymuszonej woli.

– Ale nie wrócił. To nie jest normalne.

– Czy mógł mieć jakiś wypadek?

– Jego samochód do tej pory stoi na parkingu.

– W takim razie poszedł pieszo – odezwał się Robie. – Albo pojechał z osobą, która do niego dzwoniła. Próbowała pani się z nim skontaktować?

– Dwadzieścia razy. Wysyłałam mu też esemesy. Bez odpowiedzi. Bardzo się martwię.

Robie przyjrzał się jej uważnie.

– Czy istnieje jakiś powód, dla którego pani mąż mógłby tak po prostu odejść?

– Ta rozmowa telefoniczna. To musiała być ta rozmowa.

– Nie wiemy, czy te dwa zdarzenia coś łączy – zauważyła Vance. – Mógł planować to już wcześniej. A rozmowa telefoniczna to tylko zwykły zbieg okoliczności.

– Ale dlaczego?

– Mąż wspominał, że oboje martwicie się, czy nie straci pracy w banku – powiedział Robie.

– Takie wyjście to pewny sposób na utratę pracy – warknęła Alice.

– I jest pani pewna, że nie próbował się z panią skontaktować? Na komórkę? A może na telefon stacjonarny?

– Nie mamy telefonu stacjonarnego. Zrezygnowaliśmy z niego, kiedy w zeszłym roku obcięto Gabrielowi pensję.

– Przychodzi pani do głowy jakiś powód, dla którego mąż mógłby tak po prostu wyjść z banku?

Spojrzała na niego podejrzliwie.

– Cóż, to pan pojawił się w banku, żeby z nim porozmawiać. I potem mąż zniknął. Może pan zna powód.

Ma rację, pomyślał Robie.

– Pani mąż walczył w pierwszej wojnie w Zatoce – zaczął.

– O to miałoby chodzić? Przecież już od lat jest w cywilu.

– Służył w oddziale, którym się interesujemy – ciągnął Robie.

– Dlaczego?

Robie zawahał się i rzucił krótkie spojrzenie Vance.

– Po prostu się interesujemy, pani Siegel – powiedziała Vance. – Chcieliśmy zapytać pani męża, czy utrzymywał kontakt z kimś z jego dawnego oddziału.

– Wiem, że znał Elizabeth Claire van Beuren. Utrzymywali kontakt.

– O niej wiemy.

– Ona jest umierająca.

– To też wiemy – odparła Vance. – Czy wspominał kiedykolwiek o kimś jeszcze?

– Od czasu do czasu padały jakieś nazwiska. Trudno pamiętać.

– Leo Broome? Rick Wind? Curtis Getty? Jerome Cassidy? – wymieniał Robie.

– Getty, tak, przypominam sobie to nazwisko. Gabe mówił, że się przyjaźnili, ale nie widział się z nim od powrotu z wojny. Rick Wind też brzmi znajomo. Problem polega na tym, że Gabe nie mówił dużo o czasie w wojsku. Bał się, że umrze z powodu trucizn, z którymi mieli tam styczność. Żołnierze padają jak muchy, a wojsko nie chce nawet przyznać, że istnieje coś takiego jak syndrom wojny w Zatoce. Kiedy Elizabeth zachorowała, wpadł w depresję. Dużo o niej myślał. Był przekonany, że on będzie następny.

– Wspomniała pani, że mąż i Curtis Getty byli przyjaciółmi – wtrąciła Julie. – Czy mąż miał jakieś wspólne zdjęcie z Gettym?

Robie i Vance spojrzeli na Julie. Robie poczuł wyrzuty sumienia. Cały czas się martwił, jaki to wszystko może mieć wpływ na dziewczynę.

Alice przez chwilę sprawiała wrażenie podenerwowanej, ale żarliwe i szczere spojrzenie Julie kazało jej wstać.

– Myślę, że tak. Proszę chwilę zaczekać.

Wyszła z pokoju, a po kilku minutach wróciła z kopertą w ręku. Usiadła obok Julie, otworzyła kopertę i wyjęła z niej zdjęcia.

– Gabe przywiózł te zdjęcia z Bliskiego Wschodu. Możecie je obejrzeć.

Vance i Robie stanęli przy Julie i przyjrzeli się fotografiom.

– To mój tata! – zawołała Julie.

Alice zmierzyła wzrokiem Robiego i Vance.

– Jej tata?

– To długa historia – uciął Robie.

Wziął od Julie zdjęcie i wpatrzył się w nie uważnie.

Na tle spalonego irackiego czołgu stała grupka żołnierzy. Na poczerniałej skorupie wraku ktoś sprejem napisał: „Kebab Saddama".

Curtis Getty był pierwszy z prawej, ubrany w mundur polowy, z rozpiętą koszulą i pistoletem w prawej ręce. Wyglądał młodo. Wyglądał też na bardzo szczęśliwego, pewnie dlatego, że żyje. Obok niego stał Jerome Cassidy. Miał brązowe włosy, regulaminowo obcięte na jeża. Był bez koszuli, opalony, smukły, muskularny. Następna była Elizabeth Claire. Niższa od pozostałych, sprawiała wrażenie największego twardziela. Jej mundur wyróżniał się nieskazitelną czystością i schludnością, nie brakowało nawet guzika. Broń miała w kaburze i patrzyła w obiektyw z bardzo poważną miną.

Kiedy patrzył na nią, Robie pomyślał, że pewnie nigdy nie przyszło jej do głowy, że dwadzieścia lat później będzie leżała w hospicjum, czekając na śmierć.

– Pierwszy z lewej to Gabe – powiedziała Alice.

Siegel był szczuplejszy i miał więcej włosów na głowie. Spoglądał w obiektyw z pewną siebie miną. Dzisiaj jest cieniem tamtego człowieka z fotografii, ocenił Robie.

Alice wskazała dwóch innych mężczyzn stojących obok siebie pośrodku grupy. Byli wyżsi od pozostałych.

– Nie wiem, kim oni są – powiedziała.

– To Rick Wind i Leo Broome – wyjaśnił Robie. – Znamy ich.

– Myślicie, że oni mogą wiedzieć, dlaczego mój mąż zniknął?

– Mogą – odparł Robie. I w duchu dodał: Ale trudno będzie ich zapytać.

– Sprawdzimy to – odezwała się Vance, która jakby czytała w myślach Robiego.

– Zupełnie nie rozumiem, dlaczego ktoś się teraz interesuje służbą wojskową męża.

– Czy pani mąż ma jeszcze jakieś pamiątki z czasów służby w armii?

– Nic o tym nie wiem. Przywiózł ze sobą kilka rzeczy. Hełm, buty, parę innych drobiazgów. Ale potem się ich pozbył.

– Dlaczego? – zapytała Vance.

Alice Siegel wydawała się zaskoczona tym pytaniem.

– Uważał, że są trujące oczywiście.

87

Kiedy wrócili do domku za miastem, Vance zadzwoniła do FBI i dostała od swojego szefa porządną burę za zniknięcie bez jego zgody. Gdy przełożony zakończył swoją tyradę, Vance zdołała wyprosić u niego ustalenie numeru, z którego dzwoniono do Gabriela Siegla do banku.

Po dwudziestu minutach szef oddzwonił z odpowiedzią. Telefon był na kartę, a więc ślepy zaułek. Przy okazji kazał Vance wracać do biura. Natychmiast.

Robie podsłuchał tę część rozmowy. Kiedy Vance zaczęła protestować, chwycił ją za ramię i szepnął:

– Jedź i zabierz ze sobą Julie.

Jego spojrzenie powędrowało ku górze, dokąd Julie poszła skorzystać z łazienki.

– Co? – zapytała zaskoczona Vance.

– Za chwilę zrobi się naprawdę bardzo niebezpiecznie.

Vance zasłoniła dłonią słuchawkę.

– Skąd wiesz?

– Po prostu wiem.

– To tym bardziej powinniśmy się trzymać razem.

– My tak, ale nie Julie. Ona nie może nam towarzyszyć. Zabierz ją do biura terenowego i otocz armią agentów. A potem możesz wrócić i dołączyć do mnie.

Przyglądała mu się nieufnie, w jej oczach widział niedowierzanie.

W telefonie zaskrzeczał męski głos.

– Tak jest – rzuciła. – Zaraz będę. I przywiozę ze sobą Julie Getty. Mam nadzieję, że teraz będziemy ją lepiej chronić niż poprzednim razem.

Rozłączyła się i spojrzała na Robiego badawczo.

– Jeśli próbujesz mnie wykiwać...

– Dlaczego miałbym to robić?

– Bo wydajesz się mieć do tego skłonności. Jeśli przyszła ci do głowy myśl, że jesteś jedyną osobą na świecie, która zdoła sobie z tym poradzić, albo że będziesz mnie chronił przed niebezpieczeństwem...

– Jesteś agentką FBI. Sama się na to pisałaś. Zapewniam cię, że nie przychodzą mi do głowy żadne podobne myśli. Jedyne, co mnie interesuje, to wykonać swoją robotę i przeżyć. A jeśli to, co mówię, zaczyna brzmieć niczym jakaś fantazja, to według mnie znaczy, że te dwa cele wzajemnie się nie wykluczają.

– Nie ściemniaj.

– Wsiadaj do samochodu i zabieraj Julie. Zapewnij jej bezpieczne schronienie i wracaj.

– A ty będziesz tu na mnie czekał? – zapytała z powątpiewaniem.

– Jeśli mnie tu nie zastaniesz, masz mój numer telefonu.

– Nie wierzę ci, Robie. Nie dopuścisz mnie do śledztwa, kiedy tylko...

Robie odwrócił się i odszedł.

– To jest twoja odpowiedź?! Ignorujesz mnie?! Znów odchodzisz?! – zawołała za nim.

– Co się dzieje? – Julie obserwowała ich znad poręczy schodów.

Vance spojrzała na Robiego i westchnęła.

– Chodź, Julie. Musimy się stąd wynosić.

– Dokąd jedziemy?

– Sprawdzimy pewien trop.

– A co będzie robił Will?

– Sprawdzał inny trop.

– Dlaczego się rozdzielamy?

– Ponieważ nasz nieustraszony przywódca tak sobie życzy. Prawda, Robie? – dodała głośniej.

On był już w drugim pokoju i nie odpowiedział.

Robie patrzył, jak bmw z pękniętą przednią szybą i roztrzaskaną tylną odjeżdża spod domu. Vance ruszyła z impetem, wyrzucając spod kół darń i żwir. Wziął głęboki, oczyszczający wdech. Nigdy nie radził sobie dobrze z innymi ludźmi. Przez ostatnie dwanaście lat pracował niemal bez przerwy samotnie. Tak było lepiej. Wolał pracować sam niż w drużynie. Taką miał naturę.

Natychmiast poczuł się wolny. Pozbył się odpowiedzialności.

Wyrzucił z pamięci obietnicę złożoną Julie, że pomoże jej w wyjaśnieniu tego, co stało się z jej rodzicami. To była fałszywa obietnica. Nie miał interesu w tym, by ją spełnić. Wytłumaczył sobie, że mogłoby się to skończyć śmiercią dziewczynki.

Zresztą cała sprawa się dla niego nie liczyła. Powtarzał sobie to zdanie bez przerwy, przygotowując się do zakończenia tego, co zaczął.

I tylko jedno się nie zmieniło. W tej całej sprawie chodziło o niego.

Tu chodzi o mnie. A także o coś więcej.

Teraz musiał się dowiedzieć o co.

To jest kolejna partia szachów. Przeciwnik właśnie wykonał ruch. A Robie musiał zdecydować, czy ten ruch nie był blefem.

Sprawdził broń i ruszył do akcji.

88

Pierwszym przystankiem był bank. Robie porozmawiał z pracownikami, ale nie udzielili mu żadnej przydatnej informacji. Gabriel Siegel zostawił swoją teczkę, lecz i w niej nie było niczego interesującego. Jednak już samo to, że Siegel jej nie zabrał, podpowiedziało Robiemu, że jego pospieszne wyjście było nieplanowane i nie miało związku z pracą w banku. Był o tym przekonany już wcześniej, ale teraz zyskał potwierdzenie.

Jak wspomniała Alice Siegel, samochód jej męża stał na parkingu. Dziesięcioletnia honda civic. Robie pokonał zamek i przeszukał auto, lecz nie znalazł niczego ciekawego. W końcu odjechał swoim samochodem, zastanawiając się, co skłoniło Siegla do opuszczenia miejsca pracy.

Następnym przystankiem było hospicjum. Poprzednim razem coś pominął.

Rejestr odwiedzin.

Recepcjonistka pozwoliła mu do niego zajrzeć. Kiedy zajęła się swoimi sprawami, Robie zrobił zdjęcia stron z ostatniego miesiąca. A potem poszedł korytarzem do pokoju Elizabeth van Beuren.

Nic się w zasadzie nie zmieniło. Leżała na łóżku z grubą rurką wetkniętą w gardło. Przez okno wpadały promienie słońca. Stały kwiaty. I rodzinna fotografia.

A ona dalej umierała. Uczepiona kurczowo życia, może dlatego, że była żołnierzem i tak miała ukształtowaną psychikę.

A respirator w tym nie przeszkadzał. W którymś momencie rodzina będzie musiała podjąć decyzję.

Jak powiedziała pielęgniarka, to miejsce nie jest przeznaczone do leczenia ani do utrzymywania przy życiu. Tu ludzie mieli umierać, godnie i spokojnie.

Kiedy spojrzał na panią van Beuren, uznał, że wcale nie sprawia wrażenia spokojnej.

Powinni pozwolić jej odejść. Trafić do miejsca lepszego niż to.

Wziął do ręki fotografię i przyjrzał się jej. Miła rodzina. Alexandra van Beuren, o miękkich, ciemnych włosach i radosnym uśmiechu, była urocza. Robiemu spodobał się sposób, w jaki obiektyw aparatu wydobył tryskającą z oczu dziewczyny energię. Jej ojciec wyglądał na twardego mężczyznę, ale zmęczonego i udręczonego, jakby przewidywał, jaki los spotka jego żonę w niedalekiej przyszłości.

Kiedyś, w pewnym momencie swojego życia, Robie myślał, że mógłby mieć rodzinę taką jak ta. To było oczywiście dawno temu. Ale zdarzało się, że rozmyślał o tym i teraz. I właśnie w tej chwili przed oczami stanęła mu twarz Annie Lambert. Potrząsnął głową, odpędzając tę myśl. Nie sądził, żeby stało się to rzeczywistością.

Wyszedł na skąpany w promieniach zachodzącego słońca parking, wsiadł do samochodu i pojechał do Arlington.

Do baru Jerome'a Cassidy'ego.

Jechał szybko i kiedy zatrzymał się przed barem, była piąta.

Wszedł do środka, zamówił piwo i zapytał o właściciela, który pojawił się kilka minut później. Podszedł do Robiego z niepewną miną. Spojrzał na piwo, jakby to była laska dynamitu, która może za chwilę wybuchnąć.

– Chciałbym z panem porozmawiać – odezwał się Robie.

– Na jaki temat?

– Na temat Julie.

– A konkretnie?

– Zamierza pan jej powiedzieć, że jest pan jej ojcem?

– Usiądźmy.

Cassidy zaprowadził go do stolika w rogu sali. W lokalu było około piętnastu gości.

– Ci, którzy zaczynają pić wcześnie, przychodzą około piątej trzydzieści – zaczął Cassidy, kiedy usiedli. – O siódmej będzie tu pełno ludzi. O ósmej tylko miejsca stojące. Około jedenastej trzydzieści zrobi się pusto. W Waszyngtonie ludzie ostro się bawią, ale też ciężko pracują. Wstają wcześnie. Zwłaszcza ci w mundurach.

Robie kołysał szklanką z piwem, ale nie pił. Czekał na odpowiedź Cassidy'ego na swoje pytanie.

W końcu mężczyzna oparł się wygodnie, przeciągnął dłońmi po blacie stołu i spojrzał Robiemu w oczy.

– Po pierwsze, skąd pan, do cholery, wie?

– Faceci nie piszą stosów listów do „przyjaciół". Zwłaszcza jeśli przyjacielem jest też facet. Nie tracą czasu i pieniędzy na odnalezienie ich. Zauważyłem, jak pańska twarz rozjaśniła się na widok wchodzącej Julie. Nie widział jej pan od czasu, gdy była niemowlęciem, a rozpoznał pan ją natychmiast. Nietrudno było się tego domyślić. Poza tym ostatnio widziałem zdjęcie, na którym jest pan w mundurze dwadzieścia lat młodszy. Może Julie jest podobna do matki, ale do pana też.

Cassidy wypuścił głośno powietrze z płuc i skinął głową.

– Myśli pan, że ona wie?

– Nie, myślę, że nie wie. A czy to ma dla pana znaczenie?

– Chyba tak.

– Zamierza jej pan powiedzieć?

– A jak pan myśli, powinienem?

– Może niech pan najpierw mi powie, co się stało.

– Niewiele jest do opowiadania. I nie mam się czego wstydzić. Lubiłem Sarę. To było, zanim poślubiła Curtisa. A ona lubiła mnie. I nagle pojawił się Curtis. Jakby w nich piorun strzelił. Miłość od pierwszego wejrzenia. Silniejsza od tego, co nas łączyło. Nigdy nie miałem o to żalu. Nie kochałem Sary tak, jak kochał ją Curtis. Poza tym on rzeczywiście uratował mi życie. To był porządny facet. Dlaczego miałem mu odmawiać szczęścia?

– A Julie?

– Głupia wpadka podczas ostatniej wspólnej nocy. Curtis myślał, że Julie jest jego dzieckiem. Ale Sara wiedziała. Ja wiedziałem. Nigdy nie pisnąłem słowa.

– Wychodzi pan na niewiarygodnie dobrego człowieka – zauważył Robie.

– Nie jestem święty i nigdy nie twierdziłem, że jestem. Zrobiłem ludziom dużo złego, szczególnie wtedy, gdy piłem. Ale Sara i Curtis... oni należeli do siebie. Poza tym nie mogłem się zaopiekować dzieckiem. Sam pan widzi, że przyszło mi to łatwo. Nie było w tym nic szlachetnego.

– A teraz nie jest łatwo?

Cassidy zerknął na szklankę z piwem.

– Chce pan? – zapytał Robie.

Cassidy zatarł dłonie.

– Nie, nie chcę. To znaczy chcę, ale nie.

Robie wypił łyk i odstawił szklankę.

– Teraz nie jest tak łatwo? – powtórzył pytanie.

– Im człowiek starszy, tym więcej w nim nagromadzonego żalu. Nigdy nie zamierzałem zabierać im Julie. Nigdy! Chciałem ją tylko zobaczyć. Przekonać się, na jakiego człowieka wyrosła. Ale wtedy wyjechałem z Pensylwanii. A kiedy znów zacząłem ich szukać, oni też wyjechali. Szukałem wszędzie, tylko nie tu. – Przerwał i spojrzał Robiemu prosto w oczy. – Co tu się właściwie dzieje? Giną ludzie. Sprawą zajmują się agenci federalni. A w centrum tego wszystkiego jest Julie.

– Nie mogę panu powiedzieć. Wiem tylko, że kiedy to wszystko się skończy, Julie będzie potrzebowała prawdziwego przyjaciela.

– Chcę jej pomóc.

– Zobaczymy, jak to wszystko się zakończy. Nie mogę panu niczego obiecać.

– Jestem jej ojcem.

– Biologicznym ojcem, być może.

– Pan mi nie wierzy?

– Ja już nikomu nie wierzę.

Cassidy najwyraźniej chciał dodać coś jeszcze, ale zrezygnował i uśmiechnął się.

– Do diabła, to podobnie jak ja, agencie Robie. – Wyjrzał przez okno. – Powiedziałem panu, jak ja to widzę. Czy pańskim zdaniem powinienem wyjawić wszystko Julie?

– Obawiam się, że nie jestem odpowiednią osobą do udzielania panu rad. Nigdy nie byłem żonaty. Nie mam dzieci.

– Załóżmy na chwilę, że jest pan odpowiednią osobą. Co by mi pan radził?

– Julie kochała swoich rodziców. Pragnęła, żeby ich życie było lepsze. A teraz chce się dowiedzieć, kto ich zabił. Chce się zemścić.

– Więc pańskim zdaniem nie powinienem jej mówić?

– Jutro moja odpowiedź może być inna niż dziś. Ale to pan musi podjąć decyzję.

Robie wstał i spojrzał na niedopite piwo.

– Da pan radę.

– Dlaczego pan tak sądzi?

– Potrafił pan odmówić sobie doskonałego piwa, to zdoła pan powstrzymać się od niepotrzebnego w tej sytuacji ruchu. Będziemy w kontakcie.

89

Robie sam nie wiedział, dlaczego tu wrócił.

Do mieszkania po drugiej stronie ulicy. Otworzył drzwi, wyłączył alarm i rozejrzał się po wnętrzu. To było jego mieszkanie. Prócz tego miał jeszcze drugie po przeciwnej stronie ulicy i domek za miastem. Każde z tych miejsc miało być bezpieczne, a nie było. W rezultacie Robie stał się bezdomny. Zastanawiał się nawet, czy za chwilę nie pojawi się w korytarzu ktoś, kto zapyta, co on tu robi.

Spojrzał na zegarek. Dochodziła siódma.

Zadzwonił do Vance, ale zgłosiła się poczta głosowa. Pewnie przechodziła w tej chwili katusze rozmowy z szefem na temat jej niespodziewanego zniknięcia. Wątpił, czy w najbliższym czasie wróci do niego. I prawdę mówiąc, poczuł ulgę. Napisał do Julie i otrzymał lakoniczną odpowiedź. Była na pewno wściekła, że dała się wyprowadzić w pole i znów trafiła pod opiekę agentów. Ale dzięki temu będzie miała szansę dorosnąć i z taką inteligencją zrobić w życiu coś wspaniałego.

Po spotkaniu z Cassidym pojechał na miejsce eksplozji autobusu, a potem do zamkniętej wciąż restauracji Donnelly's. Robie wątpił, czy kiedykolwiek zostanie ponownie otwarta. Kto chciałby pić drinka czy jeść kolację w miejscu, gdzie zginęło tylu ludzi?

A teraz stał w swoim mieszkaniu i nie wiedział za bardzo dlaczego.

Jego wzrok spoczął na lunecie. Podszedł do niej, w końcu pochylił się i spojrzał w okular. Zobaczył swój budynek po drugiej stronie ulicy. Zmienił nieco kąt i skierował lunetę na okna swojego mieszkania. Były ciemne. Tak jak powinny. Obrócił lunetę w lewo i zobaczył oświetlony korytarz na swoim piętrze.

Spojrzał teraz na mieszkanie Annie Lambert. W jej oknach też było ciemno. Pewnie wciąż jeszcze jest w pracy. Zastanawiał się, jak minął jej wolny dzień. Miał nadzieję, że przyjemnie. Zasługiwała na to.

Nagle dostrzegł ją jadącą na rowerze ulicą. Obserwował, jak wprowadza rower do budynku. Odliczając w myślach czas, skierował lunetę na drzwi windy na jej piętrze. Chwilę później drzwi się rozsunęły i z windy wysiadła Annie, prowadząc obok siebie rower. Otworzyła swoje mieszkanie i weszła do środka.

Patrzył, jak opiera rower o ścianę, zdejmuje żakiet i tenisówki i idzie przez przedpokój w skarpetkach. Zrobiła przystanek w łazience. Po chwili wyszła i ruszyła dalej. Robie stracił ją na moment z pola widzenia, ale po niecałej minucie znów ją zobaczył. Zdjęła bluzkę i zastąpiła ją bluzą dresową. Miał ochotę pójść tam, złożyć jej wizytę. Ale wtedy zobaczył, że zdejmuje z wieszaka długą czarną suknię w foliowym przejrzystym worku z pralni. Zdjęła worek i przyłożyła suknię do siebie. Suknia była bez ramiączek. Po chwili Annie sięgnęła po kolejny element stroju – żakiet. A potem po czarne szpilki na ośmiocentymetrowym obcasie.

Wyglądało na to, że Annie Lambert dziś wieczorem gdzieś się wybiera. A dlaczego miałaby tego nie robić?, pomyślał Robie. Mimo to poczuł ukłucie zazdrości. To było dziwne uczucie. Nieprzyjemne.

Rozsiadł się na skórzanej kanapie, wyciągnął nogi i wbił wzrok w sufit. Był bardzo zmęczony, nie pamiętał, kiedy ostatnio porządnie się wyspał. Zdrzemnął się i obudził się jakiś czas później. Jak przez mgłę zaczął sobie coś przypominać i sięgnął po telefon. Spojrzał na zdjęcia rejestru gości zrobione w hospicjum.

Przeglądał zdjęcie po zdjęciu, nie spodziewając się znaleźć niczego interesującego. I nie znalazł. Jedyne nazwisko, które było mu znane, to Gabriel Siegel - wpis sprzed miesiąca. To się zgadzało: Siegel mówił, że odwiedził Elizabeth van Beuren miesiąc temu.

Spojrzał na kolejną stronę - nic ciekawego.

I kolejną. Znowu nic.

I wtedy coś przykuło jego uwagę.

Nie nazwisko. Data.

W rejestrze gości brakowało jednego całego dnia. Powiększył obraz. Przyjrzał się uważnie. To, czego szukał, znalazł w lewym dolnym rogu.

Trójkącik papieru. W księdze mógł pozostać niezauważony. Był zbyt mały. Ale przy maksymalnym powiększeniu fotografii stawał się widoczny. To była pozostałość kartki wyrwanej z rejestru.

Dlaczego ktoś wyrwał kartkę z listą gości?

Odpowiedź mogła być tylko jedna. Ktoś chciał ukryć tożsamość osoby, która przyszła z wizytą do Elizabeth van Beuren.

Czy to Broome? Getty? Wind? Dwóch z nich? Może cała trójka?

Siegel powiedział mu, że nie widział się z Broome'em od dziesięciu lat, a z Windem i Gettym od zakończenia wojny w Zatoce. Cassidy mówił, że nie spotkał się z nikim prócz Getty'ego.

A jeśli Broome albo Getty, albo Wind dowiedzieli się, że van Beuren leży w hospicjum, i odwiedzili ją, kiedy jeszcze była przytomna? Siegel twierdził, że jej stan raz się pogarszał, raz poprawiał. Czy coś im powiedziała? Coś, co doprowadziło do tego, że cała trójka została uciszona? Teoria była dość dziwaczna, ale wcale nie bardziej niż inne, jakie ostatnio przychodziły mu do głowy.

Robie przyjrzał się wcześniejszej i późniejszej dacie. Osiem dni temu. To by się zgadzało. Siegel nie został wzięty na cel, bo przestał odwiedzać van Beuren miesiąc temu. Rick Wind zginął pierwszy. Wyglądało na to, że Wind mógł zostać zabity tuż po tym, jak być może odwiedził Elizabeth w hospicjum. A jeśli Curtis Getty nie był w hospicjum, wyjaśniałoby to gorącą dyskusję, której świadkiem była kelnerka Cheryl Kosmann. Broome powiedział coś Getty'emu. Getty mógł powiedzieć Windowi. Albo odwrotnie. Trudno to ustalić, nie wiedząc, który z nich odwiedził van Beuren. Getty nie miał samochodu, wątpliwe więc, żeby wybrał się aż do Manassas.

Mordercy nie zamierzali ryzykować. Mężowie, żony i była żona, która stanowiła dodatkowe potencjalne zagrożenie, bo pracowała dla rządu – wszyscy musieli zginąć.

Broome'om udało się uciec. Na krótko. Ponieważ Robie niechcący pomógł oprawcom ich dopaść.

Teraz zaczął się zastanawiać, kiedy Elizabeth van Beuren podłączono do respiratora.

Urządzenie podtrzymywało śmiertelnie chorą kobietę przy życiu.

Ale służyło też czemuś innemu.

Z rurką w gardle Elizabeth, nawet w przebłyskach świadomości, nie mogła niczego powiedzieć.

Wsadzili jej tę rurkę, żeby zamknąć jej usta.

Robie wybiegł ze swojego mieszkania i zjechał windą na dół.

Czekała go wizyta w hospicjum.

90

Pora odwiedzin już się skończyła. Ale uporczywe stukanie w szybę frontowych drzwi zwróciło uwagę dyżurnej pielęgniarki. Robie pokazał odznakę i został wpuszczony do środka.

– Muszę się zobaczyć z Elizabeth van Beuren – wyjaśnił. – Natychmiast.

– To niemożliwe – odparła pielęgniarka, kobieta po trzydziestce o krótkich jasnych włosach.

– Chyba nie została przeniesiona do innego hospicjum? – zapytał Robie.

– Nie.

– W takim razie?

Kobieta miała już coś powiedzieć, ale w tej samej chwili pojawiła się siostra, z którą Robie rozmawiał wcześniej.

– Wrócił pan? – odezwała się na jego widok. Nie była zadowolona.

– Gdzie jest Elizabeth van Beuren? Muszę się z nią zobaczyć.

– Ale ona nie może się z panem zobaczyć.

– To już słyszałem. Dlaczego? – zapytał Robie, wpatrując się badawczo w twarz pielęgniarki.

– Ponieważ pani van Beuren zmarła mniej więcej trzy godziny temu.

– Co się stało?

– Respirator został odłączony. Godzinę później spokojnie zasnęła.

– Kto polecił odłączenie respiratora?

– Jej lekarz.

– Ale dlaczego? Nie musiał zapytać rodziny o zgodę?

– Nie wolno mi o tym mówić.

– W porządku, a kto może?

– Jej lekarz, jak przypuszczam.

– Poproszę jego nazwisko i numer telefonu.

Robie zadzwonił. Lekarz nie chciał rozmawiać na ten temat, dopóki nie usłyszał od niego:

– Jestem agentem federalnym. Dzieje się coś, co wymaga wyjaśnienia. Jedynym wspólnym mianownikiem jest Elizabeth van Beuren. Mógłby mi pan coś powiedzieć? To ważne, w przeciwnym razie nie zwracałbym się do pana.

– Nie odłączyłbym respiratora, gdyby nie żądanie rodziny – oznajmił lekarz.

– Kto tego zażądał?

– Pan van Beuren miał pełnomocnictwo.

– Więc to on kazał panu odłączyć respirator. Skąd ta zmiana zdania?

– Nie mam pojęcia. Ja zrobiłem tylko to, o co mnie proszono.

– Czy zlecił to panu telefonicznie, czy może pojawił się osobiście?

– Telefonicznie.

– Dość dziwne, że nie chciał być tutaj, kiedy umierała jego żona – zauważył Robie.

– Szczerze mówiąc, agencie Robie, to samo pomyślałem. Może miał coś ważniejszego do zrobienia, chociaż ani trochę nie potrafię sobie wyobrazić, co to mogłoby być.

– Wie pan, doktorze, gdzie on pracuje?

– Nie mam pojęcia.

– A widział go pan kiedyś na własne oczy?

– Tak, wiele razy. Wydawał się najzupełniej normalnym człowiekiem. Był ogromnie oddany żonie. Bardzo się angażował w opiekę nad nią. Lubiłem go.

– Ale nie dość oddany, żeby być przy swojej żonie w chwili śmierci?

– Nie umiem tego wytłumaczyć.

Robie rozłączył się i zwrócił do pielęgniarki:

– Czy ciało wciąż tam jest?

– Nie. Zabrali je już ludzie z zakładu pogrzebowego.

– I jej mąż się nie pojawił? A córka wie?

– Nie mam pojęcia. Myślałam, że to pan van Beuren się z nią skontaktuje. Nie prosił nas o powiadamianie córki, więc nie dzwoniłyśmy do niej.

Robie wybrał numer Vance, ale nadal zgłaszała się poczta głosowa. Następnie zadzwonił do Blue Mana, ale on też nie odebrał.

Robie pobiegł korytarzem do pokoju Elizabeth van Beuren. Otworzył drzwi i ujrzał puste łóżko. Wszedł dalej, wziął do ręki fotografię i przyjrzał się George'owi van Beurenowi. Krótkie włosy, muskularna sylwetka. Przyszła mu do głowy myśl, że mógł być żołnierzem albo byłym żołnierzem.

Pielęgniarka, która poszła za Robiem, stała teraz w korytarzu.

– Czy to naprawdę konieczne? – zapytała.

– Owszem, tak. – Obrócił się w jej stronę. – Widywała pani George'a van Beurena. Czy kiedykolwiek pojawił się w mundurze?

– W mundurze?

– Tak. Na przykład wojskowym.

– Nie. Nigdy. Zawsze był ubrany normalnie. – Zrobiła krok naprzód. – Musimy zebrać rzeczy osobiste pani van Beuren i odesłać je rodzinie.

– Potrzebny mi ich adres domowy.

– Nie mogę panu udzielać takich informacji.

Robie postąpił długi krok naprzód i stanął kilka centymetrów od niej.

– Nie lubię grać ważniaka, ale w tym przypadku nie mam wyjścia. To jest kwestia bezpieczeństwa narodowego. Jeśli jest pani w posiadaniu informacji, które mogłyby zapobiec atakowi na nasz kraj, a nie przekaże ich pani na wyraźne żądanie agenta federalnego, trafi pani na bardzo długi czas do więzienia.

Kobieta z trudem złapała powietrze i wreszcie wydusiła z siebie:

– Proszę za mną.

Minutę później Robie pędził swoim samochodem.

91

Van Beurenowie mieszkali jakieś dwadzieścia minut drogi od hospicjum.

Robie dotarł na miejsce w piętnaście.

W okolicy stały solidne domy klasy średniej. Kosze do koszykówki. Furgonetki i samochody amerykańskiej produkcji na krótkich asfaltowych podjazdach. Zadbane ogródki. Za to brak kamerdynerów i rolls-royce'ów.

Robie podjechał pod dom van Beurenów, który znajdował się na końcu ulicy. W oknach było ciemno, ale na podjeździe stało auto.

Zatrzymał się przy krawężniku, wyjął pistolet i podkradł się pod budynek. Nie zapukał do frontowych drzwi. Zajrzał przez okno do środka, ale niczego nie zobaczył.

Przebiegł na tył domu. Zbił łokciem szybę w tylnych drzwiach i otworzył zamek. Wyjął latarkę i wszedł do środka. Przejście przez cały dom nie zajęło mu dużo czasu. Po chwili dotarł do pokoju od frontu.

Poświecił dookoła latarką. Jej światło natrafiało na różne przedmioty na ścianach i półkach. Jeden z nich zwrócił jego uwagę. Zbliżył się i wziął go do ręki.

Było to zdjęcie van Beurenów.

Matka, córka, ojciec.

Matka miała na sobie mundur polowy.

Wzrok Robiego spoczął na postaci ojca.

George van Beuren też był w mundurze, bardzo charakterystycznym. Biała koszula, ciemne spodnie. Ciemna czapka.

To był mundur formacji znanej jako Secret Service.

George van Beuren chronił prezydenta Stanów Zjednoczonych.

I w tej samej chwili wszystko stało się dla niego jasne.

Przypomniał sobie, jak obserwował Annie Lambert przez lunetę. Szła przez przedpokój, potem stracił ją z oczu na mniej więcej trzydzieści sekund. W tym czasie zdążyła się przebrać.

Zapomniał na chwilę o Annie Lambert i wrócił myślami do hangaru w Maroku. Przez lunetę karabinu obserwował Khalida bin Talala wchodzącego po schodkach do samolotu. Wtedy też stracił księcia na krótko z oczu. Po chwili Talal pojawił się znowu, już na pokładzie. Podszedł do stolika i usiadł naprzeciw Rosjanina i Palestyńczyka.

To wtedy Robie zauważył paski wystające spod ubrania księcia. Myślał, że są to paski kamizelki kuloodpornej. Ale wchodząc na pokład, książę nie miał na sobie kamizelki. Robie przyjrzał mu się bardzo uważnie. Zauważyłby zarys kamizelki. A założenie jej wymagało czasu, zwłaszcza jeśli miało się wydatny brzuch i tradycyjny arabski strój na sobie.

Teraz już wiedział, co się wtedy stało.

Talal został ostrzeżony o możliwym ataku. Miał dublera, który zastąpił go na spotkaniu. Może podejrzewał, że Rosjanin i Palestyńczyk będą próbowali go zabić. A może sądził, że któryś z jego ludzi jest zdrajcą. Może wreszcie spodziewał się ataku snajpera, takiego jak Robie. Przechytrzył wszystkich. Zamiast niego zginął dubler.

Robie wrócił myślami do podsłuchanej tamtej nocy rozmowy. Teraz nabrała ona nadzwyczajnego znaczenia.

Coś, co dla każdego wydawałoby się niemożliwe.

Najsłabsze ogniwo.

Osoba gotowa umrzeć.

Cel mógł być tylko jeden.

Prezydent Stanów Zjednoczonych.

Teraz kradzież samochodu należącego do Secret Service nabierała sensu. Mieli kogoś w szeregach agencji. Mieli George'a van Beurena.

A fakt, że pozwolili Elizabeth van Beuren umrzeć, podpowiedział Robiemu, że nadeszła chwila zamachu.

Talal dzięki swoim miliardom zdołał kupić ludzi w tym kraju, którzy wykonają wszystkie jego polecenia.

Potem Robie przypomniał sobie coś, co usłyszał z ust Annie Lambert.

Kiedy prezydent wróci do Waszyngtonu, w Białym Domu będzie uroczysta kolacja.

Wziął do ręki telefon i włączył wyszukiwarkę internetową.

Gdy przeczytał wynik wyszukiwania, wybiegł z domu.

Dzisiaj prezydent podejmie kolacją następcę tronu Arabii Saudyjskiej.

Sukinsyn Talal zamierzał upiec dwie pieczenie przy jednym ogniu.

92

Robie był już w połowie drogi do Waszyngtonu, kiedy wreszcie udało mu się dodzwonić do Blue Mana. W oszczędnych słowach opowiedział mu o swoich przypuszczeniach.

Odpowiedź Blue Mana była równie lakoniczna. Spotkają się w Białym Domu. On zapewni wsparcie. I zaalarmuje odpowiednie służby.

Dwadzieścia minut później Robie z piskiem opon zatrzymał samochód przy Pennsylvania Avenue, wyskoczył zza kierownicy i puścił się biegiem w kierunku głównej bramy Białego Domu. Zerknął na zegarek. Dochodziła godzina jedenasta. Spodziewał się, że przyjęcie właśnie się zaczyna. Jeśli jeszcze nie było próby zamachu, to na pewno za chwilę nastąpi.

Przed głównym wejściem do Białego Domu dostrzegł Blue Mana w otoczeniu grupki ludzi. Byli wśród nich agenci FBI, Secret Service i DHS. Nie zauważył za to w pobliżu żadnego umundurowanego agenta Secret Service. Domyślił się, że skoro nie wiedziano, jak głęboko sięga spisek w mundurowej formacji Secret Service, postanowiono trzymać wszystkich jej członków z daleka.

Robie podbiegł do Blue Mana.

– Wiadomo, gdzie jest van Beuren? – zapytał.

– Jest na służbie – odparł Blue Man. – Rozmawiałem z agentami Secret Service. Właśnie go szukają. Problem polega na tym, że nie chcemy wzbudzić podejrzeń. Van Beuren może nie być jedynym obecnym tu spiskowcem.

Robie poczuł na sobie spojrzenie jednego z mężczyzn w garniturze. Miał metr dziewięćdziesiąt wzrostu, siwe włosy i twarz tak pooraną zmarszczkami, jakby każda z nich odpowiadała jednemu kryzysowi państwowemu, któremu musiał zapobiec. Robie poznał go. To był dyrektor Secret Service. Przypomniał też sobie, że ojciec dyrektora, będąc już w poważnym wieku, ochraniał prezydenta Reagana, kiedy go postrzelono. Mówiło się, że obecny szef został agentem na usilne prośby starszego pana. I przysiągł, że na jego służbie żaden prezydent nie zginie.

– To pan spowodował całe to zamieszanie? – zapytał Robiego dyrektor.

– Ja – odparł Robie.

– Oby miał pan rację. Bo jeśli nie…

– Jeżeli się mylę, to nic złego się nie stanie. Ale jeśli mam rację…

Dyrektor zwrócił się teraz do Blue Mana.

– Wchodzimy wejściem dla zwiedzających. Nie zwrócimy na siebie tak bardzo uwagi. Jeśli dopisze nam szczęście, złapią van Beurena, zanim dotrzemy na miejsce.

– A co z prezydentem? – zapytał Robie.

– Zwykle przy tego rodzaju zagrożeniu prezydent powinien trafić albo do swoich prywatnych apartamentów, albo do bunkra pod Białym Domem. Ale jeśli jest w to zamieszany van Beuren, to zna nasze procedury i mógł zastawić jakąś pułapkę. Dlatego postanowiliśmy odseparować prezydenta, następcę tronu i grupkę VIP-ów, którzy nie stanowią naszym zdaniem zagrożenia, przenosząc ich do jadalni. W zabezpieczaniu nie bierze udziału żaden agent z formacji mundurowej. Van Beuren nie będzie mógł zbliżyć się do prezydenta. Zrobiliśmy to wszystko dyskretnie. Teraz pozostaje odnaleźć van Beurena. – I dodał jeszcze: – Nadal mam nadzieję, że pan się myli.

– To, że nie udało się wam znaleźć do tej pory van Beurena, świadczy o tym, że miałem rację – odparł Robie.

Dotarli do wejścia dla zwiedzających i szybko przeszli kontrolę osobistą. Wszyscy mundurowi funkcjonariusze Secret Service zostali wycofani i tłoczyli się teraz w korytarzu. Nie powiedziano im, skąd taka decyzja. Każdy został przesłuchany. Żaden nie wiedział, gdzie jest van Beuren. Miał za zadanie ochraniać okolice biblioteki na parterze.

Ale tam go nie było.

Przeszukano wszystkie pomieszczenia na parterze.

Robie i pozostali pobiegli korytarzem i schodami na pierwsze piętro Białego Domu. Kiedy szli przez szeroki Cross Hall w kierunku State Dining Room i połączonego z nią mniejszego Family Dining Room, jeden z agentów otrzymał przez radio wiadomość.

– Znaleźli van Beurena – powiedział.

– Gdzie? – zapytał niecierpliwie dyrektor Secret Service.

– W magazynie w Zachodnim Skrzydle.

Zmienili kierunek i pobiegli do Zachodniego Skrzydła. Tam skierowano ich do pomieszczenia, w którym znaleziono van Beurena.

Biegnący na przodzie agent z hukiem otworzył drzwi. W środku zobaczyli van Beurena. Leżał na podłodze, nieprzytomny i związany. Na jego włosach połyskiwała plama krwi.

Jeden z agentów przyklęknął i sprawdził puls.

– Żyje, ale ktoś mu porządnie przyłożył.

– Nie rozumiem – odezwał się Blue Man. – Dlaczego unieszkodliwili i związali zamachowca?

Robie zauważył to pierwszy.

– Zniknęła jego broń.

Spojrzenia wszystkich skierowały się na kaburę mężczyzny. Brakowało w niej pistoletu kaliber dziewięć milimetrów.

– On nie jest zamachowcem – powiedział Robie. – Potrzebna im była tylko jego broń. Dzięki temu nie musieli przemycać własnej. Na tym polegał plan.

I wtedy Robie przypomniał sobie ostatnie zdania rozmowy podsłuchanej w hangarze w Maroku.

Dostęp do broni.

Nie człowiek z Zachodu.

Wtyczka od dziesięcioleci.

Gotów umrzeć.

– Zamachowiec ma jego broń – oznajmił głośno. – Musi być w otoczeniu prezydenta i następcy tronu.

Dyrektor zbladł.

– Myśli pan, że to ktoś z ludzi prezydenta? Albo jeden z gości?

Robie nie odpowiedział. Biegł już korytarzem do głównego budynku.

93

Jadalnia – zwana Family Dining Room – była jednym z najmniejszych pomieszczeń na pierwszym, reprezentacyjnym piętrze Białego Domu. Można się było dostać do niej z leżącej tuż obok, znacznie większej jadalni, nazywanej State Dining Room. Często jadali tu lunch prezydent z wiceprezydentem. Nie była tak bogato zdobiona, jak znacznie większy Pokój Wschodni, ani tak wspaniale umeblowana, jak Pokój Zielony, Niebieski czy Czerwony.

Jeśli jednak Robie i cała reszta dziś zawiodą, to właśnie ta niepozorna sala przejdzie do historii jako miejsce, gdzie stracił życie amerykański prezydent.

Cała grupa zgromadziła się pod drzwiami prowadzącymi do większej jadalni.

Głos zabrał dyrektor.

– Ostrzeżemy agentów w środku, że jest tam zamachowiec. Prezydent już jest otoczony przez nich murem, czekają tylko na mój rozkaz, żeby go wyprowadzić z jadalni.

– Jeśli to zrobią albo spróbują przeszukiwać ludzi, zamachowiec zacznie strzelać. W tak małej przestrzeni, mimo muru wokół prezydenta, kula może trafić w cel.

– Nie możemy przecież czekać, żeby się przekonać, czy zamachowiec zacznie strzelać, czy nie – zaoponował dyrektor. – Procedury każą działać, i to szybko. Już powinienem wydać rozkazy.

– Ile w sumie osób jest w środku? – zapytał Robie.

– Około pięćdziesięciu – odparł jeden z agentów.

– To może być krwawa łaźnia – stwierdził Blue Man.

– Nikt tego nie chce – odrzekł szorstko dyrektor. – Ale mnie interesuje tylko prezydent. Zamierzam go stamtąd wyciągnąć przez pomieszczenie dla kamerdynera i dalej do holu wejściowego.

– Im dłużej będziemy czekać, tym mniejsze szanse na bezpieczną ewakuację – dodał jeden z agentów.

– A jeśli tam jest więcej niż jeden zamachowiec? – zapytał Blue Man. – Możecie wciągnąć prezydenta w pułapkę.

– Zamachowcem musi być ktoś, kto tutaj pracuje – stwierdził Robie.

– To niemożliwe – odpowiedział dyrektor.

– Ta osoba musiała współdziałać z kimś, kto tu pracuje. To nie ulega wątpliwości. To nie mógł być nikt z zewnątrz. A wśród osób, które są teraz w jadalni z prezydentem, jest sporo ludzi z jego sztabu, prawda?

– To może być też ktoś ze świty następcy tronu. – Dyrektor był wyraźnie przestraszony. – Upchnięcie ich wszystkich w jednej sali było wielkim błędem. Niech to szlag!

Robie pokręcił przecząco głową.

– Van Beuren został znaleziony w Zachodnim Skrzydle. Czy ktoś z otoczenia księcia miał dziś wieczorem dostęp do Zachodniego Skrzydła? Pamiętajcie, że rana na głowie van Beurena była świeża.

Dyrektor powiódł wzrokiem po swoich ludziach.

– Znacie odpowiedź na to pytanie?

– Dziś wieczorem żaden człowiek ze świty następcy tronu nie zbliżył się do Zachodniego Skrzydła.

– Sukinsyny! – wrzasnął dyrektor.

– Ktoś został przekupiony – powiedział Robie. – Osoba, która za tym stoi, ma mnóstwo pieniędzy. A każdy ma swoją cenę. Z tego co już wiemy, mógł przekupić któregoś z agentów Secret Service.

– Nie wierzę – odezwał się dyrektor. – Nigdy jeszcze żaden z agentów nie okazał się zdrajcą.

– To samo można było powiedzieć o formacji mundurowej – zauważył Blue Man. – A jednak stało się. Jeden z ludzi tworzących w tej chwili mur wokół prezydenta może być pomocnikiem zamachowca, osoby, która ma broń van Beurena.

– Ale skoro przekupiono agenta Secret Service, to po co ten cały trud ze zdobyciem broni van Beurena?

– Tego rodzaju operacja wymaga przygotowania planu awaryjnego, sir – odpowiedział Robie. – Stawka jest zbyt wysoka. Nie twierdzę, że w środku jest dwóch zamachowców. Mówię tylko, że nie możemy z całą odpowiedzialnością wykluczyć takiej ewentualności.

– Co w takim razie robimy? – zapytał dyrektor.

– Pozwólcie mi tam wejść – zaproponował Robie. – Każdy pracownik Białego Domu zna agentów ochrony, ale nie mnie. Wejdę przebrany za kelnera. Pod byle pretekstem, mogę na przykład przynieść kawę.

– I co dalej? – dopytywał się dyrektor.

– Zidentyfikuję zamachowca i zdejmę go.

– Jak będzie pan w stanie odróżnić zabójcę od pozostałych obecnych w pokoju? – prychnął dyrektor.

– Agent Robie ma duże doświadczenie w odnajdywaniu morderców, dyrektorze – powiedział głośno Blue Man. A potem podszedł do dyrektora i szepnął mu na ucho: – Nie ma w tym kraju drugiego takiego. Jeśli szuka pan człowieka, który potrafi zabić w najtrudniejszych warunkach, w pokoju pełnym ludzi, to jest ten najlepszy.

Dyrektor zmierzył Robiego srogim spojrzeniem.

– To wbrew wszelkim procedurom Secret Service.

– Zgadza się – przyznał Robie.

– Jeśli się panu nie powiedzie, prezydent zginie.

– To prawda. Ale jestem gotów umrzeć, żeby do tego nie doszło.

– Jeżeli nie będę mógł uprzedzić swoich agentów, jaki jest plan, zastrzelą pana, kiedy tylko wyciągnie pan broń.

– Wszystko zależy od tego, kto będzie pierwszy, sir.

Dyrektor i Robie popatrzyli sobie przez długą chwilę prosto w oczy. W końcu dyrektor powiedział:

– Dajcie mu strój kelnera i wózek z tą cholerną kawą.

94

Robie obciągnął marynarkę. Strój kelnera, który mu dano, był przeznaczony dla tęższego mężczyzny. Specjalnie o taki poprosił. Nie mógł pozwolić, żeby ktoś dostrzegł zarys pistoletu. A miał dwa pistolety – jeden w kaburze i drugi ukryty pod ściereczką na wózku z kawą. Miał też kamizelkę kuloodporną, chociaż i tak część agentów strzelałaby w głowę, gdyby uznała, że coś grozi prezydentowi.

Agentom w środku powiedziano, że zagrożenie minęło, ale nadal mają otaczać prezydenta zwartym murem. Następca tronu i jego ludzie stali w drugim narożniku sali, otoczeni przez swoich agentów. Około trzydziestu pracowników Białego Domu i gości znajdowało się pośrodku, między prezydentem a księciem.

Drzwi otworzyły się i Robie wprowadził do sali wózek z kawą. Nie miał słuchawki w uchu. Nie miał łączności z nikim. Za drzwiami czekali agenci gotowi w każdej chwili wpaść do środka. Dyrektor trzymał w ręku walkie-talkie, gotów w jednej sekundzie wydać swoim agentom rozkaz o niestrzelaniu do Robiego, kiedy wyciągnie broń. Robie zdawał sobie jednak sprawę, że ten rozkaz nie zostanie wykonany. Podobnie jak dyrektor wiedział, że od momentu wejścia do jadalni jest trupem.

Drzwi zamknęły się za nim. Robie pchał swój wózek, niepostrzeżenie obserwując wnętrze sali.

Jadalnia powstała za prezydenta Jamesa Madisona i była miejscem spożywania posiłków przez rodziny prezydenckie aż do czasu, gdy Jackie Kennedy urządziła jadalnię w prywatnych apartamentach na górze. Pomieszczenie miało wymiary dziewięć na sześć metrów. Większą część podłogi pokrywał niebiesko-biały dywan. Był tu też kominek z niebiesko-białego marmuru z dwoma kandelabrami na gzymsie. Nad kominkiem wisiał portret kobiety w dziewiętnastowiecznym stroju. Długi stół jadalny, który zwykle stał pośrodku, został teraz wraz z krzesłami przesunięty na bok. Jedne z drzwi były zastawione serwantką. Nad skrzynią w stylu chippendale królowało lustro. Z sufitu zwisał kryształowy żyrandol. Ściany były pomalowane na żółto.

Chociaż gościom i pracownikom Białego Domu nie wspomniano o zagrożeniu, to po minach niektórych z nich można było poznać, że zdają sobie sprawę, iż przeniesienie przyjęcia do tej sali nie jest czymś normalnym.

Robie miał w pamięci rozmowę podsłuchaną w hangarze.

Nie człowiek z Zachodu.

Wtyczka od dziesięcioleci.

To na pewno nie mógł być George van Beuren. Robie musiał być świadom tego, że jest jeszcze jakaś inna osoba.

Zobaczył saudyjskiego następcę tronu nerwowo kręcącego się w rogu sali. Otaczał go mur ochroniarzy i ludzi z jego świty. Przyjrzał się każdemu z nich osobna i szybko ich ocenił. Niektórzy, podobnie jak książę, mieli na sobie tradycyjną długą szatę. Inni byli w garniturach. Następca tronu niewiele się różnił od czarnej owcy w swojej rodzinie, kuzyna Talala. Obaj byli otyli i zbyt bogaci. Z takimi pieniędzmi można narobić niezłego zamieszania, pomyślał Robie. Świat byłby bezpieczniejszy, gdyby ludzie nie posiadali takich wielkich bogactw.

Spojrzał w drugi kąt sali.

Za zwartym murem agentów dostrzegł prezydenta. Kiedy wygrywał wybory, miał ciemne włosy. Teraz, po trzech latach urzędowania, spora ich część zmieniła barwę na siwą. Może dlatego ten budynek nazywa się Białym Domem, pomyślał Robie. Szybko postarza swoich mieszkańców.

Ścisłym kręgiem otaczało prezydenta sześciu agentów. Mimo to, z bliskiej odległości, można było go bez trudu trafić. Każdy z agentów stał zwrócony twarzą na zewnątrz i szukał wzrokiem potencjalnych zagrożeń. Robie przyjrzał się im w poszukiwaniu tego, który zachowywałby się inaczej – obserwował prezydenta albo swoich kolegów. Chociaż powiedziano im, że zagrożenie minęło, nie powinni tracić czujności.

Wszyscy agenci zachowywali się jednakowo – patrzyli przed siebie. Może jednak jest tylko jeden zamachowiec. Robie liczył na łut szczęścia, a mieć do czynienia z tylko jednym zamachowcem byłoby właśnie szczęściem.

Przepchnął wózek bliżej środka sali. Jeszcze raz spojrzał w kierunku narożnika, gdzie stał książę. Gdyby zagrożenie miało nadejść stamtąd, trudno byłoby trafić prezydenta.

Na koniec zainteresował się grupą pozostałych osób.

Pracownicy Białego Domu i goście stali pośrodku jadalni. Wszyscy byli w strojach wieczorowych. Przeważała czerń. Wiele kobiet miało szale, żakiety i inne okrycia zasłaniające ramiona. Niektóre miały przy sobie torebki – wszystkie zbyt małe, by zmieścić w nich pistolet van Beurena.

Mężczyźni stali zbici w jedną grupkę. Obowiązywały smokingi. A w smokingach są kieszenie, które mogą pomieścić skradziony nieprzytomnemu oficerowi pistolet.

Większość była rasy białej. Przeważająca większość należała do świata zachodniego, choć tego Robie nie mógł być pewny. Mniej więcej tuzin wyglądał na przybyszów z odległych zakątków świata.

Robie skupił teraz całą swoją uwagę na osobach stojących pośrodku jadalni. W równej odległości od obu przywódców, czyli w najlepszym miejscu, jeśli celem było zabicie obydwóch. Wymagałoby to niemal niewyobrażalnych umiejętności, ale nie było niemożliwe. W końcu odległość od jednego i drugiego celu jest niewielka.

Ja bym dał radę, pomyślał.

Pierwszy strzał wywołałby panikę. Gdyby trafił w cel, uwaga wszystkich skupiłaby się natychmiast na ofierze. Kiedy ktoś pada na ziemię, ludzie zgromadzeni wokół zaczynają krzyczeć, uciekać, kryć się.

Trudno było jednak strzelić w tak niewielkim pomieszczeniu i niepostrzeżenie uciec. Ktoś mógłby zidentyfikować zamachowca. Ruszyliby do akcji agenci. Postronne osoby próbowałyby go pochwycić. Natomiast zamachowiec mógł strzelić powtórnie. To było możliwe.

Tak rozmyślając, Robie zrozumiał, jaka będzie kolejność strzałów.

Pierwszy – prezydent.

Drugi – książę.

Nie warto ryzykować i zaczynać od pomniejszego. Głównym celem jest prezydent. Jeśli zamachowcowi udałoby się oddać drugi strzał, jego celem będzie wtedy książę.

Kiedy niektórzy zaczęli podchodzić, by wziąć filiżankę z kawą, Robie jeszcze raz rozejrzał się, szukając najbardziej odpowiedniego miejsca do oddania strzału.

Niewielka grupka gości i pracowników trzymała się na uboczu, zgromadzona wokół stołu. Kilka osób odwróciło krzesła i oparło się na nich.

Większość stanowiły kobiety, zauważył Robie.

Syndrom wysokich obcasów. Po długim wieczorze stopy na pewno bolą.

Robie przyglądał się po kolei każdej z tych osób, aż jego wzrok spoczął na jednej z kobiet. I wtedy przestał się przyglądać.

Ta kobieta patrzyła na niego. Annie Lambert.

Była ubrana na czarno. Na suknię bez ramiączek miała narzucony żakiet.

Nie trzymała torebki.

Stała ze skrzyżowanymi rękami, z dłońmi ukrytymi pod żakietem.

Miała upięte włosy, ale kilka kosmyków spadało na długą szyję.

Wyglądała ślicznie.

Więc po to była czarna suknia i buty na obcasie, które Robie widział przez lunetę. Przecież mówiła wcześniej, że będzie organizować to przyjęcie, ale on tego jakoś nie skojarzył.

Obiecał sobie, że cokolwiek się stanie, uchroni ją przed nieszczęściem. Nie pozwoli jej dzisiaj umrzeć.

Miała zaciśnięte usta. Z całą pewnością poznała Robiego. Ale nie uśmiechnęła się. Pewnie jest przestraszona, uznał Robie. Przez chwilę bał się, że na jego widok podniesie alarm. Przecież dla niej był bankowcem zajmującym się inwestycjami. Dlaczego znalazł się tutaj przebrany za kelnera? Mogła pomyśleć, że zjawił się tu, żeby zabić prezydenta. Zastanawiał się, jak dać jej znać, że wszystko jest w porządku, ale nic mu nie przychodziło do głowy. Pozostawało mieć nadzieję, że na jego widok nie wpadnie w panikę.

Tymczasem Annie zachowywała spokój, który w tych okolicznościach był naprawdę godny podziwu. Robie poczuł wobec niej jeszcze większy szacunek. Patrzyła na niego czujnie szeroko otwartymi oczami.

Zauważył, że ma rozszerzone źrenice. Nagle uśmiechnęła się do niego tak, jak jeszcze nigdy dotąd. I w tej samej chwili Robie zobaczył Annie Lambert, jakiej do tej pory nie znał.

Nieoczekiwanie doznał olśnienia. Jego mózg pracował na najwyższych obrotach.

– Broń! – krzyknął i sięgnął po glocka.

Tymczasem Annie Lambert z zadziwiającą szybkością wyciągnęła spod żakietu pistolet, wycelowała i strzeliła.

Prezydent stał zaledwie kilka metrów od niej. Pocisk trafił go w ramię zamiast w pierś. Kiedy Robie krzyknął, agent chwycił prezydenta i pociągnął ku sobie. Gdyby nie to, dostałby prosto w serce.

Annie Lambert skierowała broń w stronę księcia. Ale nie zdążyła.

Kula Robiego trafiła ją prosto w głowę, rozerwała tył czaszki i wraz z odłamkami kości i mózgu utkwiła w ścianie. Żółta ściana zabarwiła się na czerwono.

Lambert zatoczyła się do tyłu, upadła na stół i osunęła się na podłogę.

Agenci Secret Service wyprowadzili prezydenta z pokoju tak szybko, że krew ze zranionego ramienia nie zdążyła zaplamić podłogi.

Robie słyszał krzyki, widział biegających tam i z powrotem ludzi. A on stał bez ruchu z opuszczoną bronią.

Patrzył w milczeniu na ciało Annie Lambert.

95

Robie znajdował się w jakimś pokoju w Białym Domu. Nie wiedział nawet w którym i nie obchodziło go to. Zaprowadzili go do niego jacyś ludzie i kazali czekać.

Siedział na krześle i wpatrywał się w podłogę. Światło lampy nad jego głową było przyćmione. Słyszał dochodzące gdzieś z zewnątrz hałasy. W korytarzu rozmawiali jacyś ludzie. Od czasu do czasu dolatywał dźwięk syreny.

Żaden z odgłosów nie robił na nim wrażenia.

Widział tylko twarz Annie Lambert. A właściwie jej oczy. Wielkie źrenice, ledwie mieszczące się w przeznaczonym dla nich miejscu.

Widział, jak pocisk z jego glocka trafia w jej głowę, rozbryzguje mózg, zabija.

Widział to setki razy. Nie mógł się pozbyć tego widoku. Ten obraz powtarzał się raz za razem jak zapętlone nagranie wideo. Miał ochotę przyłożyć sobie pistolet do skroni i przerwać to na dobre.

Ale zabrano mu broń i nie miał takiej możliwości.

Teraz byłoby to najlepszym wyjściem, myślał. Teraz nie był pewny, czy chce żyć dalej. Wszystko straciło dla niego sens.

Drzwi otworzyły się i Robie podniósł głowę.

– Agencie Robie?

Zobaczył przed sobą dyrektora Secret Service. Za nim stał Blue Man.

– Tak?

– Prezydent chciałby panu osobiście podziękować.

– Co z nim?

– Wszystko w porządku. Wypuścili go ze szpitala. Dzięki Bogu kula przeszła gładko przez ramię. Dużo krwi, niewielka rana. Szybko się zagoi.

– To dobrze – rzekł Robie. – Ale nie trzeba mi dziękować. Wykonywałem tylko swoje obowiązki. Może pan mu to powiedzieć w moim imieniu. – Ponownie wbił wzrok w podłogę.

– Robie – zwrócił się do niego Blue Man, robiąc krok naprzód. – To prezydent. Jest w Gabinecie Owalnym. Oczekuje ciebie.

Robie spojrzał na Blue Mana. Jak zawsze elegancki. Nieważne, czy jest dwunasta w południe, czy dwunasta w nocy. Na twarzy Blue Mana widoczne było zmieszanie. Wiedział, że Annie Lambert mieszkała w tym samym budynku co Robie, ale na pewno nie miał pojęcia o związku, jaki ją z nim łączył. A on nie miał ochoty go o tym informować.

– Dobrze – odparł Robie. – Chodźmy.

Droga do Gabinetu Owalnego zajęła kilka minut i wymagała wyjścia na zewnątrz i przejścia przez Ogród Różany. Zanim Teddy Roosevelt zbudował Zachodnie Skrzydło, stały w tym miejscu szklane oranżerie. Robie przypomniał sobie, że Roosevelt został postrzelony w czasie kampanii wyborczej. Życie uratował mu trzymany w kieszeni na piersi gruby plik kartek z przemówieniem. Pocisk trafił w papiery i wytracił energię, a Roosevelt, choć rana obficie krwawiła, zdołał wygłosić przemówienie. Zgodził się pojechać do szpitala dopiero, kiedy skończył.

Nie ma już takich prezydentów, pomyślał Robie.

Roosevelt przeżył. Przeżył też obecny prezydent.

Przeżył dzięki umiejętnościom Robiego.

I dzięki temu, że miał dużo szczęścia.

Prezydent siedział za biurkiem z lewą ręką unieruchomioną na temblaku. Na widok Robiego wstał. Zdążył się przebrać. Smoking zniknął, jego miejsce zajęła biała koszula do fraka i czarne spodnie. Sprawiał jeszcze wrażenie wstrząśniętego, ale uścisk jego dłoni był zdecydowany.

– Uratował mi pan dzisiaj życie, agencie Robie. Chciałem panu osobiście za to podziękować.

– Cieszę się, że nic się panu nie stało, panie prezydencie.

– Nie mogę uwierzyć, że była w to zamieszana osoba z mojego personelu, pani Lambert, jeśli się nie mylę. Powiedziano mi, że nic na to nie wskazywało.

– Jestem przekonany, że to musiało być dla wszystkich zaskoczeniem – odparł głucho Robie.

Szczególnie dla mnie.

– Jak udało się panu tak szybko poznać, że to ona?

– Zażyła jakiś narkotyk dla uspokojenia nerwów. Zamachowcy samobójcy często tak postępują przed akcją. Miała rozszerzone źrenice.

– Była pod wpływem narkotyków, a mimo to potrafiła celnie strzelać?

– Istnieją takie specyfiki, które koją nerwy, nie przytępiając zmysłów. I po ich zażyciu strzela się celniej. Nie ma nic gorszego niż zdenerwowanie. A założę się, że w takiej sytuacji jak dzisiejsza nawet zawodowy morderca byłby zdenerwowany.

– Bo wiedziałby, że nie zdoła uciec. Że zginie – powiedział prezydent.

– Tak jest. A ona stała bardzo blisko pana. Celność strzału miała znaczenie, jednak nie aż tak wielkie, jak szybkość działania.

Okazało się, że była szybsza ode mnie, pomyślał Robie. Wyciągnęła broń błyskawicznie. Wycelowała, strzeliła i już brała drugą osobę na cel, zanim on zdążył pociągnąć za spust. To tylko jego krzyk sprawił, że stojący najbliżej prezydenta agent szybko zareagował i pociągnął go w swoją stronę.

Prezydent zdawał się czytać w jego myślach.

– Powiedziano mi, że gdybym stał tam, gdzie stałem, już bym nie żył. A zostałem odciągnięty w bok dzięki pańskiemu ostrzeżeniu.

– Żałuję, że nie udało mi się jej powstrzymać, zanim strzeliła.

Prezydent uśmiechnął się i wskazał zranione ramię.

– Wolę to niż śmierć, agencie Robie.

– Tak jest, panie prezydencie.

Robie chciał już sobie pójść. Chciał być sam. Chciał wsiąść do samochodu i pojechać gdzieś przed siebie, póki nie skończy mu się benzyna.

– Zostanie pan w odpowiedni sposób uhonorowany w późniejszym terminie. Ale już teraz chciałem panu osobiście podziękować.

– Nie ma takiej potrzeby, panie prezydencie. Niemniej jednak jest mi bardzo miło.

– Pierwsza dama również pragnie panu podziękować.

Jakby na dany znak do gabinetu weszła żona prezydenta. Była blada, z jej oczu wciąż jeszcze nie zniknęło przerażenie. W przeciwieństwie do męża nie przebrała się. Podeszła do Robiego i ujęła w swoje dłonie jego dłoń.

– Dziękuję, agencie Robie. Nigdy nie zdołamy się panu odwdzięczyć za to, co pan zrobił.

– Nie są mi państwo nic winni. Życzę państwu wszystkiego najlepszego.

Minutę później Robie przemierzał szybkim krokiem korytarz. Czuł, że się tu dusi, nie może oddychać, jakby go ktoś zanurzył w wodzie.

Kiedy był już przy wyjściu, dogonił go Blue Man, z prędkością, jakiej Robie się po nim nie spodziewał.

– Dokąd idziesz? – zapytał.

– Dokądkolwiek, byle daleko stąd – odparł Robie.

– Wszystko to nareszcie się skończyło – stwierdził Blue Man.

– Czyżby?

– A twoim zdaniem jest inaczej?

– To nie koniec – powiedział Robie. – Właściwie, w pewnym sensie, to dopiero początek.

– O czym ty mówisz?

– Napiszę o tym w raporcie.

– Następca tronu też chciał ci podziękować.

– Proszę mu przekazać moje przeprosiny.

– Ale on specjalnie czeka, żeby z tobą porozmawiać.

– Jasne. Proszę mu powiedzieć, żeby przysłał maila.

– Robie!

Robie opuścił Biały Dom frontowymi drzwiami i nie zamierzał się zatrzymywać.

To jeszcze nie koniec.

96

Było jeszcze wcześnie.

Robie znajdował się w swoim drugim mieszkaniu, po przeciwnej stronie ulicy. Przez lunetę patrzył tam, gdzie mieszkała Annie Lambert. Wkrótce zaroi się tam od agentów federalnych. Sprawdzą całe jej życie. Ustalą, z jakiego powodu chciała zabić prezydenta. Dowiedzą się, dlaczego wykonywała polecenia fanatyka z pustynnego kraju, dysponującego nieograniczonymi zasobami petrodolarów.

Robie przypomniał sobie, co mówiła mu o swojej przeszłości.

Była adoptowanym dzieckiem. Jedynaczką. Jej rodzice mieszkali w Anglii. Ale czy byli Anglikami? Jak wyglądało jej wychowanie?

Przypomniał też sobie słowa Palestyńczyka: To nasz człowiek. Od dziesięcioleci.

Byłaś ich człowiekiem, Annie Lambert?

Byłaś od dziesięcioleci wtyczką?

Teraz jesteś martwa. Leżysz na metalowym stole sekcyjnym kilka kilometrów stąd. Zabita moją kulą, która trafiła cię w głowę.

I pomyśleć, że spałem z nią tam, po drugiej stronie ulicy. Piłem z nią drinka. Lubiłem ją. Było mi jej żal. Może nawet mógłbym ją pokochać.

Robie zdawał sobie sprawę, że nie było dziełem przypadku, iż zamieszkała w tym samym budynku co on.

Chodzi o mnie. Zamieszkała tam z mojego powodu.

Książę Talal chciał się zemścić. Chciał mi namieszać w głowie, uprzykrzyć mi życie. A teraz, kiedy zniweczyłem jego plany, pragnie tego jeszcze bardziej.

Zadzwonił telefon.

Spojrzał na wyświetlacz.

Pokazał się numer Nicole Vance.

Odebrał.

Wiedział, co się szykuje.

– Przesyłka zostanie dostarczona pod twoje drzwi za trzydzieści sekund.

– W porządku – odpowiedział spokojnie Robie.

– Zrobisz to co trzeba.

– Rozumiem.

– Postępuj zgodnie z instrukcją.

– Okej.

Połączenie zostało przerwane.

Odłożył telefon.

Blue Man powiedział mu o tym, ale Robie domyślił się wcześniej.

Vance i Julie nigdy nie dotarły do biura terenowego FBI.

Zostały porwane. To było zabezpieczenie dla Talala. Każdy dobry plan musi coś takiego przewidywać.

Odliczał w myślach sekundy. Kiedy doszedł do trzydziestu, pod drzwiami pojawiła się koperta. Nie podbiegł do drzwi. Nie próbował złapać posłańca. Na pewno nie powiedziałby mu niczego interesującego.

Podszedł powoli, schylił się i wziął do ręki kopertę.

Otworzył ją i wyjął zawartość.

Pierwsze dziesięć kartek to były błyszczące fotografie.

On pijący drinka z Annie Lambert.

Annie Lambert całująca go przed Białym Domem.

W końcu on uprawiający seks z Annie Lambert w jej łóżku. Przez chwilę zastanawiał się, gdzie mógł być ukryty aparat, którym wykonano te zdjęcia.

Robie rzucił je na stolik i zajął się pozostałymi kartkami. Nie było tam niczego zaskakującego. Spodziewał się większości z tego, co zobaczył, może nawet wszystkiego.

Nadal chodzi głównie o mnie.

Talal chce mojej głowy. Chce, żebym wrócił tam, gdzie wszystko się zaczęło.

Oferta była jednoznaczna.

Jego głowa za głowę Julie i Vance.

Uznał, że to uczciwa propozycja. Jeśli można wierzyć Talalowi. A oczywiście on mu nie wierzył.

Mimo to nie miał wyjścia. Musiał przyjąć ofertę. Miała ona jedną zaletę. Nie musiał już szukać Talala gdzieś po świecie. Książę wzywał go do siebie.

Robie wcześniej zabił jego dublera. Wątpił, czy książę ma drugiego w rezerwie. Talal bardzo chciał zabić Robiego, ale on jeszcze bardziej pragnął uśmiercić księcia.

Czyniąc z Annie Lambert zdradliwe narzędzie, Talal pozbawił Robiego czegoś cennego, wręcz świętego.

Nigdy już nie będę potrafił sobie samemu zaufać.

Wziął ponownie do ręki zdjęcia, zaniósł je tam, gdzie było lepsze światło, i obejrzał dokładnie, jedno po drugim. Annie wyglądała na taką, jaką mogłaby być w innych okolicznościach – piękną kobietą, przed którą świat stał otworem. Dobrym człowiekiem, który chciał dla tego świata zrobić coś dobrego.

Nie urodziła się jako morderca. Tak została wychowana. Wychowana na doskonałą morderczynię, bo Robie nie poznał się na niej, dopóki nie zobaczył tych rozszerzonych źrenic.

Ja też nie urodziłem się mordercą, pomyślał. A mimo to jestem nim.

Wyjął z szuflady zapalniczkę, zaniósł zdjęcia do kuchni i spalił je w zlewie. Spłukał wodą popiół, pozwolił, żeby ostatnie obłoczki dymu owionęły mu twarz. Patrzył, jak Annie Lambert znika w czeluściach kanalizacji.

Annie Lambert przestała istnieć.

Jakby jej nigdy nie było.

Ta Annie Lambert, którą – wydawało mu się – znał tak dobrze.

Wyszedł z kuchni i zaczął się pakować.

Instrukcje były jasne. Zamierzał ich przestrzegać. Przynajmniej większości. Ale w niektórych kluczowych kwestiach postanowił zastosować własne zasady.

Podejrzewał, że Talal się tego spodziewa.

Talal pokonał Robiego w Maroku.

Robie okazał się lepszy w Waszyngtonie.

Najbliższe dwa dni miały pokazać, kto będzie zwycięzcą trzeciej i ostatniej rundy.

97

W Costa del Sol nie było tak ciepło, jak podczas ostatniego pobytu Robiego tutaj. Wiał zimny wiatr. Niebo było szare. I zapowiadano deszcz.

Podróż promem nie należała do przyjemnych. Wielka jednostka długo kołysała się i kiwała na wodzie, nim osiągnęła odpowiednią prędkość. A nawet wtedy bliźniacze kadłuby katamaranu z trudem zmagały się z wysokimi falami.

Robie miał na sobie skórzaną kurtkę, drelichowe spodnie i wojskowe buty. Skoro się szykował do walki, ważne było odpowiednie obuwie. Nie zabrał ze sobą broni. Jak zwykle musiał polegać na zapewnieniu, że wszystko co potrzebne będzie na niego czekało na miejscu. Usiadł w fotelu przy oknie i patrzył, jak mewy walczą z podmuchami wiatru nad wzburzoną wodą. Jedna z fal rozbiła się o kadłub promu i struga szarej morskiej wody zalała okna. W przeciwieństwie do pozostałych pasażerów Robie nie wzdrygnął się na ten widok.

Nie reagował na nic, co nie było w stanie wyrządzić mu krzywdy.

Z powodu wysokiej fali podróż trwała trochę dłużej niż zwykle. Kiedy dotarli do Tangeru, niebo już pociemniało. Robie zszedł po trapie i wmieszał się w tłum idący w kierunku miasta.

Inaczej niż poprzednim razem Robie wraz z grupą pasażerów wsiadł do jednego z turystycznych autobusów. Kiedy wnętrze zapełniło się w dwóch trzecich, drzwi pojazdu zamknęły się z sykiem i kierowca ruszył. Robie obejrzał się za siebie, zastanawiając się, czy wyjdzie z tego żywy i będzie miał okazję przepłynąć tym promem cieśninę z powrotem.

Nie był tego wcale taki pewny.

Podróż autobusem zajęła około dwudziestu minut. Pojazd zatrzymał się, znowu z sykiem otworzyły się drzwi, a na zewnątrz zaczął padać deszcz. Przewodnik zebrał grupę turystów, tymczasem Robie ruszył w przeciwnym kierunku. Cel jego podróży został ustalony już wcześniej. Ktoś powinien na niego czekać.

I czekał.

Mężczyzna był młody, chociaż zmęczone rysy jego twarzy wskazywały na kogoś dużo starszego. Miał na sobie biały tradycyjny strój arabski i turban na głowie. Prawą stronę szyi przecinała widoczna blizna o nierównych brzegach.

To była blizna po ostrzu noża, Robie to wiedział. Sam miał podobną, tylko na ramieniu. Rany po ciosach nożem zawsze źle się goją. Ząbkowane ostrze mocno uszkadza skórę, szarpie jej brzegi tak, że nawet dobry chirurg plastyczny nie może na to nic poradzić.

– Robie? – upewnił się młody mężczyzna.

Robie skinął głową.

– Umrzesz tutaj – stwierdził rzeczowo mężczyzna.

– Być może – odparł Robie.

– Tędy.

Robie ruszył za nim. Skręcili w uliczkę, na której stała zaparkowana furgonetka.

W środku siedziało pięciu mężczyzn. Wszyscy byli wyżsi od Robiego, wszyscy wyglądali na równie wysportowanych i silnych, jak on. Dwóch było ubranych w tradycyjne białe szaty, trzech nie. Cała piątka miała broń.

Dwóch z nich obszukało Robiego tak dokładnie, jak tylko można obszukać człowieka.

– Przyszedłeś bez broni – odezwał się młody mężczyzna z niedowierzaniem w głosie.

– A co by to dało? – odparł Robie.

– Myślałem, że zginiesz w walce – powiedział tamten.

Robie nie odezwał się. Został wciągnięty do furgonetki i wywieziony za miasto.

Padało coraz mocniej. Robiemu nie przeszkadzał deszcz. Przeszkadzał mu wiatr, który na szczęście ucichł. Krople wody spadały prosto na ziemię. Jak przypuszczał, nadchodziła burza.

Furgonetka jechała dalej.

Po mniej więcej trzydziestu minutach zatrzymała się na punkcie kontrolnym.

To nie było to samo prywatne lotnisko. To byłoby zbyt łatwe.

Otworzyły się drzwi hangaru i furgonetka wjechała do środka.

Stał tu inny samolot. Mniejszy od boeinga 767 Talala. Zdaniem Robiego był to airbus A320. Ten człowiek jest w takim razie właścicielem dwóch samolotów, takich samych, jakich linie lotnicze używają do przewożenia setek pasażerów.

Wypchnięto go bezceremonialnie z furgonetki. Im dalej od ciekawskich oczu, tym brutalniej go traktowano. Mieli nad nim absolutną władzę, dlatego kopniak w plecy, który posłał go na betonową posadzkę hangaru, nie zdziwił go specjalnie.

Młody mężczyzna powiedział coś w języku farsi do drugiego, tego, który kopnął Robiego.

– Powiedz mu, że kopie tak jak moja siostra – odezwał się Robie, podnosząc się z ziemi. – A jeśli chce mieć skopany tyłek, to niech spróbuje jeszcze raz, ale kiedy będę z nim stał twarzą w twarz.

– Nie powiem tego Abdullahowi – odpowiedział młody mężczyzna. – Mógłby cię zabić.

– Nie zrobiłby tego. Gdyby pozbawił przyjemności Talala, sam by zginął.

– Wydaje ci się to zabawne?

– Może dla niego. Dla mnie raczej nie.

– Przeszkodziłeś w realizacji wielkiego planu.

– Powstrzymałem maniaka, który chciał podpalić świat.

– Mógłbym obalić twoje argumenty punkt po punkcie.

– Nie obchodzi mnie, co mógłbyś zrobić. Gdzie jest agentka specjalna Vance i Julie Getty?

– Może już nie żyją.

– Wiem, że żyją.

– Skąd ta pewność?

– Chodzi o zabawę. Talal musi się teraz dobrze bawić.

– Owszem.

Robie obrócił się i zobaczył schodzącego po schodkach odrzutowca księcia Khalida bin Talala.

98

Talal stanął naprzeciwko Robiego. W hangarze automatycznie zapaliły się światła, bo na zewnątrz zrobiło się już ciemno. Robie słyszał, jak krople deszczu uderzają o blaszany dach. Przez umieszczone wysoko na bocznych ścianach okna widać było nabrzmiałe wodą chmury.

Talal zatrzymał się w odległości trzech metrów od Robiego. Zamiast tradycyjnej białej szaty miał na sobie elegancki trzyczęściowy garnitur, w którym prezentował się smuklej niż zwykle.

– Wyglądasz na szczuplejszego od swojego dublera, Talal – odezwał się Robie. – A przynajmniej nie na tak tłustego.

– Masz się do mnie zwracać „książę Talal".

– Gdzie jest Vance i Julie, „książę"?

Talal skinął głową i z odległego kąta hangaru wyprowadzono obie kobiety. Vance miała purpurowo-czarną twarz. Kroczyła sztywno, jakby każdy ruch sprawiał jej ból. Julie miała podpuchnięte oczy, skręcone pod dziwnym kątem prawe ramię i lekko utykała. Widząc, w jakim jest stanie, Robie poczuł przypływ gniewu, ale zmusił się do zachowania spokoju. W obliczu tego, co się za chwilę wydarzy, musiał zachować spokój.

Kiedy obie podeszły bliżej, Talal pstryknął palcami i towarzyszący im mężczyźni zatrzymali je.

– Przepraszam was za to wszystko – odezwał się Robie, spojrzawszy najpierw na Vance, a potem na Julie.

Odpowiedziały spojrzeniem, ale nie odezwały się.

– Na szczęście jedyną osobą, która zginęła, była twoja dziewczyna – zwrócił się Robie do Talala. – Prezydent jest bezpieczny.

– Jedyną, która do tej pory zginęła – poprawił go Talal. I uśmiechnął się. – Ale ty ją znałeś, prawda? I to całkiem blisko, sądząc po zdjęciach.

– O jakich zdjęciach mowa? – warknęła Vance.

– Wiem, że dla ciebie to była zabawa, Talal – odezwał się Robie. – Ale nie dla mnie.

Książę pogroził Robiemu palcem.

– Może nawet wybaczyłbym ci próbę zabicia mnie. Wybaczyłbym ci nawet to, że zniweczyłeś moje plany uśmiercenia ludzi, którzy wpędzą ten świat w kłopoty. Ale nie wybaczę ci braku szacunku. Jestem książę Talal.

Cios z tyłu powalił go na ziemię. Robie podniósł się powoli, bolały go żebra. Obejrzał się na mężczyznę, który go uderzył. Abdullah był z nich wszystkich najwyższy i miał najbardziej zaciętą minę.

– Mojemu przyjacielowi Abdullahowi też nie podoba się demonstrowany przez ciebie brak szacunku.

Abdullah skłonił się lekko przed Talalem i splunął na Robiego.

– Właśnie widzę – odparł Robie. Spojrzał na Vance oraz Julie. – Ale teraz masz już mnie, więc możesz je wypuścić.

– Od chwili, kiedy się tu pojawiłeś, od chwili, kiedy twoja stopa dotknęła ziemi w Tangerze, wiedziałeś, że to niemożliwe.

– Po to przyjechałem. Spodziewam się, że dotrzymasz warunków. Ja w zamian za nie.

– W takim razie jesteś idiotą.

– Nie dotrzymujesz słowa? – Robie obejrzał się na pozostałych. – Jak oni mogą ci ufać, Talal? Mówisz im jedno, a robisz co innego. Co jest wart dowódca, który nie dotrzymuje słowa? Nic. Nic nie jest wart.

Talal pozostał niewzruszony.

A jego ludzie zdawali się nie rozumieć tego, co mówił Robie.

– Możesz spróbować im to wyjaśnić w farsi, dari, pasztuńskim, a nawet w klasycznym arabskim, ale wątpię, czy zmienią zdanie. Robią to, co robią, dlatego że im za to płacę więcej, niż mogliby zarobić gdzie indziej.

– Zaproponuję ci, żebyś się poddał – powiedział na to Robie. – I to tylko raz. Za chwilę moja oferta wygaśnie.

Talal uśmiechnął się.

– Chcesz, żebyśmy się wszyscy poddali tobie?

– Nie tylko mnie.

– A komu jeszcze? Nikt za tobą nie jechał. Wiemy to na pewno.

– Masz rację. Za mną nikt nie jechał.

Talal zamrugał oczami i rozejrzał się wokół siebie.

– Pleciesz bzdury. Spodziewałem się po tobie więcej. Musisz być sparaliżowany strachem.

– Możesz mi wierzyć: nie wystarczy taki tłuścioch jak ty, żeby mnie wystraszyć. – I zanim Talal zdążył odpowiedzieć, Robie dodał. – Złożyłem ci propozycję. Możesz ją przyjąć albo nie. Więc jak?

– Chyba sobie teraz popatrzę, jak cała wasza trójka umiera.

– Rozumiem, że twoja odpowiedź brzmi: nie – powiedział Robie.

– Abdullah, zabij go – rozkazał Talal.

Abdullah wyjął dwa pistolety. Trwało to ułamek sekundy. Rzucił jeden pistolet Robiemu, który zastrzelił trzech stojących najbliżej mężczyzn, w tym tamtego młodego, którego spotkał na ulicy Tangeru. Obok blizny po nożu na jego szyi pojawiła się teraz rana postrzałowa.

Abdullah strzelił dwukrotnie, zabijając kolejnych dwóch ochroniarzy.

Kiedy pozostali sięgnęli po swoją broń, Robie opróżnił magazynek, złapał Vance i Julie i zaciągnął je za olbrzymią goleń samolotu.

– Zatkajcie uszy – rozkazał.

– Słucham? – zdziwiła się Vance.

– Zatkajcie uszy. Ale już!

– Abdullah! – krzyknął Robie i wielkolud skrył się za furgonetką.

Chwilę później okno po prawej stronie roztrzaskał grad pocisków z trzydziestomilimetrowego działka automatycznego. Zaraz potem strzały z karabinu położyły trupem pozostałych ochroniarzy. Ostrzał był tak szybki i precyzyjny, że ludzie Talala nie zdążyli odpowiedzieć ogniem. Padali jeden po drugim, aż wreszcie jedyną stojącą pośrodku hangaru osobą był książę. Zginęli także dwaj ochroniarze, którzy pojawili się w otwartych drzwiach samolotu. Ich ciała z głuchym odgłosem runęły na beton.

Za oknem zawisł śmigłowiec, a jego trzydziestomilimetrowe działko zamontowane w podwoziu umilkło. To była niewykrywalna maszyna. A szum jej silników zagłuszał padający deszcz.

Shane Connors zdjął z metalowej podpórki karabin snajperski i zgodnie ze swoim zwyczajem pocałował lufę. Zasalutował Robiemu i dał znak pilotowi. Śmigłowiec powoli się oddalił.

Robie wyszedł zza goleni samolotu i zbliżył się do Talala. Po chwili dołączył do niego Abdullah.

Talal patrzył z niedowierzaniem na Abdullaha.

– Zdradziłeś mnie?

– A jak twoim zdaniem dotarliśmy do ciebie za pierwszym razem? – zapytał księcia Robie. – Skoro ty przekupujesz naszych ludzi, my możemy przekupić twoich.

Robie uniósł broń. Talal spojrzał mu w oczy.

– Zabijesz mnie teraz?

– Nie. To już nie moje zadanie. Przykro mi.

– Przepraszasz za to, że mnie nie zabijesz? – wydusił z siebie powoli Talal.

Drzwi hangaru otworzyły się i do środka wjechał SUV w złotym kolorze. W samochodzie siedziało pięciu mężczyzn, wszyscy w tradycyjnych arabskich szatach. I wszyscy uzbrojeni. Wysiedli, chwycili Talala pod pachy i zawlekli do samochodu. Książę krzyczał i próbował się uwolnić, ale szybko stracił siły i przestał się wyrywać.

– Wracasz do Arabii Saudyjskiej, Talal – oznajmił mu Robie. – Amerykanie oficjalnie przekazali cię twoim rodakom. Przypuszczam, że wolałbyś dostać kulkę.

SUV odjechał, a Robie skinął na Vance i Julie.

– Na zewnątrz czeka śmigłowiec, który zabierze nas z powrotem do domu – powiedział cicho. – A na pokładzie jest lekarz.

Vance i Julie wychyliły się z kryjówki.

Vance uściskała Robiego.

– Nie mam pojęcia, jak ci się udało tego dokonać, Robie, ale jestem cholernie szczęśliwa.

– Co oni z nim zrobią? – zapytała Julie, patrząc na odjeżdżający samochód.

– Szkoda czasu na rozmyślanie o tym.

– Dlaczego on zabił moją mamę i tatę?

– Obiecuję ci, że kiedy tylko się upewnimy, że agentce Vance i tobie nic nie jest, będziemy już daleko stąd i trochę was nakarmimy, wtedy odpowiem na wszystkie twoje pytania. Zgoda?

– Okej, Will – rzuciła Julie.

Robie objął Vance ramieniem, żeby mogła się na nim wesprzeć, a drugą dłoń podał Julie. Podeszli do śmigłowca, który wylądował przed hangarem i czekał na nich. Za godzinę powinni znaleźć się w samolocie, który przetransportuje ich do domu.

Co będzie potem, tego Robie nie wiedział. Nie zamierzał robić planów na tak odległą przyszłość.

99

Kiedy Robie wszedł do sali konferencyjnej, Blue Man i Shane Connors siedzieli już przy stole.

Spojrzenia Connorsa i Robiego spotkały się na chwilę, mężczyźni skinęli lekko głowami na powitanie i Robie usiadł obok.

– Gratulowałem właśnie agentowi Connorsowi znakomitej roboty – odezwał się Blue Man.

– Wreszcie wyrwałem się zza biurka – odpowiedział Connors. – To najlepsza nagroda.

Robie utkwił spojrzenie w twarzy Blue Mana.

– Co nam powiedział van Beuren?

– W zasadzie wszystko.

– Dlaczego zdecydował się zdradzić swój kraj?

– Pieniądze i zasady.

– Pieniądze, rozumiem. Może pan nieco więcej na temat zasad?

– Pieniądze w nieco innym sensie, niż ci się wydaje. Miały głównie pójść na opłacenie rachunków szpitalnych, a reszta na zabezpieczenie sobie starości. Mimo że van Beurenowie byli dobrze ubezpieczeni przez rząd, to nie wystarczało na eksperymentalne metody leczenia, którymi on próbował ratować życie Elizabeth. Bez tych środków musieliby ogłosić bankructwo. I przerwano by leczenie. Niestety nawet pieniądze nie pomogły.

– A zasady?

– George van Beuren winił amerykański rząd za to, że żona zachorowała na raka. Uważał, że przyczyną jej choroby i śmierci był kontakt z toksycznymi substancjami na polu walki. Chciał się zemścić. Amerykański prezydent i saudyjski następca tronu wydawali się idealnym celem.

– Musiał rozmawiać z Gabrielem Sieglem – wtrącił Robie. – On uważa tak samo.

– To nie usprawiedliwia zdrady – zauważył Connors.

– Nie, nie usprawiedliwia – przyznał Blue Man.

– A córka van Beurena?

– O niczym nie wiedziała. Tak twierdzi jej ojciec. Wierzymy mu. Wobec niej nie będą wyciągnięte żadne konsekwencje.

– Tyle że właśnie straciła oboje rodziców – zauważył Robie.

– Owszem.

– Dlaczego obezwładnili van Beurena?

– Początkowo plan zakładał, że van Beuren pozostanie poza wszelkimi podejrzeniami. Twoje odkrycia uniemożliwiły to, ale oni nie zdawali sobie z tego sprawy. Dlatego Lambert ogłusza go i kradnie jego broń. Van Beuren miał jeszcze jakiś czas popracować na swoim stanowisku, a potem przejść spokojnie na emeryturę i gdzieś się na starość przeprowadzić.

– A te wszystkie wcześniejsze zabójstwa? – zapytał Robie. – George van Beuren schrzanił robotę. Powiedział swojej żonie, co zamierza zrobić. Może mówiąc to, nie wiedział, że ona go słucha i jest świadoma. Może chciał to tylko wyrzucić z siebie. Ale ona to usłyszała, a ponieważ była patriotką, wkurzyła się. Kiedy odwiedził ją Broome albo Wind czy Getty, opowiedziała o wszystkim. Van Beuren dowiedział się o tym i musiał coś zrobić. Zastosował taktykę spalonej ziemi. Po prostu wszystkich zabił.

– Udało ci się wyjaśnić prawie wszystko – stwierdził Blue Man. – To Leo Broome odwiedził ją w hospicjum. Później między nim a van Beurenem doszło do konfrontacji. Van

Beuren próbował tłumaczyć, że to halucynacje żony. Ale ludzie Talala już zaczęli obserwować Broome'a. Potem Broome opowiedział o wszystkim Rickowi Windowi i Gettym. W ten sposób obaj wydali na siebie wyrok śmierci. Ciebie poprosili o zabicie Jane Wind, bo obawiali się, że jej były małżonek coś jej zdradził. I tak oto, zgodnie z planem Talala, zostałeś uwikłany w całą sprawę.

– A żonie van Beurena zatkali gardło rurką respiratora, żeby nie mogła nic więcej powiedzieć – zauważył Robie.

– Prawdę mówiąc, zamierzali ją zabić, ale van Beuren stanowczo oświadczył, że w takim wypadku nie będzie z nimi współpracował. Kiedy wszystko miało się już zakończyć zgodnie z planem, kazał odłączyć ją od respiratora i kobieta zmarła śmiercią naturalną.

– A co z Gabrielem Sieglem? – zapytał Robie.

– Bardzo chcieli, żebyśmy myśleli, że jest w to zamieszany. Zadzwonili do niego do biura, powiedzieli mu, że jego żona zostanie zamordowana, jeśli się z nimi nie spotka. Nie wiem, czy kiedykolwiek znajdziemy jego ciało. Nie mieli żadnego powodu, żeby go pozostawić żywego.

– A strzelanina w restauracji Donnelly's?

– Saudyjczycy już przesłuchali Talala. Talal chciał cię jak najdotkliwiej zranić. Chciał, żebyś miał wyrzuty sumienia z powodu tego, co się stało. Wiedział, że domyślisz się, że to ty jesteś prawdziwym celem. Wykorzystali samochód należący do Secret Service, który pomógł im zdobyć van Beuren. To było nierozsądne posunięcie ze strony Talala, bo natychmiast wzbudziło podejrzenia. Ale on pewnie myślał, że jest sprytniejszy od nas wszystkich.

– A pieniądze Broome'a?

– Przyjrzeliśmy się temu bliżej. Najprawdopodobniej pochodziły ze skarbów skradzionych w Kuwejcie. W całą sprawę był zamieszany Broome i Rick Wind. Broome dobrze je zainwestował. Wind nie. A Curtis Getty był czysty.

Blue Man zrobił pauzę i obrzucił Robiego uważnym spojrzeniem.

– Chociaż celem był prezydent i saudyjski następca tronu, tak naprawdę chodziło o ciebie, Robie.

– Nie udało mi się go zabić, postanawia więc dowiedzieć się, kim jestem, a potem dobrać mi się do skóry. Kiedy Elizabeth van Beuren zaczęła mówić, Talal uznał, że to świetna okazja, by mnie w to wszystko wmieszać. Mój oficer prowadzący każe mi zabić Jane Wind i od tego momentu jestem wyłączony.

– Dla nich każde rozwiązanie jest dobre – wtrącił się Connors. – Gdybyś zabił Jane Wind i jej syna, a potem dowiedział się, że ona była niewinna, wyrzuty sumienia nie pozwoliłyby ci normalnie żyć. Ale na wszelki wypadek, gdyby ogarnęły cię wątpliwości, umieścili na pozycji strzelca wyborowego. Wiedzieli o twoim planie awaryjnym ucieczki autobusem. Zrobili wszystko, żeby w tym samym autobusie znalazła się Julie.

– Pomyśleli pewnie – podjął myśl Robie – że niezależnie od tego, czy pociągnę za spust, czy nie, znajdę się w tym samym autobusie co Julie, kiedy zorientuję się, kim naprawdę była Jane Wind.

– Ale kiedy Julie wpadła na pomysł, żeby przesłuchać pozostałych żołnierzy z oddziału – dodał Blue Man – gra stała się nagle zbyt niebezpieczna. Mogła doprowadzić nas do van Beurena. Postanowili więc zabić Julie, a w razie potrzeby także ciebie. Najważniejszy był zamach i nic nie mogło mu zagrozić.

– To wszystko brzmi logicznie – powiedział Robie.

– Annie Lambert pojawiła się na horyzoncie dość wcześnie – ciągnął Blue Man. – Po tym, jak Talalowi udało się przeżyć w Tangerze, dowiedział się, że to ty do niego strzelałeś, i kazał się Annie Lambert wprowadzić do budynku, w którym jest twoje mieszkanie. Działo się to, zanim którykolwiek z kolegów Elizabeth van Beuren z wojska dowiedział się, co planuje jej mąż. Talal miał najwyraźniej swoje plany dotyczące was dwojga.

Robie zaczął przyglądać się swoim dłoniom. Od chwili kiedy zabił Annie Lambert, starał się o niej nie myśleć.

– Okazała się lepsza ode mnie – powiedział w końcu. – Szybsza, bardziej opanowana. Nigdy wcześniej nie widziałem, żeby w podobnej sytuacji ktoś był tak spokojny.

– Była pod wpływem narkotyków – zauważył Blue Man. – Brałeś kiedyś narkotyki przed misją?

– Nie, ale nigdy nie szedłem na misję z przekonaniem, że w jej trakcie zginę – odparował Robie.

Zapadła kłopotliwa cisza, którą przerwał dopiero Connors.

– Jak wykształcona, młoda kobieta z Connecticut mogła zostać gotowym na śmierć zamachowcem?

– Szukaliśmy odpowiedzi na to pytanie – odezwał się Blue Man. – Nieco informacji wydobytych od Talala przekazali nam Saudyjczycy. Jej ojczym był Anglikiem, a macocha Iranką. Wyemigrowali do Iranu, kiedy u władzy był jeszcze szach. Musieli zostać źle potraktowani przez reżim szacha, chyba nawet stracili wtedy jakichś członków rodziny. Zwracali się do lokalnych władz, a także do naszych o pomoc, ale nikt ich nie wysłuchał. Przecież szach nie mógł robić niczego złego. Jak pamiętacie, wspieraliśmy go wtedy. Po rewolucji w końcu lat siedemdziesiątych szach został odsunięty od władzy, a my straciliśmy wpływy w Iranie. Lambertowie musieli nienawidzić Zachodu, a w szczególności Ameryki. Wrócili do Anglii, adoptowali Annie, wyemigrowali do Ameryki i wychowali ją jak własną córkę.

– Tyle że przy okazji zafundowali jej pranie mózgu? – domyślił się Connors. – Przygotowywali ją do takiej misji?

– Chyba przez całe życie. Nie było oczywiście żadnych gwarancji, że Annie kiedykolwiek będzie pracować w Białym

Domu. Ale prezydenta można próbować zabić także w innych miejscach. Jej rodzice byli bogaci i aktywni politycznie. Annie była wyróżniającą się studentką i najwyraźniej znakomitą aktorką. Nie udało się nam znaleźć ani jednej osoby, która podejrzewałaby, że Annie jest tykającą bombą. Prowadziła przykładne życie. Udzielała się towarzysko, wyróżniała w pracy. Żadnego błędu, żadnego sygnału ostrzegawczego. Jakby w jednym ciele żyły dwie różne osoby.

Tak było, pomyślał Robie. Tak musiało być.

Blue Man przerwał i spojrzał na niego.

– Zdołała przechytrzyć nawet najlepszego z naszych ludzi. Była najlepszym kretem, z jakim się spotkałem w swojej karierze.

– Gdzie są w tej chwili jej rodzice? – zapytał Robie.

– Talal tego nie wiedział. Prawdopodobnie wrócili do Iranu. Jeśli tak, pozostają poza naszym zasięgiem.

– Nie ma takiego miejsca – zaprotestował ostro Robie. – Trzeba się też zająć Rosjaninem i Palestyńczykiem, którzy podsunęli ten pomysł Talalowi.

– Wiem. Już to robimy.

Cała trójka zamilkła. Robie zadumał się, Blue Man sprawiał wrażenie równie zamyślonego, a na twarzy Connorsa gościła po prostu ciekawość.

– Ludzi można zranić na wiele sposobów, Robie – odezwał się w końcu Blue Man. – Wiem, że ty wiesz to doskonale.

– Tak – odrzekł opryskliwym tonem Robie.

– Była szkolona do tego zadania przez całe życie. Wszyscy jesteśmy w szoku, bo nie pasowała do żadnego z profili, jakie stworzyliśmy. A co, jeśli po ulicach chodzi więcej takich Annie Lambert?

– Trzeba je odnaleźć i powstrzymać – powiedział Connors.

Robie uderzył dłonią w stół.

– Była marionetką. Rodzice pozbawili ją prawdziwego życia. Ona zginęła, a oni mają żyć? Czy to jest w porządku?

– Była pozbawioną skrupułów morderczynią – przypomniał Blue Man.

– Gówno prawda! Była tym, co z niej zrobiono! Nie miała szansy stać się kimś innym.

– Nie jesteś najodpowiedniejszą osobą do wygłaszania takich sądów.

– To kto w takim razie jest? Jakiś analityk, który nie widział jej na oczy? Macie na to jakiś algorytm?

Blue Man przez długą chwilę milczał.

– Jeśli poprawi ci to humor, to Khalila bin Talala nie ma już wśród żywych.

Robie nie odpowiedział, ponieważ nic go to nie obchodziło.

– Pozostaje kwestia Julie – ciągnął Blue Man.

– Już to załatwiłem – oświadczył nieoczekiwanie Robie. I wstał z krzesła.

– Jak?

– Po prostu załatwiłem. – Spojrzał na Connorsa. – Jestem ci zobowiązany, Shane. Nigdy nie zdołam się odpłacić.

– Jesteśmy kwita. Już mówiłem, wreszcie wyciągnięto mnie zza biurka.

Robie spojrzał na Blue Mana.

– Znam może pięciu ludzi, którzy potrafią tak strzelać jak Shane tego wieczoru. Dwóch siedzi w tym pokoju. Niech pan to sobie weźmie do serca.

– Są reguły… – zauważył Blue Man.

– Nie. Jak się przekonaliśmy, reguły są po to, żeby je łamać.

Odwrócił się, zamierzając wyjść.

– Robie?

Spojrzał przez ramię i zobaczył kopertę w dłoni Blue Mana.

– Dostarczył to do nas kurier. Ty pewnie dostałeś taki sam komplet. Weź to i zrób z nimi, co chcesz. Nam nie są potrzebne.

Robie wziął do ręki kopertę, otworzył ją i spojrzał na zdjęcia. Pierwsze przedstawiało jego w towarzystwie Annie Lambert w restauracji na dachu hotelu. Na następnym Annie całowała go pod Białym Domem. Nie spojrzał na pozostałe. Wsunął zdjęcia z powrotem do koperty.

– Dziękuję – powiedział.

I wyszedł.

100

Robie siedział za kierownicą.

Tym razem obok niego siedziała Julie.

Vance na tylnym siedzeniu.

Obie już nieco wydobrzały. Julie jeszcze lekko utykała, a Vance miała trochę opuchniętą twarz.

– Dokąd jedziemy? – zapytała Julie.

– Tam, gdzie już kiedyś byliśmy – odrzekł Robie.

Powiedział wszystko, co mógł na temat śmierci jej rodziców. Widział, jak szlocha, podawał jej chusteczki. Mówił spokojnie, tymczasem w niej narastał gniew, który w końcu przerodził się w szloch. Czternastoletni, wychowany na ulicy dzieciak nareszcie wyrzucił z siebie cały żal i złość.

Robie zatrzymał się. Cała trójka wysiadła z samochodu i weszła do baru.

W środku czekał na nich Jerome Cassidy. Miał starannie ogoloną różową twarz, nowy garnitur i lśniące czystością czarne buty. Musiał też odwiedzić fryzjera, bo włosy miał krótsze i starannie zaczesane. Robie pociągnął nosem i poczuł zapach żelu do włosów, który pomagał utrzymać niesforne kosmyki na miejscu.

– Po co tu przyjechaliśmy, Will? – zapytała Julie, kiedy Cassidy zbliżał się do nich, żeby się przywitać.

Robie i Cassidy przygotowali wcześniej całą historię.

– Will przywiózł cię tutaj, żebym mógł ci powiedzieć prawdę – wyjaśnił Cassidy.

– Prawdę? Jaką prawdę? – zapytała zaskoczona Julie.

– Byłem nie tylko przyjacielem twoich rodziców. – Urwał i zerknął na Robiego, który lekko skinął głową.

– Jestem też przyrodnim bratem twojej mamy. Czyli w pewnym sensie twoim wujkiem. A właściwie naprawdę twoim wujkiem.

– Jesteśmy spokrewnieni? – zdziwiła się Julie.

– Owszem. I chyba jestem jedynym krewnym, jaki ci pozostał. Wiem, że mnie właściwie nie znasz, ale mam dla ciebie propozycję.

Julie skrzyżowała ramiona na piersi i spojrzała na niego podejrzliwie.

– Jaką?

– Dajmy sobie trochę czasu, żeby się lepiej poznać. Widzisz, próbowałem was znaleźć dlatego, że twój tata i moja siostra naprawdę mi pomogli, kiedy miałem kłopoty. Bardzo dużo im zawdzięczam. A nigdy nie miałem okazji się zrewanżować.

– Wiem, do czego to zmierza – powiedziała Julie. – Nie jesteś mi nic winien.

– Nie, Julie. To jest prawdziwy dług. Oni mi pożyczyli pieniądze. A ja podpisałem weksel. Ten weksel był zamiennikiem udziałów w firmie, którą dzięki tym pożyczonym pieniądzom założyłem. Ta firma jest właścicielem wszystkich prowadzonych przeze mnie interesów, włącznie z tym barem. Jeśli weksel nie został wykupiony w odpowiednim czasie, zamieniał się w udział w firmie. Jesteś w tej chwili właścicielką czterdziestu procent udziałów w moich interesach, Julie. Mam wszystkie niezbędne dokumenty, jeśli cię to interesuje. Powinienem ci o tym powiedzieć podczas naszego pierwszego spotkania, ale byłem tak zaskoczony na twój widok, że wyleciało mi to z głowy. Jestem człowiekiem, który dotrzymuje słowa. A dzięki twoim rodzicom odmieniło się moje życie. Należał im się udział w zyskach. A skoro oni nie mogą już z tego skorzystać, wszystko należy się tobie. To, co mieli, jest teraz twoją własnością.

Zamilkł i spojrzał na nią z zakłopotaniem.

Z twarzy Julie zniknął wyraz podejrzliwości. Spojrzała na Robiego.

– Czy to prawda?

– Sprawdziliśmy, to prawda. Będziesz mogła pójść do dowolnego college'u, jaki sobie wybierzesz. Będziesz mogła robić, na co ci przyjdzie ochota.

Julie przeniosła spojrzenie na Cassidy'ego.

– Co to wszystko oznacza dla ciebie i dla mnie?

– To znaczy, że możesz ze mną zamieszkać. Mogę cię nawet zgodnie z prawem adoptować. Ale jeśli wolisz, możesz dostać opiekuna prawnego, który się tobą zajmie, póki nie ukończysz osiemnastu lat. Wybór należy do ciebie.

– Zamieszkać z tobą?

– Nie będziemy sobie przeszkadzać. Ja jestem bardzo zajętym człowiekiem, ale mam gospodynię, która od wielu lat prowadzi mi dom. A gospodyni ma córkę mniej więcej w twoim wieku. To mogłoby się udać. Ale powtarzam: decyzja należy do ciebie.

– Muszę się nad tym zastanowić – odparła Julie.

– Naturalnie. Nie ma pośpiechu – szybko odpowiedział Cassidy.

– Może zaczniecie się poznawać bliżej już teraz? – wtrącił Robie. – Nie wydaje mi się, żeby pan Cassidy tak się wystroił tylko po to, aby porozmawiać z tobą przez chwilę. Jak myślisz, Julie? Jeśli będziesz chciała, mogę przyjechać później i cię zabrać.

– Tak chyba byłoby dobrze.

Robie spojrzał na Cassidy'ego i uśmiechnął się.

– Miłego dnia.

– Dziękuję, agencie Robie. Z całego serca dziękuję.

Robie i Vance odwrócili się i wyszli.

Julie dogoniła ich, nim dotarli do samochodu.

– Okej – rzuciła zasapana. – Cała ta historia to jedna wielka ściema. O co tu naprawdę chodzi?

– Powiedziałem ci prawdę – odezwał się Robie. – Jesteś z nim spokrewniona. Bardzo się przejął losem twoich rodziców. Na pewno dobrze się tobą zaopiekuje. I jest bogaty. Życie nie będzie takie całkiem do dupy.

Na wargach Julie pojawił się cień uśmiechu.

– Przyjedź po mnie za dwie godziny.

– Załatwione.

W dłoni trzymała jakiś przedmiot. Niewielki metalowy pojemnik.

– Gaz paraliżujący, który mi dałeś. Na wypadek gdyby okazał się draniem.

Wróciła do baru.

– Bardzo współczuję temu, kto ją wkurzy – skomentowała Vance.

– Ja nie. Bo będzie zasługiwał na to, co dostanie.

– Powiesz mi prawdę na temat Cassidy'ego? – zapytała, kiedy wsiadali do samochodu.

– Nie.

– W porządku.

Robie uruchomił silnik i ruszył.

– Dobrze się czujesz? – zapytała, dotykając jego ramienia.

– Doskonale.

– Pytam o to niechętnie, ale co Talal miał na myśli, kiedy powiedział…

Robie zwolnił i spojrzał na nią.

Uciekła ze spojrzeniem i dodała:

– Nieważne. Więc… Mamy dwie godziny. Zjemy lunch?

– Chętnie.

Zjedli, porozmawiali o rzeczach, które mogliby zrobić razem, ale Robie nie słuchał zbyt uważnie. W końcu pożegnali się.

– Jeśli będziesz mi dalej ratował życie, nabawię się kompleksów – powiedziała Vance, wysiadając z samochodu Robiego.

– Zupełnie bezpodstawnie, Nikki. Masz u mnie bardzo wysokie notowania.

– Kompletnie cię nie rozumiem, Robie, ale chciałabym cię zrozumieć. To bez sensu, prawda?

Spojrzał na nią, na jego wargach błąkał się uśmiech.

– Myślę, że będziesz miała okazję.

– Trzymam cię za słowo.

O ustalonej godzinie przyjechał po Julie i odwiózł ją do mieszkania, w którym tymczasowo umieścili ją agenci federalni. W mieszkaniu była nawet gospodyni, która nie rozstawała się z bronią i potrafiłaby dać porządny wycisk każdemu intruzowi.

Nim Julie wysiadła, zwróciła się do Robiego.

– Żegnamy się na zawsze?

– Chcesz tego?

– A ty chcesz?

– Nie.

– Ale nie jesteś pewny.

– Nie chcę, żeby jeszcze kiedykolwiek z mojego powodu stała ci się krzywda.

– Takie jest życie, Will. Trzeba się z tym pogodzić.

– Taką właśnie wyznaję filozofię.

– A jak myślisz, od kogo się tego nauczyłam? – Stuknęła go w ramię. – Dziękuję. Bardzo dziękuję. Za wszystko.

– Wydaje mi się, że ja zawdzięczam tobie więcej niż ty mnie.

– Może podzielimy zasługi po równo?

Rzuciła mu się na szyję i uściskała go. Robie w pierwszym momencie poczuł się onieśmielony, ale po chwili odwzajemnił uścisk.

Julie wysiadła z samochodu i wolnym krokiem ruszyła w stronę domu. Odwróciła się, pomachała mu i nagle, mimo wciąż obolałej nogi, w podskokach wbiegła po schodach.

Jak dziecko.

Robie uśmiechnął się i patrzył na nią, póki nie zniknęła mu z oczu.

Jej rany w końcu się zagoją. Przynajmniej te fizyczne. Biorąc pod uwagę jej wiek, psychiczne być może też.

O sobie nie mógł powiedzieć tego samego.

Obraz Annie Lambert pojawiał się co chwila w jego myślach, jakby ktoś wypalił go tam żywym ogniem. Pamiętał każdą spędzoną z nią chwilę. Każde wypowiedziane przez nich słowo. Wszystkie wyobrażenia o tym, co mogło się między nimi wydarzyć.

Tymczasem ona była morderczynią.

Tak samo jak on.

On był zabójcą z wyboru.

Ona tak naprawdę nie miała wyjścia.

Które z nich było w takim razie bardziej winne?

Jest tak, jak powiedziała Julie. Trzeba brać życie takim, jakie jest. Bezlitosne. Nieszczędzące trudnych przeżyć. Pełne bólu.

Taki był jego świat.

Jest tym, kim jest.

Nie mógł tego zmienić.

Nie był niewiniątkiem.

Na pewno nie byli niewiniątkami ci, których ścigał.

Może najlepsze, co mógł zrobić, to chronić tych, którzy rzeczywiście są niewinni.

PODZIĘKOWANIA

Dla Michelle, twój nadzwyczajny entuzjazm bardzo wiele dla mnie znaczył.

Dla Davida Younga, Jamiego Raaba, Emi Battaglii, Jennifer Romanello, Toma Maciaga, Marthy Otis, Chrisa Barby, Karen Torres, Anthony'ego Goffa, Lindsey Rose, Boba Castilla, Michele McGonigle i wszystkich pozostałych osób z Grand Central Publishing, które na co dzień mnie wspierały.

Dla Aarona i Arleen Priest, Lucy Childs Baker, Lisy Erbach Vance, Nicole James, Frances Jalet-Miller i Johna Richmonda za stworzenie najlepszego zespołu, jaki pisarz może sobie wymarzyć.

Dla Mai Thomas, która zajmuje się e-bookami.

Dla Anthony'ego Forbesa Watsona, Jeremy'ego Trevathana, Marii Rejt, Trishy Jackson, Katie James, Aimee Roche, Becky Ikin, Lee Dibble'a, Sophie Portas, Stuarta Dwyera, Anny Bond i Matthew Hayesa z wydawnictwa Pan Macmillan – za sukces książki w Wielkiej Brytanii.

Dla Rona McLarty'ego i Orlagha Cassidy'ego za wspaniałe nagrania audio.

Dla Stevena Maata z wydawnictwa Bruna za sukces książki w Holandii.

Dla Boba Schule'a za przyjaźń, entuzjazm i umiejętności edytorskie.

Dla zwycięzców akcji charytatywnej: Jane Wind, Gabriela Siegla, Elizabeth i Brooke'a van Beurena, Diany Jordison, Cheryl Kosmann i Michele Cohen. Mam nadzieję, że podobali wam się wasi bohaterowie.

Dla Davida i Catherine Broome'ów za zgodę na wykorzystanie waszego nazwiska, chociaż jesteście dużo fajniejsi od Broome'ów w tej powieści.

Dla Kristen, Natashy i Erin, bo bez was bym zginął.

I wreszcie dla Rolanda Ottewella za kolejną znakomitą adiustację.